Loveless

Szerelem nélkül

Alice Oseman

Első kiadás
Könyvmolyképző Kiadó, Szeged, 2024

Írta: Alice Oseman
A mű eredeti címe: Loveless

First published in Great Britain by HarperCollins *Children's Books* in 2020
First published in English in Great Britain by HarperCollins Children's Books,
a division of HarperCollinsPublishers Ltd., under the title:
LOVELESS ('Title 1')
Copyright © Alice Oseman 2020
Translation © 2024 translated under the licence of HarperCollinsPublishers Ltd.
Copyright © Alice Oseman 2020
All rights reserved.

Fordította: Hujder Adrienn
A szöveget gondozta: Róbert Katalin

A sorozatterv, annak elemei és az olvasókhoz szóló üzenet
a borítóbelsőn Katona Ildikó munkája.
© Katona Ildikó, 2014

ISSN 2060-4769
ISBN 978 963 597 883 0

© Kiadta a Könyvmolyképző Kiadó, 2024-ben
Cím: 6701 Szeged, Pf. 784
Tel.: (62) 551-132, Fax: (62) 551-139
E-mail: info@konyvmolykepzo.hu
www.konyvmolykepzo.hu
Felelős kiadó: Katona Ildikó

Műszaki szerkesztő: Szegedi Marinka
Korrektorok: Heiser Kriszta, Kütsön Nikolett
Nyomta és kötötte az Alföldi Nyomda Zrt., Debrecen
Felelős vezető: György Géza vezérigazgató

Ha megvan: Ámoré a diadal.
Kit nyíllal ejt el, kit csapdába csal.

(William Shakespeare: *Sok hűhó semmiért*)[1]

---

[1] Mészöly Dezső fordítása.

ELSŐ RÉSZ

UTOLSÓ ESÉLY

Szó szerint három különböző pár ült a tűz körül, és úgy smároltak, mintha valamiféle hivatalos csókorgián lennénk. Az egyik részem úgy volt vele, hogy *fuj,* a másik meg úgy, hogy *hűha, bárcsak az egyikük én lennék.* Az igazat megvallva, valószínűleg erre kellett volna számítanom a bál utáni bulin. Nem túl gyakran járok ilyenekre, nem voltam tisztában vele, hogy tényleg ez a szokás. Visszavonulót fújtam, és visszaindultam a tűzrakó helytől Hattie Jorgensenék óriási vidéki háza felé. Egyik kezemmel megemeltem a báli ruhámat, hogy ne botoljak meg, és dobtam Pipnek egy üzenetet.

Georgia Warr
nem tudtam megközelíteni a tüzet és mályvacukrot szerezni
mert emberek csókolóztak körülötte

Felipa Quintana
Hogy tudsz engem így elárulni és cserben hagyni Georgia

Georgia Warr
még mindig szeretsz engem vagy ez a vége?

Beléptem a konyhába és rátaláltam Pipre, éppen egy sarokszekrénynek dőlt egy borral teli műanyag pohárral az egyik, a telefonjával a másik kezében. A nyakkendője félig be volt gyűrve az ingzsebébe, a bordó bársonyblézerét jelenleg kigombolva viselte, rövid fürtjei pedig bolyhosak és ziláltak voltak. Kétségtelenül a sok táncnak köszönhetően a bálon.

– Rendben vagy? – kérdeztem.

– Talán egy kicsit részeg – felelte, teknőspáncél szemüvege lecsúszott az orrán. – És kibaszottul *szeretlek* ám téged.

– Jobban, mint a mályvacukrot?

– Hogyan kérheted tőlem, hogy ilyesmiben döntsek?

A válla köré vetettem a karomat, és együtt dőltünk vissza a konyhaszekrénynek. Majdnem éjfél volt, zene dübörgött Hattie nappalijából, és az osztálytársaink beszélgetése, nevetgélése, kiabálása és sikongatása visszhangzott az épület minden sarkából.

– Három különböző pár csókolózott a tűz körül – meséltem. – Összhangban.

– Perverz – felelte Pip.

– Valahogy azt kívántam, bár egy lennék közülük.

– Fuj! – pillantott rám.

– Én csak meg akarok csókolni valakit. – Furcsa, hogy ezt kimondtam, mert még csak részeg sem voltam. Én viszem majd haza Pipet és Jasont.

– Smárolhatunk, ha akarod.

– Nem erre gondoltam.

– Nos, Jason már néhány hónapja szingli. Biztos vagyok benne, hogy hajlandó lenne rá.

– Fogd be! Komolyan gondolom.

Komolyan is gondoltam. Igazán, igazán meg akartam csókolni valakit. Érezni akartam egy kis bálesti varázst.

– Akkor Tommy – vonta fel Pip a szemöldökét, és gonoszul mosolygott. – Talán itt az idő *bevallani*.

Eddig még csak egy emberbe voltam belezúgva. Tommyba. Ő volt a dögös srác az évfolyamunkról, az a típus, aki valóban modell lehetne, ha akarna. Magas és vékony, és hagyományos értelemben vonzó, a Timothée Chalamet-féle módon, bár nem igazán értettem, miért szerelmes mindenki Timothée Chalamet-be. Volt egy elméletem, hogy sok ember csak megjátssza az adott híresség iránti rajongását, hogy beilleszkedjen. Tommy volt a szerelmem általános felső tagozat óta. Akkor egy lány megkérdezte tőlem: „Szerinted ki a legdögösebb fiú a Truhamban?". Mutatott nekem egy fotót a telefonján a legnépszerűbb fiúkról az évfolyamon az út túloldalán lévő fiúiskolából, és ott volt Tommy is, épp középen. Láttam, hogy ő a legvonzóbb – úgy értem, olyan haja volt, mint egy fiúbanda sztárjának, és eléggé divatosan öltözött –, szóval rámutattam, és azt mondtam, *ő*. És azt hiszem, ennyi volt.

Csaknem hét év telt el azóta, és valójában soha nem beszéltem Tommyval. Még csak soha nem is *akartam* igazán, valószínűleg, mert félénk vagyok. Ő inkább egy elvont fogalom volt: dögös srác, akibe bele vagyok zúgva, de semmi sem fog történni közöttünk. És ez számomra teljesen rendben volt.

– Nyilvánvalóan nem Tommyt! – horkantottam fel.

– Miért nem? Kedveled őt.

A gondolat, hogy tényleg valóra váltom a rajongásomat, rendkívüli módon idegessé tett. Csak vállat vontam, Pip pedig ejtette a témát.

Még mindig egymást átkarolva indultunk el kifelé a konyhából Hattie Jorgensenék vidéki luxusházának előcsarnokába. Az emberek a folyosó padlóján fetrengtek a báli ruháikban és szmokingjaikban, poharak és étel szanaszét. Ketten csókolóztak a lépcsőn, néztem őket egy pillanatig, bizonytalanul, hogy ez vajon gusztustalan vagy a legromantikusabb dolog, amit életem során valaha láttam. Valószínűleg az előbbi.

– Tudod, mit akarok? – kérdezte Pip, amint bebotladoztunk Hattieék télikertjébe, és leroskadtunk a kanapéra.

– Mit? – kérdeztem.

– Azt akarom, hogy valaki spontán előadjon egy dalt, bizonyítva az irántam érzett szerelmét.

– Milyen dalt?

Ezen elgondolkozott.

– A *Your Song*ot a *Moulin Rouge*-ból – sóhajtotta. – Istenem, tényleg szomorú vagyok, meleg és magányos.

– Érthető dalválasztás, de nem olyan megvalósítható, mint egy csók.

Pip megforgatta a szemét.

– Ha ennyire meg akarsz csókolni valakit, csak menj, és beszélj Tommyval. Hét éve vagy érte oda. Ez az utolsó esélyed, mielőtt egyetemre megyünk.

Talán igaza volt.

Ha valakinek, akkor Tommynak kellene lennie. De az ötlet rettegéssel töltött el.

Összefontam a karomat.

– Talán megcsókolhatnék helyette egy idegent.

– Húzz a francba!

– Komolyan gondolom.

– Nem, nem gondolod. Te nem ilyen vagy.

– Nem tudod, milyen vagyok.

– De, tudom – felelte Pip. – Jobban ismerlek, mint bárki más.

Igaza volt. Abban, hogy ismer engem, abban, hogy nem vagyok ilyen, és abban is, hogy ma este van az utolsó esélyem bevallani a hét éve tartó szerelmemet. És az utolsó esélyem, hogy megcsókoljak valakit, amíg még gimis vagyok, és van lehetőségem átérezni a tinédzserálom izgalmát és ifjonti varázslatát, amiből úgy tűnik, mindenki más kapott egy kis ízelítőt.

Ez volt az utolsó esélyem, hogy én is átérezzem.

Szóval talán le kéne nyelnem a keserű pirulát, és mégiscsak megcsókolni Tommyt.

ROMÁNC

Szeretem a romantikus történeteket. Mindig is szerettem. Szeretem a Disney-t (különösen az alulértékelt mesterművet, *A hercegnő és a békát*). Szeretem a fanfictionöket (még az olyan karakterekről szóló fanficeket is, akikről semmit sem tudok, de Draco/Harry és Korra/Asami a legfőbb komfortolvasmányaim). Szeretek arról elmélkedni, milyen lenne a saját esküvőm (egy csűrben tartanánk, őszi levelekkel és bogyókkal, fényfüzérekkel és gyertyákkal díszítenék, a ruhám: csipkés és klasszikus kinézetű, a leendő házastársam sír, a családom sír, én sírok, mert annyira, de annyira boldog vagyok, egyszerűen annyira boldog, hogy megtaláltam *az igazit*).

Én csak. Szeretem. A *szerelmet.*

Tudtam, hogy ez nyálas, de nem vagyok egy cinikus alkat. Talán álmodozó vagyok, aki szeret epekedni, és hisz a szerelem varázsában. Mint a főszereplő pasi a *Moulin Rouge*-ból, aki Párizsba szökik regényeket írni az igazságról, szabadságról, szépségről és szerelemről annak ellenére, hogy valószínűleg azon kellene gondolkoznia, hogy munkát szerezzen, és egyáltalán tudjon miből ételt venni. Igen. Kétségkívül ez vagyok én.

Valószínűleg a családomtól örököltem. A Warrok mindig is hittek az *örök szerelem*ben. A szüleim most is épp olyan szerelmesek, mint 1991-ben voltak, amikor anyukám balett-tanár volt, apukám pedig egy bandában játszott. Nem viccelek. Tök komolyan ők ketten Avril Lavigne *Sk8er Boi* című számának a cselekménye, csak happy enddel.

Az apai és anyai nagyszüleim is még együtt vannak. A bátyám huszonkét éves korában feleségül vette a barátnőjét. Egyetlen közeli rokonom sem vált el. Még a legtöbb idősebb unokatestvéremnek is volt legalább párja, ha nem egy egész saját családja. Nekem még sosem volt kapcsolatom. Még sosem csókoltam meg senkit.

Jason megcsókolta a történelemórámról Karishmát a Duke of Edinburgh expedícióján,[2] és néhány hónapig randizott egy borzalmas lánynyal, akit Aimee-nek hívtak, míg rá nem jött, hogy egy seggfej. Pip megcsókolta Millie-t az akadémiáról egy házibulin, és Nicholát is az ifjúsági színházi csoportunkból a Drakula ruhapróbáján. A legtöbb embernek volt egy ilyen története: egy ostoba csók valakivel, akibe belezúgtak, vagy akár még azt sem. És ez nem feltétlenül vezetett sehová, de hozzátartozott a tinédzserléthez.

A legtöbb tizennyolc éves megcsókolt már valakit. A legtöbb tizennyolc évesnek legalább egy szerelme volt már, még ha csak egy híresség is. Az általam ismert emberek fele ténylegesen szexelt, habár néhány közülük valószínűleg hazudott. Vagy csak egy nagyon szörnyű „kézi munkára" vagy mellfogdosásra utalt.

De mindez nem zavart, mert tudtam, eljön majd az én időm. Mindenkinek sikerül. Végül találni fogsz valakit – ezt mondta mindenki, és így is kell lennie. A tinirománcok egyébként is csak a filmekben működtek.

Csak annyit kellett tennem, hogy várok, és eljön majd az én nagy szerelmi történetem. Megtalálom az igazit. Szerelmesek leszünk. És megkapom a „boldogan éltek, míg…"-emet.

---

[2] A Duke of Edinburgh program lehetőséget ad a 14–24 éves fiataloknak arra, hogy olyan helyzetekben fejlesszék magukat, amiket általában nem tapasztalnának meg. A szórakoztató, de kihívásokkal teli expedíciók kimozdítják a fiatalokat a komfortzónájukból, miközben önbizalmat szereznek, csapatmunkát és életvezetési készségeket tanulnak, valamint barátságokat építenek.

PIP, JASON ÉS ÉN

– Georgiának meg kell csókolnia Tommyt – mondta Pip Jasonnek, amikor lehuppantunk mellé a kanapéra Hattie-ék nappalijában. Jason, aki egy Scrabble játék közepén tartott a telefonján, összeráncolt homlokkal nézett rám.

– Megkérdezhetem, miért?

– Mert hét év telt el, és azt hiszem, itt az idő – felelte Pip. – Vélemény?

Jason Farley-Shaw volt a legjobb barátunk. Mi amolyan triót alkottunk. Pip és én ugyanabba a lányiskolába jártunk, Jasonnel pedig az éves iskolai színdarabok révén találkoztunk, ahová mindig meghívtak néhány fiút a fiúiskolából, hogy csatlakozzanak. Aztán néhány év után jelentkezett a mi iskolánkba, mert a végzős évekre már jöhettek fiúk is, és belépett az ifjúsági színházi csoportunkba is.

Nem számított, milyen produkciót állítottunk színpadra, musicalt-e vagy színdarabot, Jason lényegében ugyanazt a szerepet játszotta általában: egy zord idősebb embert. Ez főleg azért lehetett, mert magas volt, és széles, de azért is, mert első pillantásra volt egy kicsit szigorú apakisugárzása. Játszotta Javert-t *A nyomorultak*ban, Prosperót *A vihar*ban és a mérges apukát, George Bankset a *Mary Poppins*ban.

Ennek ellenére Pip és én hamar megtanultuk, hogy a zord külső mögött Jason egy nagyon szelíd, nyugalmat árasztó srác, aki láthatóan jobban élvezte a mi társaságunkat, mint bárki másét. Mivel Pip a káosz előhírnöke, én pedig hajlamos vagyok aggódni és kínosan érezni magam szinte minden miatt, Jason nyugalma tökéletesen kiegyensúlyozott minket.

– Uh – mondta Jason rám pillantva. – Nos… nem az számít, hogy *én* mit gondolok erről.

– Nem tudom, meg akarom-e csókolni Tommyt – feleltem.

Jason elégedettnek tűnt, és visszafordult Piphez.

– Na, tessék! Ügy lezárva. Biztosnak kell lenned ezekben a dolgokban.

– Nem! Ne már! – rikoltott Pip, és szembefordult velem. – Georgia! Tudom, hogy félénk vagy. De *teljesen normális,* hogy ideges vagy a kiszemelted miatt. Ez tökre az *utolsó* esélyed, hogy megvalld az érzéseidet, és még ha vissza is utasít téged, nem számít, mert az ország másik felébe megy egyetemre.

Rámutathattam volna, hogy ez azt jelenti, egy kapcsolat igazán nehézkes lenne, ha pozitív választ adna, de nem tettem.

– Emlékszel, mennyire ideges voltam, amikor megmondtam Aliciának, hogy kedvelem őt? – folytatta Pip. – És aztán azt felelte, „sajnálom, heteró vagyok", én pedig vagy két hónapig sírtam, de nézz csak meg most! Élek és virulok! – rúgott az egyik lábával a levegőbe, hogy alátámassza az igazát. – Ez egy következmény nélküli lehetőség.

Jason végig engem nézett, mintha megpróbálná kiokoskodni, hogyan érzek.

– Nemtom – feleltem. – Én csak… nem tudom. Asszem, tényleg kedvelem.

Jason arcán szomorúság villant át, de aztán el is tűnt.

– Nos – mondta, lepillantva az ölébe –, azt hiszem, egyszerűen azt kellene tenned, amit akarsz.

– Azt hiszem, meg akarom csókolni – mondtam.

Körülnéztem a szobában, és bizony, Tommy ott álldogált egy kis csoportban a bejárat közelében. Elég messze volt ahhoz, hogy ne tudjak rendesen az arca részleteire koncentrálni: csak egy ember ideája, egy paca, egy átlagos, vonzó srác. Hét éve bele vagyok esve. Ilyen messziről látni őt, gondolatban visszavitt felsős koromba, amikor rámutattam egy fotón egy srácra, akiről úgy gondoltam, valószínűleg vonzó.

És ekkor elhatároztam magam. Meg tudom csinálni.

Meg tudom csókolni Tommyt.

Volt idő, amikor azon tűnődtem, talán Jason mellett fogok kikötni. Volt idő, amikor azon, Pip mellett. Ha az életünk egy mozifilm lenne, legalább ketten közülünk összejönnének. De amennyire meg tudtam állapítani, sosem éreztem semmiféle romantikus érzést egyikük iránt sem. Pip és én csaknem hét éve voltunk barátok. A felső tagozat első napjától, amikor az osztálytermi ülésrendünk szerint egymás mellé ültünk, és kierőszakolta, hogy elmondjunk egymásnak három érdekes dolgot magunkról. Kiderült, hogy mindketten színészek akarunk lenni, és ennyi volt. Barátok lettünk. Pip mindig társaságkedvelőbb, viccesebb és általában sokkal érdekesebb volt, mint én. Én voltam az, aki meghallgatta, támogatta, amikor a „meleg vagyok"-krízise zajlott tizennégy éves korában, aztán a „nem tudom, hogy vajon a színházzal vagy a tudománnyal foglalkozzak-e"-krízise múlt évben, majd a „tényleg le akarom vágatni a hajamat rövidre, de félek"-krízise alatt néhány hónappal ezelőtt.

Jason és én később találkoztunk, de gyorsabban kialakult a kötelék közöttünk, mint azt valaha lehetségesnek gondoltam, tekintettel a barátkozás terén elért gyenge eredményemre. Ő volt az első ember az ismerőseim közül, akivel képes voltam csendesen elüldögélni, és nem volt kínos. Nem éreztem úgy, hogy meg kell próbálnom viccesnek és szórakoztatónak lenni; egyszerűen önmagam lehettem, ő pedig nem utált emiatt.

Mindannyian úgy éreztük, mintha ezer pizsamapartit töltöttünk volna együtt. Pontosan tudtam, hol vannak a törött rugók Pip ágyában. Tudtam, hogy Jason kedvenc pohara a konyhaszekrényünkben egy kifakult Donald kacsás, amit Disneylandben kaptam, amikor tizenkettő voltam. A *Moulin Rouge* volt az a film, amit mindig megnéztünk, amikor együtt lógtunk – mindegyikünk kívülről tudta.

Sosem volt semmiféle romantikus érzés Pip, Jason és köztem. De amink volt – egy sokéves barátság –, éppolyan erős volt, úgy gondolom. Talán erősebb, mint sok párkapcsolat, amit ismertem.

FELELSZ VAGY MERSZ

Azért, hogy fizikailag közel kerüljek Tommyhoz, Pip rákényszerített minket, hogy csatlakozzunk a „Felelsz vagy mersz" játékhoz, ami ellen Jasonnel mindketten tiltakoztunk. De nyilvánvalóan Pip győzött.

– Felelek – mondtam, amikor rajtam volt a sor, hogy szenvedjek. Hattie, aki a játékot vezette, gonoszul mosolygott, és kiválasztott egy kártyát a „felelek"-pakliból. Körülbelül tizenketten lehettünk, mind a nappali szőnyegén ültünk. Pip és Jason a két oldalamon, Tommy velem szemközt. Nem igazán akartam ránézni.

Pip adott nekem chipset a tálból támogatásképpen. Hálásan elfogadtam, és betömtem a számba.

– Mi volt a legrosszabb romantikus vagy szexuális tapasztalatod, amit egy sráccal átéltél?

Néhány ember kórusban „óóóó"-zott, egy srác füttyentett, egy lány pedig csak nevetett, és volt egy rövid „ha" kiáltás, amit kínosabbnak találtam, mint bármi mást.

Szerencsére a legtöbb embert ezen a partin soha többé nem fogom látni életemben. Talán Instagramon, de a többség Instagram-sztoriját némítottam, és már volt egy képzeletbeli listám azokról, akiket az emelt szintű érettségi eredményeinek közlése után nem fogok követni. Volt néhány ember az iskolában, akikkel én, Pip és Jason kijöttünk. Azok, akikkel együtt ültünk ebédnél. A színházi srácok egy kis csapata, akikkel együtt lógtunk az iskolai színdarabszezonban. De úgyis tudtam, hogy mindannyian egyetemre fogunk menni, és megfeledkezünk egymásról.

Pip, Jason és én azonban nem fogunk elfeledkezni egymásról, mert mindannyian a Durham Egyetemre készültünk októberben, amennyiben megfelelő jegyeket kapunk.

Igazából nem ezt terveztük, egy stréber kockákból álló trió voltunk, de Jasonnek nem sikerült bejutnia Oxfordba, Pipnek pedig a King's College Londonba, és én voltam az egyetlen, akinek ténylegesen a Durham volt az első választása.

Megköszöntem az univerzumnak mindennap, hogy ez így alakult.

Szükségem volt Pipre és Jasonre. Ők voltak a mentőöveim.

– Ez túlzás – vetette közbe Jason azonnal. – Ne már! Ez túl személyes.

A többiek felháborodottan kiáltoztak. Az emberek leszarták, hogy ez személyes.

– Kell lennie *valaminek* – affektált Hattie a szuperelőkelő akcentusával. – Mármint mostanra mindenkinek volt egy szörnyű csókja vagy valami.

Nagyon kényelmetlenül éreztem magam a figyelem középpontjában, szóval úgy gondoltam, jobb lesz, ha csak túl leszek ezen.

– Még sosem csókoltam meg senkit – közöltem.

Amikor kiböktem, nem gondoltam, hogy valami különösen furcsát mondtam. Mármint ez nem egy tinifilm. A szűzszégyenítés *valójában* nem létezik. Mindenki tudta, hogy az ember akkor csinálja ezeket a dolgokat, amikor készen áll rá, igaz?

De aztán elkezdődtek a reakciók.

Volt hallható zihálás. Egy szánakozó „*óóó*". Néhány srác nevetni kezdett, és egy közülük a „*szűz*" szót köhintette.

Hattie a szájához emelte a kezét, és elszörnyedve azt mondta:

– Istenem, *komolyan*?

Égni kezdett az arcom. Nem voltam furcsa. Egy csomó tizennyolc éves létezik, aki még sosem csókolt meg senkit.

Tommyra pillantottam, és még ő is olyan szimpátiával nézett rám, mintha egy kisgyerek lennék, egy gyerek, aki nem ért semmit.

– Ez nem *annyira* szokatlan – mondtam.

Hattie a szívére szorította a kezét, és lebiggyesztette az alsó ajkát.

– Annyira ártatlan vagy…

Egy srác odahajolt, és azt kérdezte:

– Te, nos, tizennyolc vagy, igaz?

Bólintottam neki, ő pedig azt mondta:

– Ó, *istenem!*

Mintha visszataszító lennék, vagy ilyesmi.

Visszataszító vagyok?

Rusnya, félénk és visszataszító vagyok, és *emiatt* nem csókolóztam még senkivel?

A szemem kezdett könnybe lábadni.

– Rendben – csattant fel Pip. – Most már kibaszottul mindannyian abbahagyhatjátok a faszfejkedést!

– De ez furcsa – mondta egy srác, akit az angolról ismertem. Pipnek címezte. – Be kell ismerned, hogy furcsa betölteni a tizennyolcat anélkül, hogy megcsókoltál volna valakit.

– Ez vicces egy olyan sráctól, aki bevallotta, hogy a *Shrek 3*-ban a hercegnőkre verte ki a farkát.

Vidám vihorászás hangzott fel, pillanatnyilag elterelődött a figyelem rólam. Amíg Pip folytatta az iskolatársaink szidását, Jason nagyon finoman megfogta a kezem, felhúzott, és kivezetett a szobából.

Amint a folyosón voltunk, majdnem elsírtam magam, szóval azt mondtam, pisilnem kell, és felmentem az emeletre megtalálni a klotyót. Amikor elértem a fürdőszobát, megvizsgáltam a tükörképem, megdörzsöltem a bőrt a szemem alatt, így a szempillafestékem nem kenődött szét. Lenyeltem a könnyeket. Nem fogok sírni. Nem sírok senki előtt.

Eddig nem esett le.

Nem esett le, mennyire le vagyok maradva. Túl sok időt töltöttem azon töprengve, hogy az egyetlen igaz szerelmem egyszerűen majd csak feltűnik egy nap. Tévedtem. Annyira, annyira tévedtem. Mindenki más felnőtt, csókolózott, szexelt, szerelmes lett, én pedig csak…

Csak egy gyerek voltam.

És ha így folytatom… örökre egyedül leszek?

– Georgia!

Pip hangja. Meggyőződtem róla, hogy a könnyeim eltűntek, csak ezután léptem ki a fürdőszobából. Ő pedig nem gyanított semmit.

– Annyira kibaszottul ostobák! – mondta.

– Igen – értettem egyet.

Próbált melegen rám mosolyogni.

– Tudod, hogy végül találni fogsz valakit, igaz?

– Igen.

– *Tudod,* hogy végül találni fogsz valakit. Mindenki talál. Meglátod. Jason szomorú arccal nézett rám. Talán szánakozva. Ő is szánt engem? – Elpazarolom a tinédzserkoromat? – kérdeztem őket. És azt mondták, „*nem*", ahogy a legjobb barátok tennék, de már késő volt. Ez volt a figyelmeztetés, amire szükségem volt.

Meg kell csókolnom valakit, mielőtt túl késő lenne.

És ennek a valakinek Tommynak kell lennie.

TOMMY

Hagytam, hogy Pip és Jason visszamenjen a földszintre italokért, azt a kifogást használva, hogy az egyik vendégszobából el akarom hozni a kabátomat, mert fázom. Aztán csak álltam a sötét folyosón, próbáltam lélegezni és rendezni a gondolataimat.

Minden rendben van. Nincs túl késő.

Nem vagyok furcsa vagy gusztustalan.

Van időm lépni.

Megkerestem a kabátomat, és találtam egy tál koktélkolbászt is, ami a radiátoron egyensúlyozott, szóval azt is felkaptam. Ahogy visszasétáltam a folyosón, észrevettem, hogy egy másik hálószoba ajtaja résnyire nyitva van, szóval bekémleltem, csak hogy teljesen tisztán lássam, ahogy valakit megujjaznak.

Ez egyfajta lökéshullámot küldött a gerincemen át. Mármint, hűha, oké. Elfelejtettem, hogy az emberek tényleg csinálják ezt a való életben. Vicces volt olvasni erről fanficekben, és látni a filmekben, de a valóság olyan volt, hogy „Ó! Ajjaj! Kényelmetlenül érzem magam, engedjenek ki innen!".

Emellett minden bizonnyal eszedbe jutna rendesen bezárni az ajtót, ha valaki egy testrészt akarna beléd helyezni.

Nehéz elképzelni magam egy olyan szituációban, mint ez. Őszintén, elméletileg tetszett az ötlet: részt venni egy szexi kis kalandban valaki más házának sötét szobájában egy emberrel, akivel hébe-hóba flörtölsz pár hónapig. De a valóságban? Ténylegesen megérinteni egymás nemi szervét? Fuj.

Azt hiszem, időbe telik, hogy az ember készen álljon az ilyen dolgokra. És találnod kellett valakit, akivel biztonságban érzed magad. Még soha nem is beszéltem senkivel, akit meg akartam csókolni, nemhogy valakivel, akit meg akartam…

Letekintettem a koktélkolbászos tálamra, és hirtelen már nem igazán voltam éhes.

És ekkor egy hang törte meg a csendet körülöttem.

– Hé! – mondta a hang, én pedig felnéztem. És ott volt Tommy.

Ez volt az első alkalom, hogy beszéltem vele.

Sokat láttam őt, nyilvánvalóan. Azon a néhány házibulin, ahol voltam. Néha az iskolakapunál. Amikor átiratkozott az iskolánkba a végzős évekre, nem vettünk fel egy közös órát sem, de időnként elhaladtunk egymás mellett a folyosón.

Mindig valamiféle idegességet éreztem, amikor a közelben volt. Úgy gondoltam, ez a belezúgás miatt van.

Nem igazán tudtam, hogyan kéne viselkednem mellette.

Tommy a hálószobára mutatott.

– Van valaki bent? Azt hiszem, a kabátom az ágyon van.

– Azt hiszem, valakit megujjaznak odabent – feleltem, remélhetőleg nem elég hangosan ahhoz, hogy a szóban forgó emberek meghallják.

Tommy keze lehanyatlott.

– Ó! Rendben. Akkor oké. Öhm… Azt hiszem, később szerzem meg.

Szünet következett. Kínosan álldogáltunk az ajtó előtt. Nem hallhattuk a két embert a hálószobában, de a tudattól, hogy ez történik, és mindketten tisztában vagyunk vele, meg akartam halni.

– Hogy vagy? – kérdezte.

– Ó, tudod… – mondtam, feltartva a kolbászos tányért. – Vannak kolbászaim.

Tommy bólogatott.

– Jó. Jó neked.

– Köszi.

– Egyébként igazán csinos vagy.

A báli ruhám csillogó és lila volt, és elég kényelmetlenül éreztem benne magam összehasonlítva a megszokott mintás, kötött ruháimmal és magas derekú farmerjeimmel, de úgy gondoltam, jól nézek ki, szóval ez jó megerősítés volt.

– Köszi.

– Sajnálom a „Felelsz vagy mersz" játékot – kuncogott. – Az emberek olyan seggfejek tudnak lenni. És csak mondom, tizenhét éves koromban csókolóztam először.

– Igazán?

– Igen. Tudom, hogy ez kicsit késő, de... tudod, jobb addig várni, míg helyesnek nem érzed, ugye?

– Igen – értettem egyet, de épp arra gondoltam, hogy ha a tizenhét „késő", akkor már ősöreg lehetek.

Furcsa érzés volt ez az egész. Tommyba bele vagyok zúgva hét éve. És itt beszélgetett velem. Miért nem ugrálok örömömben?

Szerencsére ebben a pillanatban megrezzent a telefonom. Kihalásztam a melltartómból.

Felipa Quintana
Bocsánusz de verre vagy
Haha ánusz
Ánuszt írtam véletlenségből
És VERRE
Haha-ver

Jason Farley-Shaw
Kérlek térj vissza mielőtt pip megiszik még egy pohár bort.

Felipa Quintana
Ne dumálj ki a saját chatcsoportunkban amikor közvetlenül itt állok melletted

Jason Farley-Shaw
De tényleg Georgia hol vagy

Gyorsan kikapcsoltam a telefonkijelzőt, mielőtt Tommy azt gondolta volna, hogy mással foglalkozom.

– Hát… – kezdtem. Nem egészen tudtam, mit fogok mondani, mielőtt kimondtam. Felemeltem a túlméretezett farmerkabátomat. – Ha fázol, kölcsönveheted az én kabátomat.

Tommy rápillantott. Úgy tűnt, nem zavarja, hogy ez technikailag egy „lánykabát", ami jó volt, mert ha tiltakozott volna, valószínűleg annyi lett volna a szerelemnek.

– Biztos vagy benne? – kérdezte.

– Igen.

Elvette a kabátot, és felhúzta. Ettől egy kicsit kényelmetlenül éreztem magam. De csak amiatt, hogy valami srác, akit nem igazán ismerek túl jól, a kedvenc kabátomat viseli. Nem kellene elégedettnek lennem ettől a fejleménytől?

– Én épp le akartam ülni egy kicsit a tűz mellé – mondta Tommy, és a falhoz dőlt enyhén felém hajolva egy mosollyal. – Akarsz… akarsz velem jönni?

Ekkor jöttem rá, hogy flörtölni próbál.

Izé, ez működött.

Tényleg meg akartam csókolni Tommyt.

– Oké – mondtam. – Csak hadd írjak egy üzenetet a barátaimnak.

Georgia Warr
tommyval lógok lol

Az iskolai románc rajta volt a kedvenc fanfictiontoposzokat tartalmazó listámon. Kedveltem még a lelkitársas, a kávézókban játszódó és a hurt/comfort, vigasztalós történeteket, no meg az átmeneti amnéziást.

Mindig is úgy véltem, hogy az iskolai románc a legvalószínűbb, ami megtörténhet velem, de most, hogy ennek a valószínűsége a nullánál nagyobb volt, azonnal kiborultam.

Mármint, szívdobogás, izzadás, remegő kezes kiborulással.

Ilyen érzés a szerelem, szóval ez normális, igaz?

Minden teljesen normális volt.

CSÓKOLÓZÁS

A tűznél most mi voltunk ott az egyetlenek. Semmi csókorgia a láthatáron. Kiválasztottam egy ülőhelyet a takarókupac közelében, Tommy pedig mellém ült, egy sörösüveget egyensúlyozva a széke karfáján. Mi fog most történni? Csak úgy elkezdünk csókolózni? Istenem, reméltem, hogy nem... Várjunk, nem ez volt, amit akartam? Mindenesetre a csóknak el kell csattannia. Ennyi világos volt. Ez volt az utolsó esélyem.

– Szóval... – mondta Tommy.

– Szóval... – mondtam én.

Azon gondolkoztam, hogyan fogom kezdeményezni a csókot. A fanficekben csak azt mondják: „Megcsókolhatlak?", amit nagyon romantikus olvasni, de annyira zavarba ejtően hangzott, amikor elképzeltem, hogy kimondom hangosan. A filmekben úgy tűnik, hogy minden előzetes megbeszélés nélkül ez csak úgy megtörténik, de mindkét fél pontosan tudja, hogy mi történik.

Bólintott felém, én pedig rápillantottam, arra várva, hogy megszólaljon.

– Igazán szép vagy – mondta.

– Ezt már mondtad – feleltem félszegen mosolyogva –, de köszi.

– Szóval, furcsa, hogy nem nagyon beszéltünk az iskolában – folytatta. Ahogy beszélt, a kezét a székem támlájára tette, így hátborzongatóan közel került az arcomhoz. Nem tudom, miért, de ettől olyan kényelmetlenül éreztem magam. Csak túl közel volt hozzám a bőre, azt hiszem.

– Nos, nem barátkoztunk ugyanazokkal az emberekkel – mondtam.

– Igen, és te igazán csendes vagy, nem igaz?

Ezt még csak nem is tagadhattam.

– Igen.

Most, hogy ennyire közel volt, még inkább küszködtem, hogy meglássam, pontosan mi is vonzott hét évig. Láttam, hogy hagyományos értelemben vonzó, mint ahogy a popsztárokról vagy színészekről is meg lehet mondani, hogy vonzóak, de igazából semmi sem volt benne, ami *pillangók* érzetét keltette volna a gyomromban. De tudom én, hogy milyen pillangókat érezni? Pontosan mit kellett volna most éreznem?

Bólintott, mintha már mindent tudna rólam.

– Ez nem gond. A csendes lányok aranyosak.

Mit akart ez egyáltalán jelenteni?

Hátborzongató volt? Nem tudtam eldönteni. Valószínűleg csak ideges voltam. Mindenki ideges lesz a rajongása tárgyának közelében.

A ház felé pillantottam, úgy éreztem, nem igazán akarok többé ránézni, és észrevettem két alakot a télikertben lebzselni. Minket néztek. Pip és Jason. Pip azonnal integetett nekem, Jason valahogy zavartnak tűnt, és arrébb húzta Pipet.

Mindketten látni akarták, mi fog történni Georgiával és a hét éve tartó rajongásával.

Tommy egy kicsit közelebb hajolt hozzám.

– Gyakrabban kellene beszélnünk, vagy valami.

Láttam, hogy nem gondolta komolyan. Csak húzta az időt. Tudtam, minek kell következnie.

Oda kellett volna hajolnom, idegesen, de izgatottan, ő pedig kisöpörné a hajamat az arcomból, én felnéznék rá a szempilláim alól, aztán csókolóznánk, finoman. És egyek lennénk, Georgia és Tommy. Aztán hazamennénk megszédülve és boldogan, és talán ez sosem történne meg újra. Vagy esetleg üzenetet küldene nekem, és úgy döntenénk, elmegyünk egy randira, csak hogy lássuk, mi történne, és a randin úgy döntenénk, megpróbálkozunk találkozgatni, és a harmadik randinkon úgy döntenénk, barát és barátnő vagyunk, és egy pár héttel később szexelnénk, és amíg az egyetemen vagyok, „jó reggelt" üzeneteket írna nekem, és eljönne meglátogatni minden második hétvégén, és az egyetem után összeköltöznénk egy kis lakásban a folyó mellett, és szereznénk egy kutyát, és Tommy szakállat növesztene, és aztán összeházasodnánk, és ez lenne a vége.

Ennek kellett volna történnie.

Láttam ennek minden egyes pillanatát a fejemben. Az egyszerű út. A könnyű kiút.

Megtehetném, nem igaz?

Ha nem teszem, mit fog szólni Pip és Jason?

– Semmi baj – mondta Tommy. – Tudom, hogy még sosem csókoltál meg senkit ezelőtt.

A hangsúly, ahogyan mondta, olyan volt, mintha egy újszülött kölyökkutyához beszélne.

– Oké – feleltem.

Ez bosszantott. Ő bosszantott.

De hát ezt akartam, nem igaz? Egy kedves kis pillanatot a sötétben…

– Hé, nézd… – mondta szánakozó mosollyal az arcán. – Végül is mindenkinek volt egy első csókja. Ez nem jelent semmit. Nem gond, ha kezdő vagy az, izé, romantikában meg mindenben.

Kezdő a romantikában? Nevetni akartam. Úgy tanulmányoztam a romantikát, mint egy akadémikus. Mint egy megszállott kutató. A romantika lehetne a diplomamunkám.

– Igen – mondtam.

– Georgia… – Tommy közelebb hajolt, és akkor lecsapott rám.

Az undor.

Az abszolút féktelen undor hulláma.

Olyan közel volt, hogy úgy éreztem, sikítani akarok, egyszerre akartam összetörni egy poharat és hányni. Rámarkoltam a karfára, és próbáltam tovább nézni őt, tovább mozdulni felé, *megcsókolni*, de olyan közel volt hozzám, és ez borzalmasnak tűnt. *Undorítónak* éreztem. Azt akartam, hogy vége legyen.

– Nem baj, hogy ideges vagy – mondta. – Ez igazából aranyos.

– Nem vagyok ideges – feleltem. Undorodtam a gondolattól, hogy a közelemben van. Dolgokat akar tőlem. Ez nem normális, igaz?

A combomra tette a kezét.

És ekkor rettentem vissza. Ellöktem a kezét, és levertem az italát a szék karfájáról. Előrelendült, hogy elkapja, és kiesett a székéből.

Egyenesen a tábortűzbe.

TŰZBEN

Voltak jelek. Mindegyikről lemaradtam, mert kétségbeesetten szerelmes akartam lenni.

Luke, a negyedikből volt az első. Egy, a kabátzsebemben lévő cetli segítségével csinálta játékidőben. *Georgiának. Annyira gyönyörű vagy, leszel a barátnőm? Igen [ ] Nem [ ] Luke-tól.* Kipipáltam a „*Nem*"-et, ő pedig végigsírta a számtanórát.

Ötödikben, amikor minden lány az osztályomban úgy döntött, hogy pasit akar, úgy éreztem, kihagytak, ezért megkérdeztem Luke-ot, még mindig benne van-e, de már Ayeshával járt, szóval nemet mondott. Az összes új pár együtt játszott a mászókán a végzősök grillezése közben, én pedig szomorúnak és magányosnak éreztem magam.

A második Noah volt az iskolabuszról gimi elején, habár nem vagyok benne biztos, hogy ő számít. Randira hívott Valentin-napon, mert az emberek ezt csinálták ilyenkor: mindenki párban akar lenni aznap. Noah megijesztett, mert hangos volt, és szívesen dobálta az embereket szendvicsekkel, szóval csak megráztam a fejem, és visszamentem kibámulni az ablakon.

A harmadik Jian volt a fiúiskolából. Tizedikes. Egy csomó ember úgy gondolta, hogy rendkívül vonzó. Volt egy hosszú beszélgetésünk egy házibulin arról, vajon a *Love Island* jó műsor-e, vagy sem, aztán megpróbált megcsókolni. Mindenki részeg volt, beleértve mindkettőnket. Olyan könnyű lett volna belemenni…

Olyan könnyű lett volna odahajolni és csinálni. De nem akartam. Nem vonzódtam hozzá.

A negyedik azonban Tommy lett, akit ismertem az iskolából, és aki úgy nézett ki, mint Timothée Chalamet, és igazából nem ismertem őt annyira jól, de ez volt az az alkalom, ami egy kicsit összetört, mert azt gondoltam, hogy igazán kedvelem őt. De nem tudtam megtenni, mert nem vonzódtam hozzá.

A hét évig tartó rajongásom iránta teljesen kitalált volt.

Egy véletlen választás tizenegy éves koromból, amikor egy lány elém tartott egy fotót, és azt mondta, válasszak egy fiút.

Nem vonzódtam Tommyhoz.

Úgy tűnt, hogy még sohasem vonzódtam senkihez.

Sikítottam. Tommy is sikított. Az egész karja lángolt. A földre vetette magát, hirtelen pedig Pip szaladt elő a semmiből, megragadott egy pokrócot, és egyenesen Tommyra ejtette. Eloltotta a lángokat, míg Tommy azt ismételgette, *„mi a szar, mi a szar".* Én pedig csak álltam fölötte, és néztem, ahogy ég.

Az első dolog, amit éreztem, a sokk volt. Lefagytam. Mintha ez nem történt volna meg igazából.

A második dolog, amit éreztem, hogy mérges vagyok a kabátom miatt. Ez volt a kedvenc kibaszott kabátom.

Sosem kellett volna odaadnom valami fiúnak, akit alig ismerek. Valami fiúnak, aki még csak nem is *tetszik.*

Jason is ott volt, megkérdezte Tommyt, hogy megsérült-e, de ő felült, megrázta a fejét, levette a kedvenc kabátom cafatjait, megnézte a sértetlen karját, és azt kérdezte:

— Mi a fasz?

Aztán felbámult rám, és újra megkérdezte:

— Mi a fasz?

Lenéztem erre az emberre, akit véletlenszerűen választottam ki egy fotóról, és azt mondtam:

— Én nem kedvellek úgy. Igazán sajnálom. Te kedves vagy, de én egyszerűen… nem kedvellek úgy.

Jason és Pip egyszerre fordult felém. Egy kis tömeg kezdett formálódni, az iskolatársaink közelebb sétáltak, hogy lássák, mi ez a felhajtás.

– Mi a fasz? – mondta Tommy harmadszor, mielőtt elözönlötték volna a barátai, akik azért jöttek, hogy megnézzék, hogy jól van-e.

Csak bámultam őt, és arra gondoltam, *„ez az én kibaszott kabátom volt"* és *„hét év"* és *„egyáltalán nem is tetszettél soha".*

– Georgia – mondta Pip. Mellettem volt, és a karomnál fogva húzott.

– Azt hiszem, itt az idő hazamenni.

SZERETET NÉLKÜLI

– Sosem tetszett – mondtam a kocsiban, amikor megálltunk Pipék háza előtt, és leállt a motor. Pip mellettem ült, Jason hátul. – Hét év, és én egyszerűen egész idő alatt hazudtam magamnak. Mindketten furcsán hallgattak. Mintha nem tudták volna, mit mondjanak. Szörnyű módon szinte őket hibáztattam. Legalábbis Pipet. Ő volt az, aki nyomást gyakorolt rám, hogy ezt tegyem. Ő húzott Tommyval kapcsolatban hét évig.

Nem, ez igazságtalan volt. Nem az ő hibája.

– Ez az én hibám – mondtam.

– Nem értem... – felelte Pip vadul gesztikulálva. Még mindig eléggé spicces volt. – Te... te bele voltál zúgva hét évig. – A hangja elcsendesült. – Ez volt a... a *nagy esélyed.*

Felnevettem.

Durva, milyen hosszan át tudod verni magadat. És mindenkit magad körül.

Pipék házának ajtaja kinyílt, megjelentek a szülei egymáshoz paszszoló köntösben. Manuel és Carolina Quintana egy újabb tökéletesen szerelmes, hihetetlenül romantikus háttértörténetű pár volt, akit ismertem. Carolina, aki Popayánon, Kolumbiában, és Manuel, aki Londonban nőtt fel, akkor találkoztak, amikor Manuel tizenhét évesen elment meglátogatni a haldokló nagymamáját Popayánon. Carolina szó szerint a szomszéd lány volt. A többi már történelem. Ezek a dolgok csak megtörténnek.

– Életem során sohasem voltam még belezúgva senkibe – mondtam. Kezdett minden leülepedni bennem. Még sosem voltam belezúgva senkibe. Se fiúkba, se lányokba, egyetlen emberbe sem, akivel valaha találkoztam. Mit *jelent* ez? Jelent bármit? Vagy csak rosszul csináltam az életemet? Valami baj volt velem? – El tudjátok ezt hinni?

Megint csend volt, majd Pip megszólalt:

– Nos, jól van. Jól van, csajszi. Tudod, találsz majd valakit…

– Ne mondd ezt! – feleltem. – Kérlek, ne mondd ezt!

Szóval nem tette.

– Tudod, a gondolat… a *gondolat* szép. A *gondolat*, hogy Tommy tetszik, megcsókolom, és lesz néhány kedves kis pillanatom a tűznél a bál után. Ez annyira szép. Ez volt, amit akartam. – Erősebben szorítottam a kormányt. – De a valóságban *undorodtam* tőle.

Nem mondtak semmit. Még Pip sem, aki mindig beszédes részeg volt. Még a legjobb barátaimnak sem jutott eszébe egyetlen vigasztaló szó sem.

– Nos… Ez egy jó éjszaka volt, igaz? – motyogta Pip, miközben kibotladozott a kocsimból. Nyitva tartotta az első utasoldali ajtót, és drámaian rám mutatott. Az utcai lámpák visszatükröződtek a szemüvegén.

– Te. Nagyon jó. Kiváló. És te… – böködte Jasont mellkason, amint átköltözött az első ülésre – …tökéletes. Igazán tökéletes munka.

– Igyál vizet – mondta Jason, és megveregette Pip fejét.

Néztük, ahogy odasétál a bejárati ajtóhoz, és finom dorgálást kap az anyukájától a részegsége miatt. Az apukája integetett nekünk, mi visszaintegettünk, aztán beindítottam a motort, és elhajtottunk. Ez egy jó este lehetett volna. Ez lehetett volna életem legjobb estéje, ha tényleg bele lettem volna zúgva Tommyba.

A következő megálló Jasonéknál volt. Egy olyan házban élt, amit az apukái építettek, akik mindketten építészek. Rob és Mitch az egyetemen találkoztak, ugyanarra az előadásra jártak, és végül ugyanazért az építészgyakornoki helyért harcoltak. Rob győzött, amit szerinte meg is érdemelt, de Mitch mindig állítja, hogy hagyta Robot győzni, mert tetszett neki.

Amikor megérkeztünk, azt mondtam:

– A legtöbb ember a mi korunkban már megcsókolt valakit.

Jason pedig azt felelte:

– Ez nem számít.

De tudtam, hogy igenis számít. Nem olyan váratlan, hogy én voltam az, aki lemaradt. Minden, ami ezen az éjszakán történt, jel volt, hogy keményebben kell próbálkoznom, vagy egyedül maradok életem hátralévő részében.

– Nem érzek úgy, mint egy igazi tinédzser – mondtam. – Azt hiszem, elbuktam ebben.

És Jason nyilvánvalóan nem tudta, mit mondjon erre, mert nem mondott semmit.

A kocsimban ülve, az otthonom felé vezető úton, egy fiú kezének hűlt helyével a combomon készítettem egy tervet.

Hamarosan egyetemre fogok járni. Egy lehetőség, hogy újra kitaláljam magam, és olyasvalakivé váljak, aki képes szerelembe esni, valakivé, aki illeszkedik a családomba, a korombeliek közé, a világba. Rengeteg új barátra fogok szert tenni. Egyletekhez fogok csatlakozni. Szerezni fogok egy pasit. Vagy akár egy csajt. Egy partnert. Életemben először megcsókolnak, és szexelek. Én csak későn érő vagyok. Nem fogok egyedül meghalni.

Keményebben fogok próbálkozni.

Örök szerelmet akartam.

Nem akartam szeretet nélküli lenni.

MÁSODIK RÉSZ

VÁLTOZÁS

Az út a Durham Egyetemre hat órán át tartott, és a nagy részét azzal töltöttem, hogy válaszolgattam Pip Facebook-üzeneteinek özönére. Jason már odautazott pár nappal korábban, Pippel pedig reméltük, hogy együtt mehetünk, de kiderült, hogy a táskáim és dobozaim elfoglalták apám autójának teljes csomagtartóját és a hátsó ülések nagy részét. Beértük az üzenetekkel, és megpróbáltuk kiszúrni egymást az autópályán.

Felipa Quintana
Új játék!!!!!
Ha kiszúrjuk egymást az autópályán, kapunk 10 pontot

Georgia Warr
mit kap akinek több pontja van?

Felipa Quintana
Örök dicsőséget

Georgia Warr
szeress engem örök dicsőség édes kupája

Felipa Quintana
CSAJSZI, ÉPP MOST LÁTTALAK!!!!!!!!!!!!

Integettem de nem vettél észre
Visszautasítás
Felipa Quintana modern tragédiája

Georgia Warr
túl leszel rajta

Felipa Quintana
Intenzív terápiára van szükségem
Te fizetsz

Georgia Warr
nem fizetem a terápiádat

Felipa Quintana
Goromba
Azt hittem a barátom vagy

Georgia Warr
használd a 10 pontodat a terápia kifizetésére

Felipa Quintana
TALÁN MEG IS TESZEM

Valóban rettenetesen hosszú volt az út még Pip üzeneteinek a társaságában is. Apa a nagy részét végigaludta. Anya ragaszkodott hozzá, hogy ő választhassa ki a rádióállomást, mivel ő vezetett. És végig autópálya volt, szürke és zöld villanások, egyetlenegy megállóval egy benzinkútnál. Anya vett nekem egy zacskó chipset, de túl ideges voltam az előttem álló naptól, hogy megegyem, szóval csak az ölemben feküdt kibontatlanul.

– Sosem tudhatod – mondta anya, hogy megpróbáljon felvidítani –, talán találsz egy kedves fiatalembert a szakodon!

– Talán – feleltem. *Vagy egy kedves fiatal nőt. Istenem, bárkit! Kérlek! Kezdek kétségbeesni.*

– Egy csomó ember az egyetemen találkozik élete párjával. Mint én és apa.

Anya rendszeresen mutatott meg fiúkat, akikről úgy gondolta, vonzónak találnám őket, mintha csak úgy odamehettem volna valakihez, hogy randira hívjam. Egyébként sosem tartottam egyik választását sem vonzónak. De reménykedett. Leginkább kíváncsiságból, azt hiszem. Tudni akarta, milyen embert választanék, mint mikor nézel egy filmet, és várod, hogy megjelenjen a szerelmi szál.

– Igen, talán – feleltem. Nem akartam elmondani neki, hogy a próbálkozásától, hogy felvidítson, csak még rosszabbul éreztem magam. – Az szép lenne.

Kezdtem úgy érezni egy kicsit, hogy rosszul leszek.

De valószínűleg mindenki így érzi magát az egyetem megkezdése miatt.

Durham egy kicsi, öreg város egy csomó dombbal és macskaköves utcával, én pedig szerettem ezt, mert úgy éreztem, *A titkos történet*ben vagy egy másik mély és titokzatos egyetemi regényben vagyok, amiben egy csomó szex és gyilkosság van.

Nem mintha különösebben jó úton haladtam volna, hogy bármelyiket is megtapasztaljam.

Be kellett hajtanunk egy hatalmas területre, sorban állni az autóval, és várni, hogy szólítsanak, mert a Durham Egyetem kollégiumai mind picik, és nincsen saját parkolójuk. Rengeteg diák és a szüleik kiszálltak az autóikból beszélgetni egymással, míg vártunk. Tudtam, hogy nekem is ki kellene szállnom, és elkezdeni szocializálódni.

Az aktuális elméletem az volt, hogy a félénkségem és introvertáltságom összefügg az egész „soha nem vonzódom senkihez" helyzettel. Talán egyszerűen nem beszélgettem elég emberrel, vagy talán az emberek úgy általában véve stresszeltek engem, és ezért nem akartam soha senkit megcsókolni. Egyszerűen, ha fejlesztem az önbizalmamat, megpróbálok egy kicsit nyitottabb és barátságosabb lenni, képes leszek megtenni és érezni ezeket a dolgokat, ahogy a legtöbb ember.

Az egyetem kezdete jó alkalom volt kipróbálni valami ilyesmit.

Felipa Quintana
Hé, a sorban vagy?
Összebarátkoztam az autóm szomszédjával
Egy kifejlett páfrányt hozott magával
Olyan másfél méter magas
Kiegészítés: a páfrány neve Roderick

Már épp válaszolni akartam, vagy talán még ki is szálltam volna a kocsiból, hogy találkozzak Pip ismerősével és Roderickkel, ám ekkor anya beindította a motort.

– Hívtak minket – mondta előremutatva, ahol valaki láthatósági mellényben integetett.

Apa megfordult, és rám mosolygott.

– Készen állsz?

Nehéz lesz, persze, és ijesztő, valószínűleg zavarba ejtő, de olyasvalakivé fogok válni, aki át tudja élni a romantika varázsát.

Tudtam, hogy *előttem áll az egész élet*, és *meg fog történni egy nap*, de úgy éreztem, ha nem tudok megváltozni és az egyetemen valóra váltani, egyáltalán nem fog soha megtörténni.

– Igen – válaszoltam.

Ráadásul nem akartam várni. Most akartam.

ROONEY

– Jaj, ne! – álltam meg az ajtó előtt, ami a következő kilenc hónapban a hálószobám lesz, és egy kicsit meghaltam belül.

– Mi az? – kérdezte apa. Ledobta az egyik táskámat a padlóra, és lehúzta a szemüvegét a feje tetejéről.

– Ó, nos, tudtad, hogy van erre esély, kedvesem – mondta anya.

A hálószobám ajtaja előtt volt a fényképem, alatta Times New Roman betűtípussal, hogy „Georgia Warr". Mellette egy másik fotó: egy lányról hosszú, barna hajjal, a maga természetességében határozottan őszintének tűnő mosollyal és tökéletesen szálazott szemöldökkel. Alatta a név: „Rooney Bach".

A Durham egy régi angol egyetem „college rendszerrel". Egy nagy, névtelen kollégium helyett a diákok a város különböző területein lévő college-okban laknak. Itt aludtál, zuhanyoztál és ettél, de más módon is ehhez a kollégiumhoz tartoztál, az egyetemi rendezvényeken ennek a színeiben jelentél meg, a college-od sportcsapatában játszottál, és ott pályáztál vezető hallgatói szerepre.

Engem a St. John's College-ba vettek fel, ami egy öreg épület volt. És emiatt néhány diáknak közös szobában kellett laknia.

Csak nem gondoltam volna, hogy én leszek az egyik.

A pánik hulláma zúdult át rajtam. Nem lehet épp nekem szobatársam, alig van valaki az Egyesült Királyságban, akinek az egyetemen szobatársa van. Szükségem volt *saját térre*. Hogyan kellett volna aludnom, fanficet olvasnom, átöltöznöm, vagy bármit csinálnom valaki mással egy szobában? Hogyan tudtam volna pihenni, amikor minden ébren töltött pillanatban érintkeznem kellett valaki mással? Anya még nem vette észre, hogy pánikolok. Csak annyit mondott:

– Nos, akkor vágjunk bele! – És kinyitotta nekem az ajtót.

Rooney Bach pedig már ott volt, sztreccsnadrágot meg pólóinget viselt, és egy másfél méteres páfrányt öntözött.

Az első dolog, amit Rooney Bach mondott nekem, az volt, hogy:

– Ó, istenem, te vagy Georgia Warr?

Mintha valami híresség lettem volna. De még csak meg sem várta a megerősítést, máris félredobta az öntözőkannáját, felragadott egy hatalmas, vízkék szövetcsíkot az ágyáról, amiről megállapítottam, hogy egy szőnyeg, és felmutatta nekem.

– Szőnyeg – mondta. – Vélemény?

– Um… – feleltem. – Nagyszerű.

– Oké, *csodálatos* – suhogtatta meg a szőnyeget a levegőben, aztán leterítette a szoba közepére. – Így ni! Egyszerűen szükség volt erre a színfoltra.

Gondolom, egy kicsit sokkban voltam, mert csak ezután néztem körül rendesen a szobánkban. Nagy volt, de kicsit piszkos, ahogy számítottam rá. A hálószobák sosem szépek a régi angol egyetemeken. A szőnyeg penészes szürkéskék, a bútorzat bézs és műanyag kinézetű, az ágyaink egyszemélyesek. Rooney már egy fényes, virágos lepedőt terített az egyikre. Az enyém úgy nézett ki, mintha egy kórházhoz tartozna.

Az egyetlen szép része a szobának egy nagy, széles ablak volt. A festék a fakereten lepattogzott, és tudtam, hogy huzatos lesz, de valahogy bájos volt, és látni lehetett mindent egészen a folyóig.

– Máris szépen kidekoráltad a helyet! – mondta apa Rooney-nak.

– Ó, úgy gondolja? – kérdezte Rooney. Azonnal mesélni kezdett anyának és apának a szobája saját oldaláról, bemutatva az összes főbb jellegzetességet: valami rétet ábrázoló színes nyomatokat (szeretett vidéki sétákat tenni), a *Sok hűhó semmiért* plakátját (a kedvenc Shakespeare-színdarabja), a gyapjú paplantakaróját (szintén vízszín, passzol a szőnyeghez), a házinövényét (akinek a neve – nem hallottam félre

– *Roderick* volt), egy vízszín asztali lámpát (a John Lewisból) és a legfontosabbat, egy hatalmas posztert, amin egyszerűen a „Ne hagyd abba az álmodozást!" felirat olvasható kanyargó betűtípussal.

Egész idő alatt mosolygott. Lófarokba felfogott haja körbe-körbesuhogott, miközben a szüleim próbáltak lépést tartani azzal, hogy milyen gyorsan beszél. Leültem az ágyamra a szoba szürke felében. Semmilyen plakátot nem hoztam magammal. Minden, amit hoztam, néhány kinyomtatott fotó volt rólam, Pipről és Jasonről. Anya rám nézett a szoba másik feléről, és szomorúan rám mosolygott, mintha tudta volna, hogy haza akarok menni.

– Bármikor üzenhetsz nekünk, kedvesem – mondta anya, amikor elbúcsúztunk a college előtt. Üresnek és elveszettnek éreztem magam, itt, a macskaköves utcán ácsorogva az októberi hidegben, miközben a szüleim készültek elhagyni.

Nem akarom, hogy elmenjetek, ezt akartam mondani nekik.

– Pip és Jason pedig az út végén vannak, nem igaz? – folytatta apa. – Bármikor mehetsz és lóghatsz velük.

Pip és Jason egy másik kollégiumba jutott be: a University Collegeba, avagy a Kastélyba, ahogy általában a diákok utaltak rá itt, mivel szó szerint a durhami kastély része volt. Pipék néhány órája abbahagyták az üzeneteimre való válaszolgatást. Valószínűleg a kicsomagolással voltak elfoglalva.

Kérlek, ne hagyjatok itt egyedül, akartam mondani.

– Igen – mondtam helyette.

Körbepillantottam. Most ez az otthonom. Durham. Olyan volt, mintha egy Dickens-feldolgozásbeli városban lennék. Az összes épület magas és öreg. Úgy tűnt, minden kőrakásokból áll. Láttam magam lesétálni a macskakövön, be a katedrálisba, már a diplomaosztós taláromban. Ez volt a hely, ahol lennem kellett.

Mindketten megöleltek. Nem sírtam, pedig nagyon-nagyon akartam.

– Ez egy nagy kaland kezdete – mondta apa.

– Talán – motyogtam a kabátjába.

Nem bírtam maradni és nézni, ahogy lesétálnak az úton a kocsi felé. Amikor megfordultak, hogy elmenjenek, én is így tettem.

Visszatértem a szobámba, ahol Rooney épp felgyurmaragasztózott egy fotót a falra közvetlenül a poszterei közé. A képen ő maga volt, talán tizenhárom-tizennégy évesen, egy lánnyal, akinek festett piros haja volt. Mint Ariel haja *A kis hableány*ból.

– Ő a barátod otthonról? – kérdeztem. Legalább ez jó beszélgetésindító volt.

Rooney odakapta a fejét, rám nézett. Egy pillanatig azt hittem, láttam átfutni az arcán egy furcsa kifejezést, de aztán eltűnt. Helyébe széles mosolya lépett.

– Igen! – mondta. – Beth. Ő… ő nincs itt, nyilvánvalóan, de… igen. Ő a barátom. Ismersz bárki mást a Durhamben? Vagy egyedül vagy itt?

– Ó, öhm, nos, itt van a két legjobb barátom, de ők a Kastélyban vannak.

– Ó, ez jó lehet! De azért szomorú, hogy nem kerültetek ugyanabba a kollégiumba.

Megvontam a vállam. A Durham figyelembe vette, hogy melyik college-ot választod, de nem mindenki juthatott hozzá az első számúhoz. Én is megpróbáltam bekerülni a Kastélyba, de végül itt kötöttem ki.

– Mi megpróbáltuk, de hát, igen.

– Rendben leszel – ragyogott Rooney. – Barátok leszünk.

Rooney felajánlotta, hogy segít nekem kipakolni, de udvariasan viszszautasítottam. Eldöntöttem, hogy legalább ezt az egy dolgot egyedül csinálom meg. Amíg pakoltam, az ágyán ült, és beszélgetett velem, kiderült, hogy mindketten angolt tanulunk. Aztán bejelentette, hogy a nyári olvasmányok közül egyet sem olvasott el. Én az összeset olvastam, de ezt nem említettem meg.

Gyorsan megtanultam, hogy Rooney szerfelett beszédes, de láttam rajta, hogy valamiféle vidám, pezsgő személyiséget öltött magára. Ami érthető volt. Mármint ez volt az első napunk az egyetemen, mindenki nagyon keményen próbált barátokat szerezni. Ám nem tudtam felmérni, milyen ember is valójában, ami enyhén aggasztott, mert egymással fogunk élni majdnem egy teljes évig.

Legjobb barátok leszünk? Vagy kínosan eltűrjük egymást, mielőtt nyárra elutazunk, és sosem beszélünk újra?

– Szóval... – A szobát vizsgálgattam, hogy keressek valamit, amiről beszélhetünk, amikor a *Sok hűhó* plakátján megállt a tekintetem. – Szereted Shakespeare-t?

Rooney felkapta a fejét a telefonjából.

– Igen! Te is?

Bólintottam.

– Öhm, igen, nos, benne voltam egy ifjúsági színjátszó csoportban még otthon. És egy csomó iskolai színdarabban játszottam. Shakespeare volt mindig a kedvencem.

Ez már arra késztette Rooney-t, hogy kihúzza magát, a szeme elkerekedett és csillogott.

– Várj! Te *szerepeltél?*

– Öhm...

Szerepeltem, de, nos, ez kicsit bonyolultabb volt ennél.

Amikor kiskamasz voltam, színész akartam lenni, emiatt csatlakoztam az ifjúsági színházi csoporthoz, amibe Pip már eljárt, és elkezdtem vele együtt meghallgatásokra járni az iskolai színdarabokra. És jó voltam benne. A legjobb jegyeket kaptam az iskolai drámaórákon. Általában elég komoly szöveges szerepeket kaptam a színdarabokban és musicalekben, amikben játszottam.

Ám ahogy idősebb lettem, a színjátszás egyszerűen kezdett idegessé tenni. Minél több színdarabba kerültem be, annál nagyobb lett a lámpalázam, és végül, amikor végzősként a *Nyomorultak* meghallgatásán szerepeltem, annyira remegtem, hogy csak egysoros szerepet kaptam, és még akkor is, amikor eljött a kezdés ideje, minden egyes előadás előtt hánytam.

Szóval talán a színészi karrier nem nekem való.

Ennek ellenére azt terveztem, hogy folytatom a színjátszást az egyetemen. Még mindig élveztem átgondolni a szerepeket és értelmezni a szövegkönyveket – csak a közönséggel voltak problémáim. Egyszerűen dolgoznom kell az önbizalmamon. Csatlakozni fogok a diákszínjátszó társulathoz, és talán jelentkezem meghallgatásra egy darabra. Legalább egy társulathoz csatlakoznom kell, ha *új dologba akarok kezdeni,* nyitottá válni és új emberekkel találkozni.

És találni valakit, akibe beleszeretek.

– Igen, egy kicsit – feleltem.

– Ó. Édes. Istenem! – Rooney az egyik kezét a szívére tette. – Ez csodálatos! Együtt csatlakozhatunk a DDSZ-hez.

– A DDSZ-hez...?

– Durham Diákszínház. Alapvetően az összes drámatársulatot ők irányítják a Durhamben. – Rooney hátradobta a copfját. – A Shakespeare Társulat tökre a legfontosabb társulat, amihez csatlakozni akarok. Tudom, hogy a legtöbb gólya a Gólyák Színdarabjában vesz részt, de megnéztem, ők milyen darabokat játszottak az elmúlt években, és mind unalmas volt... Szóval legalább meg akarok próbálni csatlakozni a Shakespeare-hez. Istenem, imádkozom, hogy valami tragédiát csináljanak. A *Macbeth* komolyan az álmom...

Rooney összefüggéstelenül hadart anélkül, hogy törődött volna vele, vajon tényleg figyelek, vagy sem.

Volt bennünk valami közös. A színészet. Ez jó volt.

Talán Rooney lesz az első új barátom.

EGY ÚJ BARÁTSÁG

– Hűha! – mondta Jason később, amikor ő és Pip belépett az én... nos, a Rooney-val közös szobánkba. – Ez akkora, mint a kertem.

Pip kinyújtotta mindkét karját, és helyben megperdült, hangsúlyozva a feleslegesen nagy mennyiségű üres teret a szobában.

– Nem esett le, hogy a burzsoá college-hoz csatlakoztál.

– Nem értem, miért nem tudtak csak... építeni egy falat középre – mondtam az én és Rooney szobarésze közötti űrre mutatva, amit jelenleg csak Rooney vízszín szőnyege foglalt el.

– Milyen nagyon trumpos tőled – mondta Jason.

– Ó, istenem, *fogd be!*

Rooney nemrég lelépett néhány emberrel, akikkel a folyosónkon barátkozott össze. Engem is hívtak, de őszintén szólva, szükségem volt egy kis pihenőidőre. A nap nagy részében igyekeztem a lehető legjobb formámban köszönteni az új embereket, és igazán, igazán látni akartam néhány ismerős arcot. Szóval meghívtam Jasont és Pipet, hogy egy kicsit lógjanak a szobámban a különböző college-jainkban tartott ma esti gólyarendezvények előtt, és szerencsére mindketten befejezték a kipakolást, és nem csináltak semmi mást.

Már meséltem nekik egy kicsit Rooney-ról, hogy szereti a színházat, és hogy általában véve egész kedves, de a szobarésze sokkal jobban öszszefoglalta a személyiségét.

Jason szemrevételezte, aztán átpillantott az én falamra.

– Az ő oldala miért néz ki úgy, mint egy Instagram-influenszer háló-szobája, a tiéd pedig, mint egy börtöncella? Olyan sok csomagot hoz-tál magaddal!

– Nem annyira rossz. És egy csomó dobozban könyvek voltak.

– Georgia, csajszi – mondta Pip, miközben lehuppant az ágyamra.

– Az ő oldala úgy néz ki, mint Disneyland. A tiéd, mint egy stockfotó.

– Nem hoztam egy posztert sem – mondtam. – Vagy fényfüzéreket.

– Te, *Georgia,* hogy a pokolba felejtetted el a fényfüzéreket? Azok az egyetemi szobák dekorációjának nélkülözhetetlen részei.

– Nem tudom!

– Szomorú leszel fényfüzérek nélkül. Mindenki szomorú fényfüzé-rek nélkül.

– Azt hiszem, Rooney-nak több mint elég van mindkettőnk számára. Már megengedte, hogy osztozzunk a szőnyegen.

Pip lenézett a vízszín anyagra, és elismerően bólintott.

– Igen. Ez egy jó szőnyeg.

– Ez csak egy szőnyeg.

– Ez egy bolyhos szőnyeg. Szexi.

– *Pip!*

Pip hirtelen felpattant az ágyamról, és Rooney páfrányára bámult a szoba sarkában.

– Várjunk csak! Várjunk egy kibaszott másodpercre! A növény…

Jason és én megfordultunk, és Roderickre néztünk.

– Ó! – mondtam. – Igen. Ez Roderick.

És ez volt az a pillanat, amikor Rooney Bach visszatért a szobánkba.

Szélesre tárta az ajtót, a Norton-antológiáját elé rúgta, hogy ütköző-ként szolgáljon, és felénk fordult egy Starbucks kávéval a kezében.

– Vendégek! – mondta hármunkra ragyogva.

– Öhm, igen – feleltem. – Ők a barátaim otthonról, Pip és Jason – mutattam rájuk. – És ő itt a szobatársam, Rooney – mutattam rá.

Rooney szeme tágra nyílt.

– Ó, istenem! Ezek *ők!*

– Mi vagyunk – mondta Pip, és felvonta az egyik szemöldökét.

– És mi már találkoztunk!

Rooney végigmérte Pipet, a tekintete gyorsan cikázott fel-le a teknőspáncél szemüvegétől a felhajtott farmerja alól kilátszó csíkos zoknijáig, mielőtt elindult felé. Olyan energiával nyújtotta ki a kezét, hogy Pip egy rövid másodpercig riadtnak tűnt.

Végül megrázta a kezet, és visszaadta Rooney-nak a végigmérést az Adidas Originalsétől egészen fel, a lófarka tetején épphogy csak látható hajgumiig.

– Igen. Látom, Roderick berendezkedett.

Rooney szemöldöke megrebbent, mintha meglepődött volna, és boldog lenne, hogy Pip azonnali reakciója a *tréfálkozás* volt.

– Igen. Élvezi az északi levegőt.

Jason felé fordult, és újra kinyújtotta a kezét, amit ő is megrázott.

– Mi még nem találkoztunk, de tetszik a kabátod.

Jason lepillantott magára. A bolyhos, barna mackókabátját viselte, ami évek óta megvolt neki. Őszintén hittem, hogy ez a legkényelmesebb ruhadarab, ami létezett a bolygón.

– Ó, igen. Ja, köszi.

Rooney mosolygott és összecsapta a kezét.

– Nagyon örülök, hogy mindkettőtöket megismerhetlek! Barátoknak kell lennünk most, hogy én és Georgia barátok vagyunk.

Pip rám nézett, mintha azt kérdezné: *„Barátok? Máris?”.*

– Amíg nem lopod el tőlünk őt – viccelt Jason, de Pip felé kapta a fejét, láthatóan tényleg nagyon komolyan vette a megjegyzést.

Rooney észrevette ezt, és egy apró mosoly tűnt fel a szája sarkában.

– Természetesen nem fogom – felelte.

– Hallottam, hogy érdekel a színház – mondta Pip. Volt egy kis ideges színezet a hangjában.

– Igen. Téged is?

– Aha. Mi mind ugyanabba az ifjúsági színházi csoportba jártunk. És együtt játszottunk az iskolai színdarabokban.

Rooney őszintén izgatottnak tűnt ettől a hírtől. A színház iránti szerelme határozottan valódi volt, még ha néhány mosolya nem is.

– Akkor elmész a DDSZ-darab meghallgatására?

– Nyilvánvalóan.

– Az egyik főszerepre?

– Nyilvánvalóan.

Rooney vigyorgott, aztán belekortyolt a Starbucks poharába, és azt mondta:

– Jó. Akkor vetélytársak leszünk.

– Azt... azt hiszem, igen – mondta Pip egyszerre nyugtalanul, meglepetten és zavarodottan.

Rooney hirtelen feszült arcot vágott, és ellenőrizte a telefonját.

– Ó, sajnálom, megint mennem kell. Találkoznom kell lent a Vennelsben azzal a lánnyal, akivel az angolklub Facebook-csoportjában csevegtem. Találkozunk itt hatkor a Gólyák Grillpartiján...

És aztán elment, míg azon tűnődtem, mi az a Vennels, és miért nem tudom, mi az a Vennels, és hogy Rooney már tudja, mi az a Vennels, pedig ő is csak kevesebb mint egy napja van itt, akárcsak én.

Amikor visszafordultam a barátaimhoz, Pip nagyon mozdulatlanul ácsorgott riadt kifejezéssel az arcán, amitől egy kicsit úgy nézett ki, mint egy rajzfilmbeli tudós a robbanás után.

– Mi az? – kérdeztem.

Pip nyelt egyet, és egy kicsit megrázta a fejét.

– Semmi.

– *Mi az?*

– Semmi. Kedvesnek tűnik.

Ismertem ezt a pillantást. Ez egy Pip-pillantás volt, jól tudtam. Láttam már, amikor tizedikben Alicia Reece-szel – az egyik legintenzívebb belezúgásával – kellett együtt dolgoznia tesin. És láttam, amikor elmentünk egy Little Mix-közönségtalálkozóra, és Leigh-Anne Pinnock megölelte Pipet.

Pipnek nem sok lány tetszett, igazából elég válogatós volt. De amikor tetszett neki valaki, az nagyon-nagyon nyilvánvaló volt. Legalábbis nekem. Mindig meg tudtam mondani, mikor két ember egymásba zúgott.

Mielőtt megjegyzést tehettem volna, Jason szólalt meg, aki Rooney és a hableányhajú Beth fényképét bámulta.

– Olyan furcsa, hogy egy szobatárs mellett végezted. Mit írtál a személyiségtesztedben?

Kitöltöttünk egy személyiségtesztet, miután felvettek a Durhambe, szóval ha végül meg kellett osztanunk a szobákat, megpróbáltak olyasvalakivel összehozni minket, akivel kijönnénk.

Erőltettem az emlékezetemet, hogy mit írtam a sajátomra, és aztán bevillant.

– Shakespeare – mondtam. – A teszt... Az egyik kérdés az érdeklődési körünkről szólt. Shakespeare-t írtam.

– És? – kérdezte Jason.

Rooney *Sok hűhó semmiért*-poszterére mutattam.

– Ó, istenem! – mondta Pip, a szeme elkerekedett. – Ő is Shakespeare-fanatikus? Mint mi?

– Azt mondta.

Jason látszólag elégedetten bólogatott.

– Ez jó! Ezen keresztül tudtok kötődni egymáshoz.

– Igen – vágta rá Pip túl gyorsan. – Barátkozz vele!

– Végül is szobatársak vagyunk. Szóval remélhetőleg barátok leszünk.

– Ez jó – ismételte meg Jason. – Különösen, mivel többé nem fogunk állandóan együtt lógni.

Ez megállásra késztetett.

– Nem fogunk?

– Nos... nem... Úgy értem, legalábbis ezen a héten. Különböző kollégiumokban vagyunk.

Őszintén nem gondolkoztam ezen. Az volt a tervem, hogy mindennap találkozunk, együtt lógunk, felderítjük Durhamet, *együtt kezdjük meg az egyetemi utazást*. De mindegyik gólyaesemény a saját kollégiumunkban volt. Mind különböző szakra jártunk, én angolra, Jason történelemre, Pip természettudományokat tanult. Szóval Jasonnek igaza volt. Valószínűleg egyáltalán nem fogok sokat látni belőlük ezen a héten.

– Azt hiszem – feleltem.

Talán rendben lesz minden. Talán ez a kezdő lökés, amire szükségem van, hogy új dolgokba kezdjek, új embereket találjak, és tapasztalatot szerezzek.

Talán ez mind része lehet *a tervnek*. A románctervnek.

– Helyes – mondta Pip a combjára csapva, és talpra pattant. – Mennünk kellene. Még nem pakoltam ki az összes ingemet.

Hagytam, hogy Pip átöleljen, mielőtt kiügetett a szobából, egyszerűen magamra hagyva Jasonnel. Nem akartam, hogy Jason és Pip elmenjen. Nem akartam, hogy a szüleim elmenjenek. Nem akartam itt maradni egyedül.

– Bárcsak én is a Kastélyban lehetnék! – mondtam. Úgy hangzottam, mint egy ötéves.

– Rendben leszel – felelte Jason a megszokott nyugodt hangszínével. Semmi sem tudta zavarni. Volt benne valami, ami a szorongás ellentéte. Teljes, biztos lelkibéke.

Nyeltem egyet. Nagyon-nagyon sírni akartam. Talán gyorsan sírhatok, mielőtt Rooney visszatér.

– Megölelhetlek? – kérdeztem.

Jason megtorpant. Valami értelmezhetetlen futott át az arcán.

– Igen – mondta. – Igen. Gyere ide!

Átvágtam a szobán, és hagytam, hogy beburkoljon egy meleg ölelésbe.

– Rendben leszel – mondta megint, finoman dörzsölgetve a hátam, és nem tudom, hogy hittem-e neki, de mindenesetre kellemes volt hallani. És Jason mindig a legmelegebben, legmeghittebben ölel.

– Oké – motyogtam a kabátjába.

Amikor hátrébb lépett, a tekintete elkalandozott. Talán még el is pirult egy kicsit.

– Hamarosan látlak? – kérdezte, de nem nézett rám.

– Igen – mondtam. – Küldj majd üzit!

A baráti kapcsolatom Pippel és Jasonnel nem fog megváltozni. Hét évig voltunk barátok a középiskolában, az isten szerelmére. Akár mindig együtt lógtunk, akár nem, örökké barátok maradunk. Semmi sem tehette tönkre, amink volt.

És egy új barátságra összpontosítani Rooney Bachkal – egy másik Shakespeare-rajongóval, aki jelentősen társaságkedvelőbb, mint én – csak jó dolog lehetett.

ROMANTIKUS ELMÉLKEDÉS

A St. John's College gólyáinak grillpartiján Rooney úgy járta körbe a belső udvart, mint egy ambiciózus üzletasszony egy fontos kapcsolatépítési eseményen. Gyorsan, könnyedén barátkozott össze az emberekkel, ami lenyűgözött, és az igazat megvallva nagyon féltékennyé tett. Nem volt más választásom, mint árnyékként követni őt. Nem tudtam, hogyan vegyüljek egyedül.

Az egyetem az a hely, ahol a legtöbb ember olyan barátságokat köt, amik tényleg tartósak. A szüleim még mindig, minden évben találkoztak az egyetemi barátaikkal. A bátyám tanúja az egyetemi barátai közül került ki. Tudtam, hogy itt van nekem Pip és Jason, szóval ez nem olyan, mintha eleve barátok nélkül jöttem volna, mindazonáltal úgy gondoltam, hogy talán több olyan emberrel találkozom majd, akivel jól kijövök.

És a grillpartin az emberek *vadásztak* a barátságokra. Mindenki extrán feltűnő, extrán barátságos volt, és sokkal több kérdést tettek fel, mint az normális körülmények között szociálisan elfogadható. Próbáltam a legjobb formám hozni, de nem voltam valami nagyszerű. Elfelejtettem az emberek nevét, amint megmondták. Nem tettem fel elég kérdést. Az összes menő magánsulis srác cipzáras nyakú pulóverben vegyült egymással.

Arra gondoltam, hogy megpróbálok haladást felmutatni a *„megtalálni a szerelmet"*-projektben, de nem ébredtek különösebb romantikus érzések bennem senki iránt, akivel találkoztam, és túlságosan nyugtalan voltam ahhoz, hogy megpróbáljam rákényszeríteni magam, hogy érezzek bármit.

Rooney ugyanakkor *flörtölt*.

Először azt hittem, csak képzelődöm. De minél többet figyeltem, annál inkább láttam, hogy ezt teszi. A mód, ahogyan megérintette a srácok karját, és felmosolygott rájuk – vagy éppen *le*mosolygott, mert magas volt. Ahogy figyelt, amikor beszéltek, és nevetett a vicceiken... Ahogy közvetlen, átható szemkontaktust vett fel, olyan fajta szemkontaktust, amitől úgy érzed, hogy *ismer* téged.

Abszolút mesteri volt.

Amit érdekesnek találtam, hogy számos sráccal csinálta. Kíváncsi voltam, mi a célja. Mit keresett? Egy potenciális párt? Alkalmi lehetőséget? Vagy csak szórakozásból csinálta?

Akárhogy is, egy csomót gondolkoztam erről, miközben később aznap este próbáltam elaludni az új szobámban, az új ágyamban, valakivel, aki néhány méterre tőlem már aludt.

Úgy tűnt, Rooney pontosan tudja, mit csinál. Figyeltem, ahogy uralja a helyzetet. A romantikus előjátékot. Ugyanúgy csinálta, ahogyan barátkozott. Olyasvalaki precíz szakértelmével, akinek sok gyakorlata és sok sikerélménye van. Meg tudnám csinálni? Le tudnám utánozni őt?

Megtanítana engem, hogyan csináljam ezt?

Úgy tűnt, Rooney-nak óriási erőfeszítésébe került, hogy hétfő reggel felébredjen. Azt hittem, rossz vagyok a reggeli felkelésben, de Rooney-nak legalább ötször kellett megnyomnia a szundi gombot, mielőtt sikerült kivonszolnia magát az ágyból. Az ébresztője végig a *Spice Up Your Life* volt a Spice Girlstől. Én már elsőre felébredtem.

– Nem tudtam, hogy szemüveget viselsz. – Ez volt az első dolog, amit mondott nekem, miután végre felkelt.

– Legtöbbször kontaktlencsét viselek – magyaráztam. Ez arra emlékeztetett, milyen meglepett volt Pip tizenegy évesen, amikor hat hónapnyi barátság után rájött, hogy rövidlátó vagyok. Még a felsőtagozat előtt, nyáron kezdtem kontaktlencsét viselni.

Amikor félszegen megkérdeztem Rooney-t, hogy le akar-e menni a menzára reggelizni, majdnem úgy nézett ki, mintha azt tanácsoltam volna, hogy vessük ki magunkat az ablakon. Végül felváltotta az arcán ezt a kifejezést egy széles mosoly, és azt mondta:

– Igen, ez jól hangzik!

Aztán átvedlett sportcuccba, és az a pezsgő, extrovertált Rooney lett, akivel előző nap találkoztam.

Rooney közelében maradtam a Gólyahét első hivatalos napján a bevezető angolelőadásunktól a szabad délutánunkig. Az előadáson könnyedén összebarátkozott a mellette ülővel, délután pedig kimentünk kávéért néhány emberrel, aki ugyancsak angol szakos. Szintén mindegyikükkel összebarátkozott, és levált, hogy beszélgessen egy sráccal, aki nyilvánvalóan vonzó volt a hagyományos módon. Flörtölt vele. Megérintette a kabátujját. Nevetett. A szemébe nézett.

Annyira könnyűnek tűnt. De már attól is hányingerem lett, ahogy elképzeltem, hogy ezt csinálom.

Remélem, ez nem hangzik úgy, mintha rosszat gondolnék Rooney-ról, amiért flörtöl, kapcsolódik és kétségtelenül valamiféle nagy egyetemi románcra készül, amit elmesélhet az unokáinak, amikor idős és szószátyár lesz.

Én csak nagyon-nagyon irigy voltam, hogy nem ő vagyok.

A Gólyahét keddi fő eseménye a hivatalos college-ba lépés volt, egy bizarr álvallásos ceremónia, ami a Durham-katedrálisban kapott helyet, ahol boldogan köszöntöttek minket az egyetemen. Mind puccos ruhát és a kollégiumunk talárját viseltük, amitől nagyon kifinomultnak éreztem magam.

Rooney mellett maradtam, míg kifelé menet a katedrálisból ki nem szúrtam Pipet és Jasont, ahogy együtt sétálnak át a füvön, kétségtelenül a saját ceremóniájukra tartva. Megláttak engem, és egymáshoz rohantunk a sírkerten keresztül, ami lassított felvételnek érződött, miközben a háttérben a *Tűzszekerek* zenéje szólt.

Pip rám ugrott, majdnem megfojtva engem a talárjával. Ugyanolyan különlegesen volt felöltözve, mint a bálban: teljes öltöny és nyakkendő, gondosan megtervezett fürtök glóriája, és olyan parfüm volt rajta, aminek az illata, akár az eső utáni erdőnek. *Otthon* érezte magát.

– Panaszlevelet fogok írni a St. John'snak – motyogta a vállamba –, hogy engedjenek téged átköltözni a Kastélyba.

– Nem hiszem, hogy működni fog.

– De fog. Emlékszel, amikor a Tescónál reklamáltam, és küldtek nekem öt tábla csokoládét? Tudom, hogyan írjak erősen megfogalmazott levelet.

– Ne is figyelj rá! – mondta Jason. Ő is ki volt öltözve, ő is különlegesen nézett ki. – Még másnapos a tegnap estétől.

Pip hátralépett, és megigazította a gallérját meg a nyakkendőjét. Kicsit kevésbé tűnt élénknek, mint általában.

– Rendben vagy? – kérdezte. – A szobatársad normális? Belehalsz a stresszbe?

Elgondolkoztam ezeken a kérdéseken, aztán feleltem:

– Mindegyik kérdésre nem a válasz.

Apropó Rooney… Átpillantottam Pip válla fölött, hogy megnézzem, milyen messzire ment, csak hogy rájöjjek, valójában megállt a sírkert szélénél, és visszanézett. Egyenesen ránk.

Pip és Jason is odafordult, hogy lássa.

– Ó, itt van! – motyogta Pip, és azonnal elkezdte igazgatni a haját. De Rooney még mindig minket nézett, mosolygott és integetett, látszólag közvetlenül Pipnek. Pip esetlenül felemelte a kezét, és visszaintegetett egy ideges mosollyal.

Hirtelen kíváncsi lettem, vajon van-e esélye Rooney-nál. Rooney eléggé heterónak tűnt abból ítélve, hány sráccal láttam flörtölni, és hogy nem próbálkozott egyetlen lánynál sem, de az emberek képesek meglepetést okozni.

– Jól kijössz vele? – kérdezte Jason.

– Igazán kedves, igen. Jobb, mint én, nos, mindenben. Ami idegesítő, de rendben van.

Pip összeráncolta a homlokát.

– Miben jobb, mint te?

– Ó, tudod… Például barátkozásban, és nemtom. Beszélgetni az emberekkel. – *Flörtölni. Romantikázni. Szerelembe esni, gondolom.*

Sem Jason, sem Pip nem tűnt lenyűgözöttnek ettől a választól.

– Oké – mondta Pip –, átjövünk ma este.

– Tényleg nem kell.

– Nem, felismerem a segélykiáltást.

– Nem kiáltok segítségért.

– Sürgősen szükségünk van egy pizzaestre.

Azonnal átláttam rajta.

– Te csak egy lehetőséget akarsz, hogy újra beszélhess Rooney-val, nem igaz?

Pip hosszan rám nézett.

– Talán így van – mondta. – De törődöm veled is. És törődöm a pizzával.

– Szóval, akkor ő őrülten jó abban, hogy az emberek megkedveljék? – kérdezte Pip egy falat pizzával a szájában később az este folyamán.

– Nagyjából ennyi, igen – feleltem.

Jason megcsóválta a fejét.

– És olyan akarsz lenni, mint ő? Miért?

Mindhárman elterpeszkedtünk Rooney vízszín szőnyegén, középen a pizzával. Kisebb vitát folytattunk arról, hogy a csoport kedvencét, a *Moulin Rouge*-t nézzük-e meg, vagy Jason kedvencét, az élőszereplős *Scooby-Doo* filmet, de végül ez utóbbi mellett döntöttünk, és elindítottuk a laptopon. Rooney valamilyen tematikus kocsmatúrán töltötte az éjszakát, és ha nem lettek volna terveim a barátaimmal, valószínűleg én is vele mentem volna. De ez jobb volt. Minden jobb, amikor Jason és Pip itt van.

Nem tudtam bevallani nekik, milyen kétségbeesetten akarok egy romantikus kapcsolatot. Mert *tisztában voltam vele,* hogy ez szánalmas. Komolyan. Tökéletesen megértettem, hogy egy nő erős és független akarjon lenni, és egy sikeres élethez nem kell megtalálni a szerelmet. És a tény, hogy ilyen kétségbeesetten akartam egy pasit – vagy egy barátnőt, partnert, bárkit, *valakit* –, azt jelzi, hogy nem vagyok erős, független, önálló vagy *egyedül boldog.* Tényleg elég magányos voltam, és szerelmes akartam lenni.

Ez annyira rossz dolog? Akarni egy meghitt kapcsolatot egy másik emberrel?

Nem tudtam.

– Egyszerűen olyan könnyen beszélget az emberekkel – mondtam.

– Ilyen az élet, ha abnormálisan vonzó vagy – felelte Pip.

Jason és én ránéztünk.

– Abnormálisan vonzó? – kérdeztem.

Pip abbahagyta a rágást.

– Mi van? Az! Csak megállapítom a tényeket! Van ez a „ha szemét lennék veled, még azt is élveznéd"-energiája.

– Érdekes – mondta Jason magasba szökő szemöldökkel.

Pip kezdett elvörösödni.

– Én tökre csak egy észrevételt tettem.

– Oké.

– Ne nézz így rám!

– Nem nézek.

– De igen.

A bál estéje óta alaposan elgondolkodtam azon, hogy vajon leszbikus vagyok-e, mint Pip. Ennek lett volna értelme. Talán a fiúk iránti érdeklődésem hiányának oka az volt, hogy valójában a lányok érdekeltek. Ez egy elég értelmes megoldás lett volna a helyzetemre.

Pip szerint a leszbikusság felismerésének jellemzői a következők: először, kicsit intenzív megszállottjává válni egy lánynak, félreértelmezni ezt csodálatként, néha arra gondolni, hogy megfogod a kezét, és másodszor, tudattalan fixációt érezni bizonyos női rajzfilmgonoszok iránt.

Viccet félretéve, sosem voltam még belezúgva lányba, szóval igazából semmi bizonyítékom nem volt, ami alátámasztotta volna ezt a teóriát.

Talán bi vagyok, vagy pán, mivel úgy tűnt, hogy egyelőre még preferenciám sincs.

A következő néhány órát beszélgetéssel és evéssel töltöttük, és időnként a laptopom képernyőjére pillantva néztük a filmet. Pip hosszasan zagyvált arról, hogy mennyire érdekes volt a bevezető kémialabor-órája, miközben Jason és én mindketten siránkoztunk, mennyire unalmas volt a mi első előadásunk. Megosztottuk a gondolatainkat az emberekről, akikkel a kollégiumban találkoztunk: hány puccos magániskolás kölyök volt itt, mennyire rossznak tűnt máris az ivási kultúra, és hogy szélesebb gabonapehely-választéknak kéne lennie reggelire. Egy ponton Pip úgy döntött, megöntözi Rodericket, a növényt, mert az ő szavaival élve: „egy kicsit szomjasnak tűnt".

De hamarosan tizenegy óra lett, Pip pedig úgy döntött, itt az idő némi forró csokoládét készíteni. Ragaszkodott hozzá, hogy a tűzhelyen csinálja ahelyett, hogy a vízforralót használta volna a hálószobámban. Mindannyian kimentünk a folyosómon lévő kis konyha felé, amin nyolc ember osztozott, de az eddigi néhány alkalommal, amikor ott jártam, mindig üres volt.

Ma nem.

Ezt onnan tudtam, hogy Pip átpillantott az ajtón lévő ablakon, és olyan képet vágott, mintha enyhe elektrosokkot kapott volna.

– Ó, *a szarba!* – sziszegte, és amint Jason és én is csatlakoztunk hozzá, végre mcgláttuk, mi történt.

Rooney volt a konyhában.

Egy sráccal.

A konyhapulton ült, a srác a lábai között állt, a nyelvével Rooney szájában, és a kezével az inge alatt. Hogy finoman fogalmazzak: mindketten nagyon jól érezték magukat.

– Ó! – mondtam.

Jason azonnal hátralépett a helyzettől, ahogyan minden normális ember tenné, de Pip és én csak álltunk ott egy pillanatig, nézve, ahogy zajlik a dolog.

Ebben a pillanatban vált tisztává számomra, hogy az egyetlen mód, hogy haladást érjek el a „*megtalálni a szerelmet*"-küldetésemben, az az, ha segítséget kérek Rooney-tól.

Egyedül nem tudtam volna megcsinálni, soha.

Én próbáltam. Esküszöm, hogy megpróbáltam. Megpróbáltam megcsókolni Tommyt, amikor bepróbálkozott, de a *Kill Bill*-szirénák elkezdtek zúgni a fejemben, és egyszerűen nem tudtam. Egyszerűen nem voltam rá képes.

Megpróbáltam beszélgetni az emberekkel a Gólyák Grillpartiján, és akkor is, amikor összezsúfolódtunk az előadótermek előtt, ebédnél és vacsoránál, amikor Rooney-val és azokkal az emberekkel ültem, akikkel összebarátkozott. Megpróbáltam, és nem is voltam szörnyű benne, udvarias és kedves voltam, és úgy tűnt, az emberek nem gyűlölnek engem. De sosem leszek olyan, mint Rooney. Legalábbis nem természetes módon. Sosem lennék képes megcsókolni egy srácot, csak mert az szórakoztató, mert jól érzem magam tőle, mert azt csinálhatok, amit akarok. Soha nem lennék képes létrehozni azt a szikrát, ami úgy tűnt, hogy benne szinte mindenkivel megvan, akivel találkozik.

Kivéve, ha elmondja nekem, hogyan kell.

Pip végre elszakította a tekintetét az ablaktól.

– Ez biztosan nem higiénikus – vágott undorodó arcot. – Az emberek ott készítik a teájukat, az isten szerelmére!

Egyetértően mormogtam, mielőtt elléptem az ajtótól, és le is tettem a forrócsokoládé-terveinkről.

Pip arckifejezése olyan volt, mintha előre látta volna, hogy ez lesz.

– Olyan ostoba vagyok – motyogta.

Majdnem mindent tudtam a romantikáról. Ismertem az elméletet. Tudtam, mikor flörtölnek az emberek, tudtam, mikor akarnak csókolózni. Észrevettem, amikor valakivel szarul bánt a pasija, még ha ő maga nem is tudta elmondani. Végtelen számú történetet olvastam emberek találkozásáról és flörtöléséről, kínos sóvárgásáról, szerelem előtti gyűlöletéről, szerelem előtti testi vágyáról, arról, hogy csókolóznak, szexelnek, szerelmesek lesznek, összeházasodnak, társakká válnak egy életre, míg a halál el nem választ.

Mestere voltam az elméletnek. De Rooney a gyakorlatnak volt a mestere.

Talán a végzet sodorta őt elém. Vagy talán ez is csak egy romantikus képzelgés.

SZEX

A kedd és szerda közötti éjszaka közepén arra ébredtem, hogy hallom, ahogy a miénk feletti szobában valaki szexel. Egyfajta ritmikus dübörgés volt. Mint mikor az ágytámla a falnak ütközik. És nyikorgás, mint egy régi ágykeret meghajlása. Felültem, tűnődve, hogy csak képzeltem-e. De nem. Igazi volt. Emberek szexeltek a felettünk lévő szobában. Mi más adna ki ilyen hangot? Csak hálószobák voltak odafenn, és hacsak nem döntött úgy valaki, hogy valamikor hajnali három körül barkácsolni kezd, csak egy dolog lehetett ez a hang.

Rooney mélyen aludt, az oldalán összegömbölyödve, sötét haja szétterült körülötte a párnán. Teljesen öntudatlanul.

Tudtam, hogy történhetnek ilyesféle dolgok az egyetemen. Valójában tudtam, hogy ilyesféle dolgok a gimiben is megtörténhetnek. Nos, remélhetőleg nem szó szerint a gimiben, de a gimis barátaim és osztálytársaim között.

De hallani, ahogy történik, személyesen, nem csak tudni és elképzelni, ez megdermesztett legbelül. Még jobban, mint amikor a megujjazást láttam Hattie partiján.

Megrázó volt, olyan *„Ó istenem, ez a dolog tényleg valóságos, nem csak fanficekben és filmekben létezik. És állítólag nekem is ezt kell tennem"*-módon.

COLLEGE HÁZASSÁG

Az, hogy a college-od a családod lesz, egy új fogalom volt számomra. A Durhamben a diákok másod- és harmadévben párba álltak, hogy mentorcsapatként vagy „college szülőkként" működjenek az érkező gólyák kis csoportja számára, akik a „college gyerekeik" lettek. Ezt valahogy szerettem. Romantikus dologgá változtatott valami teljesen hétköznapi dolgot, és én ebben hihetetlenül tapasztalt voltam.

Rooney-nak és nekem, plusz négy másik tanulónak, akiket csak a Facebook-profiljukról ismertem, szervezett gyűlésünk volt a kollégiumi „szüleinkkel" a Starbucksban. Mindezt múlt héten szerveztük meg egy csoportos Facebook-chaten, amiben túlságosan ijedt voltam bármi mást mondani, mint hogy: „Nagyszerűen hangzik! Ott leszek ☺".

De amikor odaértünk, csak az egyik szülőnk volt ott: Sunil Jha.

– Szóval… – kezdte Sunil a székén ülve, egyik lábát átvetve a másikon. – Én vagyok a college szülőtök.

Sunil Jhának meleg mosolya volt, és kedves tekintete, és habár csak két évvel volt idősebb nálunk, végtelenül érettebbnek tűnt. A ruhája is hihetetlenül jó volt: szűk nadrág Converse cipővel, egy betűrt pólóval és egy apró, szürke tartánmintás bomberdzsekivel.

– Kérlek, ne hivatkozzatok rám úgy, mint az anyátokra vagy apátokra – folytatta –, nemcsak azért, mert nembináris vagyok, hanem azért sem, mert ez ijesztően nagy elkötelezettségnek tűnik.

Ez kiváltott némi kuncogást. A kabátján számos fémkitűző volt: egy szivárványzászló, egy apró öreg rádió, egy jelvény egy fiúbanda logójával, egy, amelyiken az volt olvasható, „He/They", és egy másik pride-kitűző fekete, szürke, fehér és lila sávokkal. Biztos voltam benne, hogy ezt már láttam valahol online, de nem emlékeztem, mit jelent.

– A sors különös fordulatának köszönhetően a college anyátok úgy döntött, hogy az egyetem nem neki való, és dobbantott az elmúlt szemeszter végén. Szóval egyszülős család leszünk ebben az évben. Még több kuncogás következett, de aztán csend lett. Kíváncsi voltam, mikor fog Rooney előrukkolni a kérdésekkel, de úgy tűnt, még őt is megijesztette Sunil harmadéves magabiztossága.

– A lényeg tehát – mondta Sunil –, hogy itt vagyok, ha bármilyen kérdésetek vagy aggályotok akad bármi miatt, amíg itt vagytok. Vagy csak csinálhatjátok, amit akartok, és elfelejthetitek, hogy valaha is léteztem.

Még több nevetés.

– Szóval... Van bármi, amiről csevegni akartok most?

Egy rövid pillanatot követően Rooney volt az első, aki élt a lehetőséggel.

– Azon tűnődtem, nos... Hogyan működik a college-házasság-dolog? Hallottam valamit *college lánykérésekről,* de nem igazán tudom, mi ez.

Ó, igen. Örültem, hogy megkérdezte ezt.

Sunil felnevetett.

– Ó, istenem, igen. Oké. Szóval... College házasság – fonta össze az ujjait. – Ha alakítani akarsz egy mentorcsapatot egy másik diákkal, házasságot kötsz. Egyikőtök megkéri a másik kezét, és általában ez egy nagy, látványos gesztus.

Rooney megbűvölten bólintott.

– Mit értesz „nagy és látványos" alatt?

– Nos... hadd mutassam meg ezzel: én a lánykérésem során csillámos lufikkal töltöttem meg a hálószobáját, negyven-egynéhány ember várakozott, hogy meglepjük. Aztán fél térdre ereszkedtem mindenki előtt egy macska alakú műanyag gyűrűvel.

Ó! Istenem!

– Mindenki... öhm... mindenki köt ilyen házasságot? – kérdeztem.

Sunil rám nézett. Tényleg kedves tekintete volt.

– A legtöbb ember. Általában barátok teszik, mivel ez csak móka. De néha párok csinálják.

Barátok. Párok.

Ó, ne...

Most már tényleg szükségem volt arra, hogy emberekkel ismerkedjek meg.

A megbeszélés az egyetem körül forgott tovább: a tanulmányaink, a legjobb klubok, jó időszak a könyvtár használatához, a szemeszter végi Bailey-bál. De én nem mondtam semmi mást. Csak ültem ott, és idegeskedtem a college házasság miatt.

Nem számít, ha nem teszem meg. Igaz? Nem ezért vagyok itt.

– Ma este természetesen elkísérlek titeket egy klubba – mondta Sunil, amikor mind összepakoltunk, hogy induljunk. – Szóval találkozunk a recepción este kilenckor, oké? És ne aggódjatok a ruhátok miatt túlságosan. – Ahogy folytatta, találkozott a tekintetünk, és mosolygott, melegen és gyengéden. – És nem kell jönnötök, ha nem akartok, rendben? Nem kötelező.

Ahogy Rooney és én visszasétáltunk a kollégiumba, üzenetet írtam Pipnek és Jasonnek a college házasságról. A válaszaik nagyjából olyanok voltak, amilyenekre számítottam tőlük:

Felipa Quintana
OMG NÁLUNK IS VAN ILYEN
Komolyan nem tudom kivárni míg valaki megkéri a kezem
Vagy én kérem meg valakiét
Rohadtul látványosnak kell lennie
Remélem valaki konfettit borít rám aztán elszaval egy verset nekem egy hajón száz bámészkodó előtt aztán elenged egy galambpárt az égbe

Jason Farley-Shaw
Nemtom, azt hiszem ez az egész egy kicsit ósdinak tűnik

Azonban Rooney nem mondott semmit a college házasságról, mert túlságosan arra koncentrált, hogy elmegy egy klubba.

– Olyan izgatott vagyok a ma este miatt – közölte.

– Tényleg?

Mosolygott.

– Készen állok az *egyetemi élményeimre,* tudod?

– Igen – mondtam, és tökre megértettem. Én is készen álltam az egyetemi élményeimre.

Persze az ötlet, hogy elmenjek egy klubba, megrémisztett, és még nem igazán tudtam elképzelni a forgatókönyvet, amiben belezúgnék valakibe, de *el fogom érni,* hogy megtörténjen, és *élvezni fogom.* – Én is.

– Szóval… – mondta, és rám nézett a nagy, sötét szemével. Tényleg nagyon csinos volt. Talán ő lehetne a végjátékom. Szobatársrománc, mint egy fanfictionben. Elvégre ez az egyetem, az isten szerelmére! Bármi megtörténhet. – Szeretnél elmenni szórakozni?

Az „elmenni szórakozni" alatt a klubozást értette, és őszintén, nem tudtam. Még sosem voltam klubban. Nem sok szimpatikus hely volt a vidéki Kentben, és sem Pip, sem Jason nem foglalkozott ilyesmivel.

Klubozás. College házasság. Szex. Romantika.

Tudtam, hogy ezek a dolgok mind szabadon választhatók.

De egy teljesen normális egyetemi élményt akartam, egyszerűen, mint mindenki más.

A KISBABA ELSŐ KLUBJA

– Ó, istenem! – mondta Rooney, amint befejeztem a hajam kiegyenesítését. – Olyan szép vagy!

– Oh, köszönöm – feleltem esetlenül. Szörnyű vagyok a bókok fogadásában.

Anya és én elmentünk ruhákat venni egy pár héttel ezelőtt, hogy legyen mit felvennem a klubestékre, én pedig kiválasztottam egypár ruhát és egy masszív sportcipőt. Felvettem az egyik ruhát fekete harisnyával, és őszintén szólva nem gondoltam, hogy túl rosszul nézek ki, de Rooney mellett egyszerűen úgy éreztem magam, mint egy gyerek. Ő egy vörös bársonyoverallt viselt – mély V kivágás az elején és kiszélesedő nadrágszár – magas sarkú csizmával és hatalmas karikafülbevalóval. A fél haját egy kócos kontyba halmozta a feje tetejére, a maradékot leengedte a hátára. Igazán kibaszottul királyul nézett ki. Én… meg nem.

Aztán rosszul éreztem magam, mert anya és én együtt választottuk ki ezt a ruhát. Másfél millió kilométerre éreztem magam anyától és a helyi bevásárlóközpontunktól.

– Sokszor mentél el szórakozni Kentben? – kérdezte Rooney az ágyán ülve. Az utolsó simításokat végezte a sminkjén a talpas tükre előtt.

Hazudni akartam, azt mondani, hogy szuper tapasztalt vagyok a klubozásban, de igazán nem lett volna semmi haszna. Rooney már fokozottan tudatában volt annak, hogy félénk ember vagyok, és sokkal, sokkal rosszabb a szocializációban, mint ő.

– Nem igazán – mondtam. – Én... én nemtom. Nem igazán gondolom, hogy ez nekem való.

– Nem kell eljönnöd, ha nem akarsz! – Highlightert ütögetett az arccsontja fölé, majd mosolyt lőtt felém. – Ez nem való mindenkinek.

– Nem, nem – feleltem. – Mármint... Legalább ki akarom próbálni. Tovább mosolygott.

– Jó! Ne aggódj! Vigyázni fogok rád.

– Akkor te egy csomószor voltál már klubban?

– Ó, istenem, igen – nevetett, visszatérve a sminkjéhez.

Oké. Magabiztosnak hangzott. Ezek szerint partilány volt, olyan, mint akiket otthon ismertem? Olyasféle ember volt, aki állandóan klubokba fog járni és egyéjszakás kalandokba bonyolódik random emberekkel?

– Fent van a Find My Friends app a telefonodon? – kérdezte.

– Ó, öhm, azt hiszem.

Elővettem a telefonomat, egész biztos, hogy letöltöttem az appot. Csak Pip és Jason volt rajta.

Rooney kitartotta a kezét.

– Hadd adjam hozzá magam! Aztán ha elveszítjük egymást, újra meg tudsz találni.

Így tett, és már ott is volt egy kis pont Rooney arcával Durham térképén.

Azt javasolta, készítsünk egy közös szelfit a hálószobatükrünkben. Pontosan tudta, hogyan pózoljon, az állát a felhúzott válla mögé rejtette, tekintete csábítóan lesett ki a szempillái mögül. Én az egyik kezemet a csípőmre tettem, és reméltem a legjobbakat.

Ha teljesen őszinte voltam magamhoz, egyszerűen Rooney Bach akartam lenni.

Sunil a fogadótérben találkozott velünk, és úgy tűnt, hogy a legtöbb, ha nem az összes john'sos gólya megjelent, hogy először kóstoljanak bele az egyetemi éjszakai életbe. Annak ellenére, hogy azt mondta nekünk, nem kell kiöltöznünk, Sunil egy feszes, világos, kasmírmintás inget viselt szűk nadrággal. Mindamellett megfigyeltem, hogy olyan cipő volt rajta, ami úgy nézett ki, mintha megtaposták és átvonszolták volna egy sáros mezőn. Ennek valószínűleg fel kellett volna készítenie arra, amivel szembe kellett néznem a klubban.

Sunil és néhány másik harmadéves elvezetett minket a klubhoz, keresztül Durham hideg utcáin. Rooney már bevonzott egy kis csoportnyi „barátot", már ha nevezheted így őket, én pedig félénken a csoportja hátsó része felé lézengtem.

Mindenki izgatottnak tűnt.

Senki más nem látszott idegesnek.

A legtöbb korombeli járt már klubokban. A legtöbb ember, akit a végzős évfolyamból ismertem, gyakran elment a legközelebbi város klubjába, ami a hallottak alapján a megbánás ragacsos, szörnyűséges pokolbugyra volt. De most *én* voltam, aki megbánta, hogy nem mentem velük. Íme egy újabb dolog, aminek a megtapasztalását elmulasztottam kamaszkoromban.

A bejárat egy sikátorban volt, és ingyenesen be lehetett menni tizenegy előtt. Nem kértek személyi igazolványt, mivel mind a gólyák karszalagját viseltük. Odabent olyan volt, mintha valaki megtervezte volna a saját személyes poklomat: heringként összepréselt tömeg, ragadós padló és annyira hangos zene, hogy Rooney-nak háromszor kellett megismételnie, mire végre felfogtam, hogy azt kérdezte tőlem, oda akarok-e menni a pulthoz.

Figyeltem, mit rendelt, így tudtam, mit kérjek: vodka és limonádé. Aztán csevegés következett, és még több csevegés, és még több csevegés. Nos, igazából kiabálás. A legtöbb ember arról akart beszélni, *mit tanulsz, honnan jöttél, és milyennek találod ezt az egészet.* Elkezdtem szóról szóra ismételgetni ugyanazokat a mondatokat több embernek. Mint egy robot. Istenem… Csak egy barátot akartam szerezni.

És aztán ott volt a tánc. Hirtelen észrevettem, hogy mennyi dal szól a romantikáról vagy a szexről. Hogy nem tűnt fel ez korábban? Mármint, szinte az összes dal, amit valaha írtak, a romantikáról vagy a szexről szól. És úgy éreztem, mintha gúnyolódnának velem.

Rooney megpróbált rávenni, hogy táncoljak vele, csak lazán, szórakoztató módon, én pedig próbáltam, esküszöm, hogy próbáltam, de hamar feladta, és talált valaki mást. Különböző emberek oldalán ringatóztam, és beszélgettem velük. Jól szórakoztam.

Jól szórakoztam.

Nem szórakoztam jól.

Majdnem tizenegy óra volt, amikor üzentem Pipnek, főként, mert kiabálás nélkül akartam valakivel beszélgetni.

Georgia Warr
HAHÓ hogy vagy ezen az estén

Felipa Quintana
Miért kérdezed? minden abszolút rendben
Lehet hogy összetörtem egy borospoharat

Georgia Warr
pip…

Felipa Quintana
hagyj élni

Georgia Warr
hogyhogy iszol?

Felipa Quintana
Mert én vagyok az ura a saját sorsomnak és a káoszért élek
Csak vicceltem a folyosónkon pizza- és alkoholestet tartanak
egyébként asszem múlt éjjel otthagytam a kabátomat a
szobádban…

Georgia Warr
ó, ne!!! elviszem neked amikor meglátogatlak, ne aggódj

– Kinek írsz? – kiabálta Rooney a fülembe.
– Pipnek – kiabáltam vissza.

– Mit mond?

Megmutattam Rooneynak az üzenetet Pip eltört poharáról. Rooney vigyorgott rajta, aztán nevetett.

– Kedvelem őt! – kiabálta. – Annyira vicces! És aztán visszament táncolni.

Georgia Warr
egyébként képzeld, hol vagyok

Felipa Quintana
Omg hol

Georgia Warr
EGY KLUBBAN

Felipa Quintana
VICCELSZ
Sosem hittem hogy megélem ezt a napot
A KISBABA ELSŐ KLUBJA!!!
Várj ez Rooney ötlete volt? Nyomást gyakorol rád???

Georgia Warr
dehogy én akartam menni haha!!

Felipa Quintana
Oké vigyázz magadra!!!!! Ne drogozz!!!!! Vigyázz a veszélyes pasikkal!!!!!!!

Kitartottam, ringatóztam, míg Rooney nem akart friss levegőt szívni. Nos, annyi friss levegőt, amennyit a dohányzásra kijelölt helyen lehetett, a klub hátsó részében.

Nekidőltünk az épület téglafalának. Én remegtem, de úgy tűnt, ő rendben van.

– Szóval? – kérdezte. – Mi a hivatalos ítéleted a klubozásról?

Elfintorodtam. Nem tehettem róla.

Hátravetette a fejét és nevetett.

– Legalább őszinte vagy – mondta. – Egy csomó ember gyűlöli, és mégis elmegy.

– Azt hiszem – kortyoltam az italomba –, csak ki akartam próbálni. Az egyetemi élmény része akartam lenni. Tudod...

Bólintott.

– A mocskos klubok fontos alkotóelemei az egyetemi életnek, igen.

Nem tudtam volna megmondani, vajon szarkasztikus volt-e. Őszintén szólva, kicsit részeg voltam.

– Én csak... *emberekkel akartam találkozni, és...* normális dolgokat csinálni – mondtam egy utolsót kortyolva az italomból. Még csak nem is ízlett annyira, de mindenki ivott, és furcsának tűntem volna, ha én nem teszem, nem igaz? – Nincs túl sok tapasztalatom, hogy ezt igazán jól csináljam.

– Nincs?

– Nincs. Alig néhány barátom van. Mindig is néhány barátom volt. Rooney mosolya leolvadt.

– Ó...

– Még sosem volt pasim. Még sosem csókoltam meg senkit.

A szavak csak ömlöttek belőlem, mielőtt megállíthattam volna őket. Azonnal összehúztam magam. Szarba. Feltételezem, többé nem kellett volna ezt elmondanom senkinek. Ez az, ami miatt az emberek kigúnyoltak.

Rooney szemöldöke a magasba emelkedett.

– Hűha, *tényleg?*

Nem szarkasztikus volt. Ez tiszta, őszinte döbbenet volt. Nem tudom, miért voltam meglepve... Az emberek reakciói az afterparti éjszakáján a „Felelsz vagy mersz" közben bizonyára azt jelezték, ahogy mindenki reagál erre. De abban a pillanatban ez nagyon megviselt. A furcsa pillantások. Hogy hirtelen gyerekként néztek rám, *éretlenként.* A filmek, amikben a főszereplő kiakad azon, hogy tizenhat évesen szűz.

– Tényleg – feleltem.

– Rosszul érzed magad emiatt?

Vállat vonok.

– Igen.

– És változtatni akarsz ezen? Most, hogy egyetemre jársz?

– Ideális esetben, igen.

– Oké. Jó. – Megfordult, hogy velem szemben álljon, egyik vállával a falnak támaszkodva. – Azt hiszem, tudok segíteni.

– O…ké…

– Szeretném, ha bemennél, és találnál egy embert, akiről úgy gondolod, hogy dögös. Vagy akár többet is. Úgy nagyobb az esély, hogy működjön.

Már most tökéletesen gyűlöltem ezt az ötletet.

– Ó…

– Próbáld megtudni a neveiket vagy legalább megjegyezni, hogy néznek ki. És aztán segítek neked összejönni velük.

Nem tetszett ez a terv. Nem tetszett ez az egész. A Túlélő Üzemmód az egész testemben beindult. El akartam futni.

– Ó… – ismételtem meg.

– Bízz bennem! – vigyorgott. – Egy csomó mindent tudok a párkapcsolatokról.

Ez mit jelent?

– Oké – feleltem. – Szóval én csak kiválasztok egy embert, és… öszszehozol minket?

– Igen. Jól hangzik?

– …Igen.

Ha az egyetemi tapasztalat alapja, hogy rossz döntéseket hozz, legalább egyvalamit jól csináltam.

Egy kicsit úgy éreztem magam, mint David Attenborough.

Rooney-t a pultnál hagytam, és egyedül keringtem a klubban, először a srácokra koncentrálva. Volt egy csomó kapucnis pulóveres. Izzadságfoltos pólósok. Soknak ugyanolyan frizurája volt: rövid oldalt, hoszszú felül.

Tovább nézelődtem. Biztosan találok valakit, aki *tetszik*. A klub tömve volt, jó pár száz embernek kellett összezsúfolódnia csak ebben a helyiségben.

És mégsem találtam senkit.

Természetesen voltak srácok, akik objektíven „vonzóak" voltak. Úgy értem, napjaink médiamércéi szerint. Voltak, akik nyilvánvalóan sokat edzettek. És akadtak, akiknek vicces hajuk volt, jó divatérzékük vagy szép mosolyuk.

De nem *vonzódtam* egyikükhöz sem.

Nem éreztem semmiféle *vágyakozást*.

Amikor megpróbáltam elképzelni, hogy közel állok hozzájuk, megcsókolom őket, *megérintem őket...*

Elfintorodtam. Gusztustalan. Gusztustalan. *Gusztustalan.*

Úgy döntöttem, taktikát változtatok, és inkább a lányokat nézem. Őszintén szólva a lányok mind nagyon csinosak. És sokkal változatosabb a megjelenésük.

De alapvetően, fizikai szinten, éreztem vonzódást?

Nem.

Sokan már elkezdtek összejönni egymással, csókolóztak a villogó fények alatt, és a szerelmes dalok hangosabban szóltak, mint a gondolataink. Kicsit undi volt, de volt benne egy kis veszély, ami gyönyörűvé tette. Csókolózni egy idegennel, akit sosem látsz viszont, csókolózni valakivel, akinek még csak a nevét sem tudod, csak hogy egy kicsit elszállj abban a pillanatban. Csak hogy érezd valaki bőrének a melegségét a tiéden. Csak hogy egy ideig tisztán érezd, hogy élsz.

Istenem... Azt kívántam, bár meg tudnám tenni!

De az ötlet, hogy megpróbáljak bármelyikükkel is összejönni – nemtől függetlenül –, őszintén szólva megijesztett. Viszketni kezdtem tőle. Talán reszkettem. Furcsa, szörnyű rettegés szorította össze a gyomromat, és figyelmeztető szirénák szólaltak meg az agyamban. Olyan volt, mintha az antitestjeim küzdöttek volna vele.

Mit fogok mondani Rooney-nak?

Több száz diák közül nem találtam senkit, akit dögösnek találok. Bocsi.

Talán egyszerűen választhatna valakit nekem. Istenem, az sokkal könnyebb lenne. Sokkal könnyebb lenne, ha lenne valaki, aki egyszerűen megmondaná nekem, mit csináljak, kivel csináljam, és hogyan csináljam. És mi igazából a szerelem.

Feladtam a keresést. Ma este csók nélkül fogok maradni. Románc nélkül. És ez rendben volt így. Igaz? Ez rendben volt.

Nem tudtam, vajon akarom-e ezt, vagy sem.

Őszintén, talán egy kicsit mindkettő. Épp, mint Tommyval.

Akartam és nem akartam egyszerre.

Csak egy órával később pillantottam meg újra Rooney-t az elmosódott, villódzó testek tömegén keresztül. A táncparkett közepén volt, egy tépett, szűk farmert viselő, magas sráccal smárolt.

A srác karja Rooney dereka körül volt, az ő egyik keze pedig a srác arcán.

Mint a szenvedély szobra. Filmes románc. Vágy.

Hogyan?

Hogyan juthat el valaki egy óra leforgása alatt erre a pontra?

Hogyan tudta egyetlen óra alatt megtenni azt, amire én egész kamaszkoromban nem tudtam rákényszeríteni magam?

Gyűlöltem őt. Ő akartam lenni. Gyűlöltem magam.

Ekkor hirtelen megütött ez az egész. A zene olyan hangos volt, hogy úgy éreztem, mintha a látásom elmosódna. Áttolakodtam az embereken, hogy eljussak a helyiség szélére, ahol aztán a falhoz szorítva találtam magam, ami nedves volt a páralecsapódástól. Vadul néztem körbe az ajtót keresve, aztán elkezdtem afelé nyomulni, ki a hűvös, üres októberi levegőre.

Lélegeztem.

Nem akartam sírni.

Három john'sos harmadéves beszélgetett a dohányzóterületen a falnak dőlve, beleértve, meglepetésemre, Sunilt is.

Ő volt a college szülőm, tudtam, hogy segítene nekem. Megkérhettem volna, hogy sétáljon vissza velem. De ahogy felé léptem, zavarban éreztem magam. Abszolút kudarc voltam. Egy gyerek. Sunil megfordult, kíváncsian nézett rám, azt akartam, hogy megkérdezze tőlem, viszsza akarok-e menni a kollégiumba, és akarom-e, hogy visszasétáljon velem. De nem mondott semmit. Szóval egyszerűen elmentem.

A zajos klubban töltött néhány óra után a főutca csöndje olyannak érződött, mintha visszhangozna körülöttem. Alig tudtam felidézni az útvonalat vissza a college-ba, mert olyan stresszes voltam idefelé, hogy nem figyeltem, merre sétálunk, de szerencsére a macskaköves járdán találtam magam, felsétáltam a dombon, el a kastély, aztán a katedrális mellett, végül megláthattam a St. John's kőlépcsőit.

– Valami baj van veled – motyogtam magam elé. Aztán megráztam a fejem, próbáltam megszabadulni a gondolattól. Ez egy rossz gondolat volt. Semmi baj nincs velem. Egyszerűen ez vagyok én. *Hagyd abba a gondolkodást erről! Hagyd abba a gondolkodást bármiről!*

Küldhetnék egy üzenetet Pipnek… Mégis mit mondanék neki? Hogy szörnyű vagyok a klubozásban? Hogy megpróbálhattam volna megcsókolni valakit, de úgy döntöttem, hogy nem teszem? Hogy végképp elbuktam az új kezdetemnél? Szánalmas. Még csak nem is volt mit mondani neki.

Beszélhettem volna erről Jasonnel, de valószínűleg csak azt mondta volna, hogy bolond vagyok. Mert az voltam. Tudtam, hogy ez az egész dolog nevetséges.

Szóval csak mentem. Lehajtottam a fejem. Még csak azt sem tudtam, mi a baj. Minden. Én magam. Nem tudtam. Hogy lehet, hogy mindenki más képes működni, én pedig nem? Hogy tud mindenki rendesen élni? Mégis volt valamiféle hiba a programozásomban?

Eltöprengtem az embereken, akikkel az elmúlt néhány napban találkoztam. Több száz korombeli ember, mindenféle nem, külső, személyiség.

Nem jutott eszembe egyetlenegy sem, akihez vonzódtam volna.

Olyan hangosan nyitottam ki az épület ajtaját, hogy a portás szigorúan rám pillantott. Feltételezem, azt gondolta, hogy egy részeg gólya vagyok. Istenem, azt kívántam, bár az lennék. Lepillantottam a ruhámra, amit anya vett észre a River Islandben, és azt mondta róla: „Ó, hát nem tökéletes?". És én egyetértettem, ő pedig megvette nekem, hogy szépen nézhessek ki, és szépnek érezhessem magam a Gólyahéten. Könnyezni kezdtem. Istenem, még ne, kérlek, még ne.

A szoba üres volt; persze hogy az volt. Rooney odakint volt, élte az életét, tapasztalatokat szerzett. Megragadtam a piperetáskámat és a pizsamámat, egyenesen a fürdőszobába mentem, lezuhanyoztam és bőgtem.

MAGAS ELVÁRÁSOK

– Szóval *nagyon magas* elvárásaid vannak – mondta nekem Rooney másnap reggel, miközben egy bagelt ettem az ágyban, ő pedig a tükör előtt sminkelt.

Tegnap este beszéltünk volna erről, de elaludtam egy Steve/Bucky régens korszakbeli AU fic olvasása közben, és csak néhány órával később ébredtem fel, amikor Rooney már visszatért, és mélyen aludt. A sminkje még mindig rajta, a csizmája elhajítva a vízszín szőnyeg közepén.

– Ez... így van – erősítettem meg. Magas elvárásaim voltak. Nem voltam biztos abban, mik pontosan az elvárásaim, de kétségtelenül nagyon magasak.

– Ne aggódj! – mondta látszólag zavartalanul. – Még rengeteg esélyünk van arra, hogy találjunk neked valakit. Nem lesz olyan nehéz.

– Nem lesz?

– Nem – nyílt el a szája, ahogy felvitte a szempillafestéket. – Rengeteg ember szeretne ismerkedni ezen a héten. Olyan sok lehetőséged lesz emberekkel találkozni. Nem fog sokáig tartani, hogy találjunk valakit, aki tetszik neked.

– Oké.

– Meglátod.

– Oké.

– Milyen a zsánered? – kérdezte Rooney ebédnél.

Az ebéd az egyetemen pontosan olyan volt, mint az ebéd a gimiben: menzakaja és asztalok meg padok körülülve. Ám tízszer rosszabb a szocializációs nyomás miatt a sok emberrel, akiket nem nagyon ismertem. Amilyen idegesítőnek találtam, hogy Rooney erőfeszítés nélkül boldogul az egyetemen, igazából annyira boldog voltam, hogy itt van nekem az olyan szituációkban, mint ez.

Viszont szerencsére ez volt az első étkezés, amin Rooney és én megjelentünk, és nem vettünk észre senkit, akit Rooney ismert, így csak kettesben ülhettünk.

– Zsáner? – kérdeztem. Azonnal a regényzsánerek jutottak az eszembe, aztán eltűnődtem, hogy ez valahogy összefügg-e az ebéddel, és lenéztem a tésztámra.

– *Pasizsánered* – mondta Rooney teli szájjal.

– Ó! – Vállat vontam, és a villámra szúrtam egy tésztadarabot. – Nem igazán tudom.

– Gyerünk! Kell hogy legyen valami ötleted. Mármint milyen pasik tetszenek neked?

Egyikük sem tetszik, valószínűleg ezt kellett volna mondanom. *Sosem tetszett senki.*

– Nincsen különösebben zsánerem. – Csak ezt mondtam.

– Magas? Kocka? Sportos? Zenész? Tetkós? Hosszú hajú? Srácok, akik úgy néznek ki, mint a kalózok?

– Nem tudom.

– Hmmm… – Rooney lassan rágva nézett rám. – Lányok?

– Mi?

– A lányokat preferálod?

– Öhm… – pislogtam. – Nos… Nem hiszem… Nem igazán.

– Hmmm…

– Mi az?

– Egyszerűen érdekes…

– Micsoda?

Rooney kihívó mosollyal nyelt egyet.

– Te, azt hiszem.

Nyolcvan százalékban biztos voltam benne, hogy az „érdekest" a „furcsa" szinonimájaként használta, de hát legyen.

– Van egy ötletem – mondta nekem Rooney aznap este nagyon komoly hangon. Komolyan is vettem volna, ha nem szexi tükörtojásnak van öltözve a John's kollégiumi bár jelmezes partijára. A jelmez egy tükörtojás alakú anyagrészből állt, de combig érő zoknival és óriási sarkú cipővel. Voltaképpen teljesen le voltam nyűgözve; ez rendkívüli módja volt megmutatni azt, hogy „jól akarok kinézni, de van humorérzékem".

Én nem mentem a jelmezes partira. Megmondtam Rooney-nak, hogy szükségem van egy estére, amikor csak magam vagyok, és az *Időről időré*t nézem, amit gyorsan követ a *Kaliforniai álom*. Meglepetésemre azt mondta, hogy ez jogos.

– Egy ötlet? – kérdeztem az ágyamról. – Mivel kapcsolatban?

Rooney idesétált, és lehuppant mellém az ágyra. Feljebb csúsztam, hogy a tükörtojásos anyagrész ne nyomja össze szó szerint a felsőtestemet.

– A te no romó[3] helyzeteden.

– Engem tényleg nem zavar – mondtam, ami nyilvánvaló hazugság volt. Rendkívül és következetesen zavart, de a tegnapi kudarc után kész voltam inkább feladni, mint hogy újra kitegyem magam ennek.

Rooney feltartotta a telefonját.

– Próbáltad már valamelyik randiappot?

A telefonra néztem. Sosem találkoztam senkivel a korosztályunkból, aki *randiappot* használt. Tétováztam.

– Használnak a korunkbeliek randiappot?

– Tizennyolc éves korom óta használom a Tindert.

Legalább tudtam, mi az a Tinder.

– Nem igazán hiszem, hogy nekem való.

– De honnan fogod megtudni, ha nem próbálod ki?

– Nem hiszem, hogy mindent ki kell próbálnom, hogy tudjam, nem szeretem.

---

[3] Jelentése, nincs romantika. Egy aromantikus mém, ami a régebbi kifejezést, a „no homo"-t figurázza ki.

Rooney felsóhajtott.

– Nézd, oké. Ez csak egy ötlet, de a Tinder nagyon jó módja annak, hogy egyszerűen megnézzük, milyen srácok vannak odakint, mármint *a környéken*. Nem kell ténylegesen beszélned velük, de nos, ez legalább segíthet abban, hogy kitaláld, milyen srácot szeretnél választani.

Megnyitotta a Tindert a telefonján, és azonnal megmutatta nekem az első srác képét, aki felugrott. „Kieran, 21, tanuló."

Kieranra néztem. Egy kicsit úgy nézett ki, mint egy magas patkány. Ami, tudod… Ez a fajta kinézet néhány embernek bejön.

– Nem hiszem, hogy ez az én világom – mondtam.

Rooney legurult az ágyamról egy sóhajjal, a tojásjelmeze majdnem felborította az éjjeliszekrényemen lévő pohár vizet.

– Ez csak egy ötlet. Csináld, ha unatkozol ma este – sétált át a saját ágyához, és megragadta a táskáját. – Balra húzva nem, jobbra húzva igen.

– Nem hiszem, hogy én…

– Ez csak egy ötlet! Nem kell *beléjük szeretned,* hanem csak keress ki mindenkit, akit meglátsz, és akiről nem bánnád, ha többet tudnál meg.

És aztán már kint is volt az ajtón.

Egy félórája néztem az *Időről időré*t, amikor felkaptam a telefonomat, és letöltöttem a Tindert.

Egyértelműen nem fogok beszélni senkivel. Egyszerűen kíváncsi voltam. Csak tudni akartam, látok-e valaha pasit, akiről azt gondolom: *„Igen, ő dögös."*

Szóval csináltam egy Tinder-profilt. Kiválasztottam ötöt a legjobb szelfijeim közül az Instagramról, és azzal töltöttem újabb fél órát, hogy megpróbáltam kitalálni, mit írjak a Magamról rovatba, mielőtt a „Gicscsesromkom-rajongó" mellett döntöttem.

Az első fiú, aki felugrott „Miles, 20, tanuló" volt. Barna haja volt, és kacsintott. Az egyik képen sznúkert játszott. Rossz előérzetem támadt, és balra húztam.

A második srác „Adrian, 19, tanuló" volt. A bemutatkozása szerint adrenalinfüggő, aki a „pörgős tündér álomlányát" kereste. Azonnali balra húzást érdemelt.

Balra húztam még négy srácot, aztán rájöttem, hogy még csak meg sem néztem őket rendesen. Egyszerűen elolvastam a bemutatkozásukat, hogy felmérjem, szerintem jól ki fogunk-e jönni egymással. Nem ez volt a lényeg. Találnom kellett volna valakit, *akihez fizikailag vonzódtam.* Szóval ezek után próbáltam szigorúan a megjelenésükre fókuszálni. Az arcukra, a szemükre, a szájukra, a hajukra, a stílusukra. Ezek azok a dolgok, amiknek tetszeniük kellett volna. Mi tetszik? Mi a mércém? Mik a preferenciáim?

Tíz perccel később véletlenül rátaláltam egy srácra, aki úgy nézett ki, mint egy modell, szóval nem voltam meglepve, amikor megnéztem az infókat róla, és azt olvastam, „Jack, 18, modell". Szögletes állkapcsa volt, és szimmetrikus arca. A fő fotói nyilvánvalóan egy magazinos hirdetésből voltak.

Próbáltam elképzelni magam, ahogy „Jack, 18, modellel" randizom. Megcsókolom őt. Szexelek vele.

Ha bárkivel megtenném, biztosan „Jack, 18, modell" lenne az a menő farmerdzsekivel és gödröcskékkel. Már csak a külsőségek alapján is.

Képzeld el, hogy megcsókolod az arcát.

Képzeld el, ahogy odahajol.

Képzeld el a bőrét hozzád közel.

A hüvelykujjam a telefon kijelzője felett lebegett egy pillanatig. Próbáltam figyelmen kívül hagyni a gyomromban lévő émelyítő érzést a fejemben megjelenő képek láttán.

Aztán balra húztam.

Georgia Warr
helló tükörtojás van egy friss hírem
mindegyiket balra húztam lol

Rooney Bach
Haha hogy érted hogy mindegyiket

Georgia Warr
egyszerűen az összeset akit láttam

Rooney Bach
És az mennyi volt?

Georgia Warr
nemtom úgy... negyven?
a tinder nem nekem való azt hiszem lol bocsi a csalódásért

Rooney Bach
Nem vagyok csalódott haha csak reméltem hogy ez segíteni fog
NEGYVEN
Hűha!!
Oké!

Georgia Warr
szóval ez sok a balra húzásból??

Rooney Bach
Neked tényleg magasak az elvárásaid
Ez nem szükségszerűen rossz dolog de legalább ezt már feltártuk

Georgia Warr
szóval mit tegyek most

Rooney Bach
Talán vissza kellene térned a jó öreg Találkozni Az Emberekkel
A Való Életbenhez

Georgia Warr
fuj
utálom ezt

Töröltem a Tindert a telefonomról, aztán folytattam az *Időről időré*t, és azon tűnődtem, hogy ha bármilyen romantikus vagy szexuális helyzetbe képzelem magam, miért érzem úgy, hogy hányni fogok és/vagy futni másfél kilométert, míg a románc a filmekben az élet egyetlen céljának tűnik.

PRIDE

Rooney-nak egy dologban igaza volt: annak, hogy ez működjön nálam, valószínűleg az volt az egyetlen módja, hogy a való világban találkozzak az emberekkel.

Szerencsére Gólyahét volt, még sok lehetőségem adódott erre, és ez folytatódott pénteken, amikor Rooney-val elmentünk a Gólyák Börzéjére.

– Egy csomó egyesülethez fogok csatlakozni! – mondta Rooney. Ezt nem vettem annyira komolyan, de amikor körbejártuk az összes standot a Diákszövetség épületében, olyan sok szórólapot gyűjtött össze, hogy rávett, cipeljek neki néhányat.

Úgy terveztem, hogy itt is találkozom Pippel és Jasonnel, de nem voltam biztos benne, hol találom meg őket, mert a Diákszövetség épülete *hatalmas* volt. Szóval ez várhatott, elvégre a legfontosabb aktuális feladat az volt, hogy *csatlakozzam az egyetemi egyesületekhez.* A klubozás mellett, amiben hatalmas kudarcot vallottam, az egyesületek voltak a kapcsok az egyetemi élethez, és feltételezhetően a legegyszerűbb módja hasonló gondolkodású emberekkel összebarátkozni.

De ahogy körbesétáltuk a standokat, kezdtem ideges lenni. Talán egy kicsit sok lett az egész. Próbaképpen feliratkoztam az angolklubba Rooney-val, de ezen kívül még arra is alig emlékeztem, hogy mi érdekelt. Kreatívírás-klub? Nem élveztem az írást annyira, az a néhány alkalom, amikor megpróbáltam saját fanfictiont írni, *katasztrofálisan* sikerült. Filmklub? Csak az ágyban tudtam filmeket nézni. Voltak még szuperspeciális dolgok, mint az animeklub, a kviddicsklub, a hódeszkázóklub, de mindegyik úgy tűnt, mintha egy bizonyos baráti körnek szólna, akik csak ürügyet akartak, hogy együtt lóghassanak, és együtt végezhessék a kedvenc hobbijukat. Többé már nem tudtam, mik a hobbijaim, leszámítva a romantika utáni sóvárgást és a fanfictionolvasást. Valójában az egyetlen másik társulat, amihez csatlakozni akartam, a Durham Diákszínház volt. Láttam a hatalmas standjukat a nagyterem végén.

Biztosan találkozni fogok új emberekkel, ha idén játszom egy darabban.

Rooney végül előresétált, izgatottan csevegett az összes emberrel a standoknál. Tovább-baktattam, egyre inkább úgy éreztem, mintha egyszerűen nem igazán illenék sehová, míg rá nem jöttem, hogy elértem a Durham Pride Egyesület standjához.

Merészen kitűnt a stand mögötti hatalmas szivárványzászlóval, a gólyák egész terjedelmes gyülekezete ácsorgott a közelében, és izgatottan beszélgettek az asztal mögötti idősebb diákokkal.

Felvettem az egyik szórólapjukat, hogy megnézzem. Az elülső fedőlapot, művészi betűtípussal írva, kitöltötték az identitások, amiket támogattak. Amiket jól ismertem, elöl voltak: leszbikus, meleg, biszexuális, transznemű. Aztán meglepetésemre olyanok jöttek, amikről valójában csak az interneten hallottam: pánszexuális, aszexuális, aromantikus, nembináris. És a többi. Néhányról közülük még csak azt sem tudtam, mit jelent.

– College gyermekem? – kérdezte egy hang, én pedig felpillantottam, és szembenéztem Sunil Jhával, a college szülőmmel.

Kötött pulóverén ismét az összes kitűzőt viselte, és melegen rám mosolygott. Kétségkívül ő volt a legkedvesebb ember, akivel eddig a Durhamben találkoztam, nem számítva Rooney-t. Lehetne a barátom? A college szülők barátnak számítanak?

– Szeretnél feliratkozni? – kérdezte.

– Öhm… – mondtam. Őszintén szólva, nem igazán akartam csatlakozni. Milyen jogon csatlakoztam volna egy olyan egyesülethez, mint ez? Úgy értem, hogy őszinte legyek, nem igazán tudtam, mi vagyok. És igen, persze, fontolóra vettem a lehetőséget, hogy nem a srácok érdekelnek. *Határozottan* fontolóra vettem. Másfelől viszont úgy tűnt, nem igazán kedvelem a lányokat sem. Úgy tűnt, nem kedvelek senkit. Senkivel sem találkoztam eddig, akit kedveltem volna, nem éreztem a kellemes pillangókat a gyomromban, és nem voltam képes büszkén kijelenteni, „Aha! Persze! *Ez az a nem, amit kedvelek!*". Még csak nem is volt különösebb nemi preferenciám, amikor szexi fanfictiont választottam.

Sunil odanyújtott egy csíptetős táblát és egy tollat.

– Írd le az e-mail-címed! Csak felkerülsz vele a levelezőlistánkra.

Nem igazán állt módomban nemet mondani, szóval elmotyogtam egy okét, és leírtam az e-mail-címemet. Azonnal úgy éreztem magam, mint egy szélhámos.

– Georgia vagy, nem igaz? – kérdezte Sunil, amíg írtam.

– I... igen – dadogtam. Őszintén megdöbbentem, hogy emlékezett a nevemre.

Sunil helyeslően bólintott.

– Szuper. Én vagyok a Pride-megbízott a John'sban.

Egy másik lány a stand mögül előrehajolt hozzánk, és hozzátette:

– És Sunil az elnöke a Pride Egyesületnek. Mindig elfelejti megemlíteni, mert *szerény* vagy ilyesmi.

Sunil szelíden nevetett. Határozottan szerénységet árasztott, de önbizalmat is. Mintha nagyon jó lett volna a munkájában, de nem akarna büszkélkedni ezzel.

– Ő itt Jess, az egyik alelnök – mondta. – Ő pedig Georgia, a college gyermekeim egyike.

Ránéztem a harmadéves lányra. Csípőig érő hajfonata volt, széles mosolya, és színpompás ruhát viselt nyalókás mintával. Volt egy kis kitűzője, amin az állt: she/her.

– Ó! – mondta. – Ő a college gyermeked?

Sunil bólintott.

– Kétségtelenül.

Jess összecsapta a két kezét.

– És csatlakoztál a Pride Egyesülethez? Ez tökre sorsszerű.

Kényszerűen elmosolyodtam.

– Mindenesetre – mondta Sunil, a fejét rázva neki egyfajta gyengédséggel – itt vagyunk minden gólyának, aki be akar kapcsolódni a queer dolgokba a Durhamben. Klubestek, találkozások, formális események, filmestek. Hasonló dolgok.

– Klassz! – mondtam, és próbáltam lelkesnek tűnni. Talán meg kellene próbálnom bekapcsolódni. Talán elmehetnék a Pride Egyesületbe, meglátnék egy lányt, lenne egy nagy leszbikus megvilágosodásom, és végre éreznék némi romantikus érzést egy másik ember iránt. Biztos voltam benne, hogy olvastam már fanficet pontosan ilyen cselekménynyel.

Visszaadtam a táblát.

– Az üdvözlő összejövetelünk pár hét múlva lesz – mondta Sunil egy mosollyal. – Talán majd ott találkozunk...

Bólintottam, de kissé kínosan éreztem magam. Mintha valamit beismertem volna, ami hülyeség volt, mert tényleg nem volt bennem semmi érdekes, amit be lehetett volna ismerni. Máris tudtam, hogy nem fogok elmenni Sunil egyetlen Pride egyesületi eseményére sem.

NYISS A VILÁGRA!

A végső megállónk a Gólyák Börzéjén a Durham Diákszínház volt, ami a legnagyobb standdal rendelkezett az egész Diákszövetségben. Pip és Jason közvetlenül előtte állt.

Rooney már előreviharzott a standhoz, amit nagy piros függönnyel és papírmasé maszkokkal dekoráltak ki. A DDSZ valamiféle esernyőszervezet volt, ami egy csomó kisebb színházi csoportot támogatott és finanszírozott – a Musical Színházi Társulatot, az Operatársulatot, a Gólyák Drámatársulatát, a Diákkomédiát, és a többi. A stand mögötti diákok még messziről is mind harsánynak és magabiztosnak tűntek. Nem volt meg a Pride Egyesület standjának megnyugtató kisugárzása. De ez nem tántorított el. A színház legalább ismerős dolog. Több mint hét évig az életem része volt, és a lámpalázam ellenére nem akartam feladni.

Ráadásul Pip és Jason velem fogja csinálni. Szóval rendben leszek.

– Pip? Jason?

A fejük elfordult, és feltűnt egy zavarodott Pip Quintana, kezében egy szórólappal, aki feltolta teknőspáncél szemüvegét az orrán, valamint egy kétségkívül másnapos Jason Farley-Shaw, akinek táskák voltak a szeme alatt, és úgy tűnt, mintha próbálná bevackolni magát a mackókabátjába, és odút készíteni belőle.

– GEORGIA! – visított fel Pip, odaszaladt hozzám, és az ölelésébe zárt.

Visszaöleltem őt, míg hátrább nem lépett. Szélesen mosolygott. Olyan kevés dolog változott: még mindig Pip volt, sötét haja mindenféle irányban felbolyhosodott, ő maga pedig egy túlméretezett melegítőfelsőben bújt meg.

De persze, csak öt napja voltunk a Durhamben. Máris egy egész életnek tűnt. Mintha máris egy másik ember lettem volna.

– Helló! – mondta Jason. A hangja rekedtesnek hangzott.

– Jól vagy? – kérdeztem.

Morgó hangot adott ki, és maga köré húzta a kabátját.

– Másnapos vagyok. És nem találtunk téged. Figyeld jobban a telefonod!

Gyorsan rápillantottam a kijelzőre. Számos olvasatlan üzenet volt a chatcsoportban. Azt kérdezgették, hol vagyok.

Pip összefonta a karját, és figyelmes pillantást vetett rám.

– Feltételezem, nem ellenőrizted a telefonodat, mert igazán lefoglalt, hogy nyiss a világra és csatlakozz egy csomó társasághoz...

– Öhm... – Próbáltam nem túl bűnösnek tűnni. – Csatlakoztam az angolklubhoz...

Nem vallottam be Pipnek, hogy feliratkoztam a Pride Egyesület levelezőlistájára. Valószínűleg, mert nem éreztem úgy, hogy tényleg oda tartozom.

Pip elfintorodott.

– Georgia! Ez *egyetlen* társaság.

Megvontam a vállam.

– Később is csatlakozhatok néhányhoz.

– Georgia...

– Te mihez csatlakoztál?

Az ujjain számolta őket.

– Nyilvánvalóan csatlakoztam a Durham Diákszínházhoz, valamint a Tudományos Társasághoz, a Latin-amerikai Társasághoz, a Pride Egyesülethez, a Sakk- és az Ultimate Frizbiklubhoz, és azt hiszem, feliratkoztam, nos, a kviddicsre is...

Persze hogy Pip is csatlakozott a Pride Egyesülethez. Kíváncsi voltam, mit szólna, ha váratlanul felbukkannék egy egyesületi eseményen.

– Kviddics? – kérdeztem.

– Igen, és ha nem repülnek tényleg a seprűk, mi kibaszottul csalódottak leszünk.

– Mi? – néztem Jasonre. – Te is csatlakoztál a kviddicshez? Még csak nem is szereted a *Harry Pottert.*

Jason bólintott.

– A kviddicselnök hihetetlenül meggyőző volt.

– Mi máshoz csatlakoztál még?

– DDSZ, Történelmi Társaság, Filmegyesület és evezés.

Összeráncoltam a homlokomat.

– Evezés?

Jason megvonta a vállát.

– Egy csomó ember csinálja, szóval… Gondoltam, kipróbálnám… – Hirtelen abbahagyta a beszédet, és elbámult a vállam mellett. – Mit csinál Rooney?

Megfordultam. Úgy tűnt, Rooney heves beszélgetést folytat a stand mögötti lánnyal.

– Nem értem – mondta éppen. – Hogy érted azt, hogy *bezárt?*

A stand mögötti lány egy kicsit kétségbeesettnek tűnt.

– Azt… azt hiszem, nem volt másod- vagy elsőéves tagjuk, így mikor a harmadévesek elmentek, csak… csak úgy megszűnt.

– És én nem tudom újra elindítani?

– Öhm… Nem tudom… Igazán nem tudom, hogy működik ez…

– Te vagy az elnök? Beszélhetek az elnökkel?

– Öhm, nem, ő nincs itt…

– Ó, mindegy! Megoldom máskor.

Rooney felénk viharzott, a tekintetében tűz égett. Merő ösztönből hátrahúzódtam.

– El tudod hinni – kezdte –, hogy a Shakespeare Társulatnak egyszerűen… kibaszottul… *vége?* Mármint ez volt az egyetlen társaság, amihez igazán csatlakozni akartam, és most egyszerűen… – Elhallgatott. Rájött, hogy Pip és Jason mellettem áll. Úgy bámulták Rooney-t, amit csak a *lenyűgözve* szóval lehetett leírni. – Ó! Helló!

– Szia! – mondta Pip.

– Helló! – mondta Jason.

– Hogy van Roderick? – kérdezte Pip.

Rooney szája vidáman megrándult.

– Tetszik, hogy azonnal a szobanövényemre gondoltál, ahelyett, hogy megkérdezted volna, *én* hogy vagyok.

– Törődöm a növény jóllétével – vágta rá Pip.

Azonnal észrevettem a hűvösebb tónust a hangjában. Eltűnt az izgatottság, ahogyan Rooney közelében fecsegett még a hálószobánkban. Nem pirult el, és többé nem igazgatta a haját. Azután, amit a konyhánkban látott, Pip most védekezőállásban volt. Ez elszomorított. De Pip ezt tette, amikor belezúgott valakibe, aki nem tudta viszontszeretni: elzárta az érzéseit a puszta akaraterejével. Ez megvédte őt.

– Rám fogod hívni a növény-szociálishivatalt? – kérdezte Rooney pimaszul mosolyogva. Úgy tűnt, mérhetetlenül boldog, hogy van valaki, akivel évődhet, mintha ez egy kellemes kis szünet lett volna, amikor nem kell energikusnak és udvariasnak lennie.

Pip megdöntötte a fejét.

– Lehet, hogy én vagyok a növény-szociálishivatal, csak álruhában.

– Ez nem egy túl jó álruha. Pontosan úgy nézel ki, mint az a fajta ember, akinek legalább hat kaktuszféle van a könyvespolcán.

Úgy tűnt, ez az utolsó csepp a pohárban Pipnek, mert visszavágott.

– Valójában csak három, és nem *kaktuszféle,* hanem *kaktusz...*

– Uh... – szakította félbe a két lány vitáját Jason, akinek ha nem fájt volna a feje már ezelőtt, most határozottan megfájdult volna. – Szóval tényleg jelentkezni fogsz a DDSZ-hez, vagy...?

– Igen – mondtam azonnal. Már csak azért is, hogy véget vessek a furcsán agresszív szópárbajnak Rooney és Pip között.

– Már nem tudom, van-e értelme – mondta Rooney drámai sóhajjal. – A Shakespeare Társulat nem létezik többé. Valami olyasmi történt, hogy elfogytak a tagok.

– Nem tudsz egyszerűen valami máshoz csatlakozni? – kérdezte Pip, de Rooney úgy nézett rá, mintha valami mérhetetlen hülyeséget javasolt volna.

Jason nem is vette a fáradságot, hogy részt vegyen ebben a beszélgetésben, odasétált a DDSZ levelezőlistájához. Követtem, ő pedig adott nekem egy tollat.

– Nem gondoltam, hogy csatlakozni akarsz a DDSZ-hez a *Nyomorultak* alatti sok hányás után – mondta.

– Még mindig szeretem a színházat – feleltem. – És az angolklubon kívül máshoz is kell csatlakoznom.

– De választhatsz valami mást, ami *nem* késztet hányásra.

– Inkább hánynék a barátaim körében, mintsem egyedül csatlakozzak egy társasághoz, és szomorkodjak.

Jason szünetet tartott, aztán azt mondta:

– Azt hiszem, ez mélyebbnek hangzott a fejedben, mint a való életben.

Befejeztem az e-mail-címem leírását, letettem a tollat, és felpillantottam Jasonre. Úgy tűnt, őszintén aggódik miattam egy kicsit.

– Ezt akarom csinálni – mondtam. – Én... én tényleg meg akarom próbálni, és... tudod... új emberekkel találkozni... jó egyetemi tapasztalatokat szerezni.

Jason várt egy kicsit, aztán megértő arckifejezéssel bólintott.

– Igen. Ennek van értelme.

Arrébb léptünk, hogy Pip és Rooney felírhassák az e-mail-címeiket a listára. Egész idő alatt valami értelmetlen vitát folytattak, hogy melyik DDSZ-társasághoz kellene csatlakozniuk, és úgy tűnt, mindketten határozottan állítják, hogy az ő döntésük a helyes döntés, és a másik választása teljesen téves.

Néhány perccel ezután Jason végül úgy döntött, véget vet ennek a javaslattal, hogy menjünk, és szerezzünk pizzát a Domino's Pizza standjától, ahol ingyenszeleteket osztogattak.

– Folytatni akarom egy kicsit a nézelődést – mondta Rooney. A pillantása Pipről átvándorolt rám. – Találkozunk a kijáratnál úgy húsz perc múlva?

Bólintottam.

– Fantasztikus! – Rooney megint visszanézett Pipre, és úgy mondta, mintha Jason nem is létezne. – Mi lenne, ha mind találkoznánk a St. John's bárjában ma este? Olyan szórakoztató, egy ilyen apró kis alagsori bár...

A legtöbb ember nem tudta volna megmondani, mi van Pippel, de én több mint hét éve ismertem őt, és volt ez a *nézése*. A szem enyhe összeszűkülése. A váll behúzása.

A helyzet az volt: Pip eldöntötte, hogy gyűlöli Rooney-t.

– Igen, ott leszünk – mondta összefonva a karját.

– Hurrá! – felelt Rooney szélesen mosolyogva. – Alig *várom*.

Rooney ismét besétált a standok erdejébe. Pip, Jason és én a Domino's standja felé indultunk, Pip tekintete Rooney tarkójára tapadt, Jason pedig megkérdezte Pipet:

– Mi a *franc* volt ez?

SHAKESPEARE ÉS SZOBANÖVÉNYEK

Jó ötlet volt lehetőséget biztosítani arra, hogy a mindössze három barátom kicsit összehaverkodjon, ám ezt némileg ellensúlyozta az a tény, hogy úgy tűnt, Rooney örömét leli Pip felbosszantásában, míg Pipet mintha felbőszítette volna Rooney puszta létezése is az életünkben. Én pedig már rájöttem, hogy nem vagyok egy klub- és bárrajongó.

Felipa Quintana
A KISUGÁRZÁS, GEORGIA. A KISUGÁRZÁS.

Georgia Warr
mi van vele

Felipa Quintana
ROSSZ
Látnom kellett volna amikor találkoztunk
Tele van rossz kisugárzással

Georgia Warr
rooney igazából egész kedves

csak azért mondod ezt mert láttad őt kavarni valakivel?? a ribancbélyeg tilos ebben a chatcsoportban

Felipa Quintana
NYILVÁNVALÓAN NEM. Kavarhat bárkivel akit kedvel ahogyan akar, nincs problémám az emberekkel akik élvezik az alkalmi szexet
Csak rossz előérzetem van
...Viccet csinált a kaktuszomból

Jason Farley-Shaw
Egyéb hírek
Hol találkozunk és mikor??
Nem tudom, hol van a St. John's bárja!!

Georgia Warr
jövök és összeszedlek titeket pip szobájából
aggódom amiatt hogy pip egyedül érkezik és jelenetet csinál amint meglátja Rooney-t

Jason Farley-Shaw
Ó, ez egy jó ötlet. Okos. 👍

Felipa Quintana
BASSZÁTOK MEG mindketten

– Tökéletesen képes vagyok arra, hogy elmenjek egy bárba, és ne rendezzek jelenetet, csak azért, mert nem kedvelek *egy* embert – mondta Pip, amint kinyitotta nekem az ajtót később, aznap este.

Konkrét útbaigazítást kaptam, de végül mégis fel kellett hívnom őt, és szóban irányított végig a Kastély kanyargós folyosóin. És ha ez nem lett volna elég nagy káosz, amivel meg kell birkózni péntek este, Pip szobája határozottan versenyben állt *a legrendetlenebb hálószoba a Durhamben* címért. Több ruha volt a padlón, mint amennyi a nyitott szekrényében látszott, az íróasztalán hihetetlenül unalmasnak tűnő tudományos könyvek és papírok voltak felhalmozva, az ágyneműje pedig összegyűrve hevert a sarokban, néhány méterre az ágyától.

– Persze hogy képes vagy – veregettem meg Pip fejét.

– *Ne* legyél leereszkedő velem, Georgia Warr! Elhoztad a farmerdzsekimet?

– A farmerdzsekidet? – A homlokomra csaptam. Pontosan tudtam, hol van Pip dzsekije a szobámban: a székem háttámláján. – Ó, nem, sajnálom, totál elfelejtettem.

– Nem gond – mondta Pip, de idegesen pillantott le az öltözékére. – Viselni akartam ma este, de... gondolod, hogy jól nézek ki nélküle? Vagy felvehetem a bomberdzsekimet.

Valójában igazán jól nézett ki: egy csíkos, rövid ujjú inget viselt, betűrve a csípőjénél egy hasított, fekete, szűk farmerbe, és a haja gondosan meg volt tervezve. Nagyon önmagának nézett ki, amiről úgy gondoltam, hogy a legfontosabb.

Pip mindig bizonytalan volt a kinézetét illetően. De most, hogy tényleg úgy öltözködött, ahogyan mindig is akart volna, levágatta a haját, meg minden, egyfajta önbizalom áradt belőle, amit én soha nem remélhettem elérni. Önbizalom, ami azt mondta: *pontosan tudom, ki vagyok.*

– Nagyon szép vagy – mondtam.

Elmosolyodott.

– Köszi.

Én úgy döntöttem, hogy valami lezserebbet veszek fel, mint az utolsó próbálkozásnál, amikor szórakozni mentem: magas derekú farmert és szűk szabású crop top felsőt. De még mindig egy kicsit úgy éreztem, mintha jelmezt viselnék. Az általános, kényelmes, kötöttárus stílusom nem igazán volt alkalmas bárokba és klubokba.

Jason percekkel később érkezett, a mackókabátját viselte az alap póló-farmer kombója felett. Vetett egy pillantást a padlóra, és azonnal elkezdte felszedni és összehajtogatni a ruhadarabokat.

– Jézus Krisztus, Pip! Basszus! Tanulj meg rendet rakni!

– Teljesen rendben van úgy, ahogy van. Mindenről tudom, hogy hol van.

– Talán így van, de nem lesz teljesen rendben, amikor a pulóverek alatt elkezdenek pókok születni.

– Fuj, Jason! Ne mondd, hogy „születni"!

Gyorsan rendet tettünk Pip szobájában, mielőtt elindultunk. Csak néhány perces séta volt a Kastélytól a St. John'sig, átmentünk a Palace Greenen, a katedrális mellett, le egy kis mellékutcán, és ekkor úgy döntöttem, szembesítem Pipet a „rossz kisugárzás" kijelentésének pontos okával.

– *Nem* vagyok belezúgva! – mondta Pip azonnal, ami megerősítette a tényt, hogy határozottan belezúgott Rooney-ba. – Nem zúgok bele egy heteró lányba. Többé.

– Szóval eldöntötted, hogy ő a halálos ellenséged, mert…?

– Tudod, mi van? – Pip összefonta a karját, maga köré húzva a bomberdzsekijét. – Ő olyasféle ember, aki egyszerűen azt gondolja, jobb *mindenkinél* pusztán azért, mert klubokba és bárokba jár, óriási szobanövénye van, és kedveli *Shakespeare*-t.

– Te is kedveled Shakespeare-t, és vannak szobanövényeid – mondta Jason. – Ő miért nem kedvelheti Shakespeare-t és a szobanövényeket?

Pip csak vetett rá egy bosszús pillantást.

Jason rám pillantott felvonva a szemöldökét. Mindketten tisztában voltunk vele, hogy Pip ostoba okokat talált ki a Rooney iránti ellenszenvre, hogy megpróbálja eltéríteni az érzéseit. De azt is tudtuk, hogy valószínűleg csak hagynunk kellene, mert őszintén szólva, valószínűleg ez a legjobb megoldás.

Láttuk Pipet számos heteró lányért is rajongani. Nem volt túl szórakoztató a számára. Minél előbb túl tudja tenni magát ezeken az érzéseken, annál jobb.

– Simán nemet mondhattál volna a ma esti együtt lógásra – mutattam rá.

– Nem, nem mondhattam – mondta Pip –, mert akkor ő győzött volna.

Jasonnel csöndben maradtunk egy pillanatig.

Aztán megszólaltam:

– Adott nekem néhány tanácsot dolgokról.

Pip összeráncolta a homlokát.

– Tanácsot? Miről?

– Nos… tudjátok, hogy rosszul éreztem magam azért… – Istenem! Mindig olyan kínos volt beszélni erről a dologról. – Emlékeztek a bál afterpartijára, eléggé letörtem attól, hogy még nem csókolóztam senkivel, és… tudjátok… Rooney segített nekem, hogy megpróbáljak egy kicsit nyitni mások felé.

Pip és Jason rám bámult.

– *Micsoda?* – Pip hitetlenkedve megrázta a fejét. – Te nem… Miért kényszerít téged erre? Nem kell ezt a szart csinálnod… csak… Istenem! Egyszerűen a saját tempódban kell haladnod, ember. Miért kényszerít? … Mi? Arról próbál meggyőzni, hogy kezdj el bárokban embereket felszedni? Rendben van, ha ő ezt akarja tenni, de ez nem te vagy.

– Semmire sem kényszerít! Csak segít nekem, hogy megnyíljak az emberek felé egy kicsit, és izé… kockáztassak.

– De nem kellene erőltetned ezt a dolgot! Ez *nem* te vagy! – ismételte meg a homlokát ráncolva.

– Nos, mi van, ha ez akarok lenni? – vágtam vissza. Azonnal rosszul éreztem magam emiatt. Pip és én sosem vitatkoztunk.

Pip befogta a száját. Úgy tűnt, nincs erre válasza.

Végül azt mondta:

– Nem kedvelem Rooney-t, mert szétrombolja a baráti társaságunk dinamikáját. És határozottan nagyon idegesítő számomra.

Még csak nem is vettem a fáradságot, hogy feleljek neki.

Jason esetlenül lesimította a haját.

– Uh… De az jó, hogy találtál egy barátot, Georgia.

– Igen – feleltem.

Éreztem, hogy a telefonom zizeg a táskámban, előhúztam, hogy vessek rá egy pillantást.

Rooney Bach
A bárban vagyok!
Hé, talán felszedhetnénk neked valakit ma este…

Küldtem neki egy feltartott hüvelykujj emojit.

KAOTIKUS ENERGIA

Rooney-nak sikerült egy egész asztalt lestoppolni számunkra a St. John's bárjában, amiért kitüntetést érdemelt, mert *rengetegen* voltak. A bár egy apró alagsori rész volt a college-unkban, szuper öreg és nagyon meleg. Gyakorlatilag éreztem az emberek izzadságát a levegőben, miközben átfurakodtunk a tömegen, hogy az asztalhoz jussunk.

Rooney kiöltözött az estéhez: overall, magas sarkú, laza loknikba göndörített haj. Valószínűleg más tervei voltak a velünk való lógást követően, a nagyon gyerekes este kilenc órakor. És amíg ránk várt, úgy tűnt, összebarátkozott egy, a szomszédos asztalnál ülő, nagyobb társasággal.

– Kedveseim! – mondta Rooney hamis elegáns kiejtéssel, miközben mind leültünk. Elfordult az új barátaitól. – Mind *olyan* szépek vagytok! – nézett közvetlenül Pipre. – Szóval a csíkok a te világod, Felipa?

Pip összehúzta a szemét a teljes neve használatán.

– Kémkedsz utánam Facebookon?

– Igazából Instagramon. Tetszett a fotó, amin zsírkrétának öltöztél halloweenra.

Ez kiváltott egy önelégült mosolyt Pipből.

– Akkor *nagyon* messzire visszagörgettél.

Végig kellett szenvednünk a néhány perces irritáló kötekedést Pip és Rooney között, mielőtt Jason és én is bekapcsolódhattunk volna a beszélgetésbe. Ezalatt megnéztem néhány embert, körbepillantottam a helyiségben a diáktársainkon. Az emberek átlagos esti kimenőn voltak, néhányan kiöltöztek, mások egyszerűen a college-uk pulóverében és farmerben voltak. Akadtak, akik puccos ruhát viseltek, valójában sokan, de még tartott a Gólyahét, szóval ez érthető volt.

– Szóval hogyan lettetek barátok? – kérdezte Rooney.

– Az iskolában – feleltem. – Mind ugyanabba az ifjúsági színházi csoportba jártunk.

– Ó, istenem, igaz! Mind színházi kölykök vagytok! Elfelejtettem! – Rooney arca felderült. – Ez csodálatos! Mind együtt mehetünk az üdvözlő összejövetelre jövő héten!

– Szomorú, hogy a társulatodat bezárják – mondta Jason.

– Igen, a Shakespeare Társulat. Annyira elszánt voltam, hogy csatlakozom, de… már nem létezik. Ez bizonyára valamiféle bűncselekmény Britannia ellen.

– Szóval kedveled Shakespeare-t? – kérdezte Pip. Csaknem szkeptikusnak hangzott.

Rooney bólintott.

– Igen. *Szeretem.* Te is?

Pip bólintott.

– Igen. Benne voltam néhány darabjában az iskolában.

– Én is. Játszottam a *Rómeó és Júliá*ban, a *Sok hűhó*ban, a *Tévedések vígjátéká*ban és a *Hamlet*ben.

– Mi megcsináltuk a *Rómeó és Júliá*t, a *Szentivánéji álmo*t és *A vihar*t.

– Szóval több tapasztalatom van… – mondta Rooney felfelé görbülő szájjal. Olyan volt, mintha harcba kezdett volna.

Pip állkapcsa összeszorult.

– Azt hiszem – mondta.

Elkaptam Jason tekintetét az asztal fölött, és abból, ahogy a szeme elkerekedett, tudtam, hogy nem képzelődöm. Jason is látta, hogy mi folyik itt.

Itt volt Rooney és Pip, két nagyon különböző kaotikus energia ütközött össze a szemem láttára. Túlterheltnek éreztem magam.

– Szóval te és Georgia most a legjobb barátok vagytok? – kérdezte Pip erőtlen kuncogással.

Már épp tiltakozni akartam, hogy belerángatnak ebbe az egészbe, amikor Rooney válaszolt helyettem.

– Azt mondtam, máris nagyon jó barátok vagyunk – mondta, mosolygott, és rám nézett. – Igaz?

– Igaz – feleltem, mert mi mást mondhattam volna.

– Együtt élünk – folytatta Rooney. – Szóval igen. Miért? Féltékeny vagy?

Pip egy kicsit elvörösödött.

– Csak eltűnődtem, hogy harcolnunk kell-e a „Georgia végleges legjobb barátja" címért…

– Én még csak nem is vagyok versenyben? – mutatott rá Jason, de mindkét lány ignorálta.

Rooney hosszan belekortyolt a sörébe, aztán közelebb hajolt Piphez.

– Nem tűnsz túl nagy harcosnak.

– Ez egy epés megjegyzés a magasságomra?

– Csak mondom. Azt hiszem, természetes hátrányban vagy a legtöbb emberhez képest.

– Ah, de itt van nekem az Alacsony Emberek Dühe előny.

Rooney önelégülten mosolygott.

– Azt sosem tapasztaltam meg.

– Hé! – mondtam hangosan, Pip és Rooney pedig mindketten rám néztek. – Jól kéne szórakoznunk és megismerni egymást.

Rám hunyorítottak.

– Nem ezt csináljuk? – kérdezte Rooney.

– Szükségem van egy italra – mondta Jason hangosan, majd felállt. Én is felálltam, támogatóan megszorítottam a karját, és otthagytuk Rooney-t meg Pipet a bizarr kötekedőversenyüknek.

Tudtam, hogy alkohol segítségével enyhíteni a szorongást nem jó. Fizikai szinten még csak nem is élveztem annyira az ízét. Szerencsétlenségemre olyan helyen nőttem fel, ahol majdnem minden korombeli ivott, én pedig elfogadtam, hogy az ivás „normális", mint egy csomó más dolog, annak ellenére, hogy gyakran nem ez volt az, amit igazából csinálni akartam.

Jason cidert rendelt, én pedig egy dupla vodkát és limonádét, meg két sört Pipnek és Rooney-nak.

– Tudom, hogy ezt az egész „az érzések elterelése dühvel" dolgot csinálta már korábban is – mondta Jason mogorván, miközben a bárnál vártunk az italainkra. – De nem láttam őt ilyennek Kelly Thorton óta tizedikben.

– Ez határozottan rosszabb – mondtam, visszagondolva a Kellyvel töltött időre. Hosszas viszálykodás egy ellopott ceruza miatt, ami azzal végződött, hogy Pip fejbe dobta Kellyt egy félig megevett almával, és két hét elzárást kapott. – Én csak azt akartam, hogy mind barátok legyünk.

Jason kuncogott, és gyengéden megbökött a vállával.

– Nos, én a tiéd vagyok. Mi viszonylag drámamentesek vagyunk.

Felnéztem Jasonre. A nagy barna szeme és a szelíd mosolya olyan megszokott volt számomra. Mi soha nem drámáztunk még. Eddig legalábbis.

– Igen – mondtam. – Viszonylag.

ÖRÖKRE EGYEDÜL

Rekordidő alatt berúgtam. Talán, mert kihagytam a vacsorát, hogy fan-ficet olvashassak és bagelt egyek az ágyban, vagy talán mert hat röviddel egyenértékű mennyiséget ittam meg negyvenöt perc alatt, de bármi mi-att is, tíz órára őszintén ellazultnak és boldognak éreztem magam, ami határozottan egy jel volt, hogy nem voltam az ép eszemnél.

Ismétlem: nem támogatom az ilyesféle dolgokat. De akkor nem tud-tam, hogyan másképp kezeljem az elmúlt hosszú, stresszes hetet és a még sok hosszú, stresszes hét kilátását, ami rám várt a következő há-rom évben.

Azt hiszem, jogosan mondhatom, eddig nem élveztem az *egyetemi ta-pasztalatok*at.

Tíz óra körül bementünk a városba. Rooney ragaszkodott hozzá. Til-takoztam volna, de látni akartam, hogy a klubozás jobb-e valamelyest, ha a barátaiddal mész. Talán élvezni fogom, ha Pip és Jason ott van.

Pip és Rooney végül mindketten becsíptek egy kicsit, és körülbelül nyolcvan százalékban uralták a társalgást. Jason eléggé csendes volt, ami nem számított szokatlannak, és úgy tűnt, nem bánta, amikor belekarol-tam, miközben besétáltunk Durham belvárosába, azért, hogy megpró-báljam minimalizálni az imbolygásomat járás közben.

Rooney továbbra is felváltva kötekedett Pippel és fordult felém, hosz-szú haja mindenfelé röpködött a szeles októberi levegőben, és azt kia-bálta:

– Szereznünk kell neked egy FÉRFIT, Georgia! Találnunk kell neked egy FÉRFIT!

A *férfi* szótól majdnem elhánytam magam, mert elképzeltem egy nálam jóval idősebb fickót. A mi korunkban még senki nem *férfi*, igaz?

– Végül találni fogok egyet! – ordítottam vissza annak ellenére, hogy tudtam, ez marhaság, az életben semmi sem biztos, és nincs „van időm rájönni a dolgokra", mert bármelyik pillanatban egyszerűen agyi aneurizmám lehet, és akkor meghalok anélkül, hogy szerelmes lettem volna, anélkül, hogy egyáltalán kitaláltam volna, ki vagyok és mit akarok.

– Nem kell férfit találnod, Georgia – hadarta nekem Pip, amikor már bent voltunk a klubban, és sorban álltunk a pultnál.

Ez nem a nyirkos, párás klub volt, ahol korábban jártunk, hanem egy új. Egy menő, modern, és a történelmi Durhambe nem illő. Klassz indie popot játszottak – Pale Waves, Janelle Monáe, Chvrches –, és neonfények alatt táncoló emberek vettek körül minket. Egy kicsit fájt a fejem, de meg akartam próbálni élvezni. Rá akartam venni magam.

– Tudom – mondtam, szerencsére Rooney hallótávolságán kívül, aki élénken csacsogott Jasonnek valamiről. Jason mérsékelten kimerültnek tűnt.

– Én már elfogadtam, hogy sosem találok senkit – mondta Pip, és igénybe vett egy pillanatot, hogy ennek a teljes jelentőségét felfogja az agyam.

– Mi van? Mi történt azzal, hogy „találsz végül valakit, mert mindenki talál"?

– Ez egy heterószabály – mondta Pip, és ez elhallgattatott egy pillanatra. Minden alkalommal, amikor azt mondta nekem, hogy „találni fogsz végül valakit"… ő maga még csak nem is hitt benne? – Rám nem érvényes.

– Mi? Ne mondd ezt! Csak kevés nyíltan meleg lány volt még a gimiben. Nem akadt sok lehetőséged.

Pip két lányt csókolt meg, amióta ismertük egymást. Az egyikük többször letagadta, hogy egyáltalán megtörtént, a másik azt mondta

Pipnek, hogy igazából nem kedveli őt úgy, csak azt gondolta, ez egy barátok közötti vicc volt.

Pip lepillantott a ragacsos pultfelületre.

– Igen, de ez olyan… Nem is tudom, hogyan kell, izé… randizni. Például egyáltalán hogy történik?

Nem tudtam, mit mondjak neki. Erre nem voltak válaszaim, és még ha lettek is volna, mindketten túl ittasak voltunk ahhoz, hogy sok értelmet találjunk bennük.

– Valami baj van velem? – kérdezte hirtelen, egyenesen a szemembe nézve. – Én… tényleg idegesítek… én tényleg csak idegesítek mindenkit?

– Pip… – karoltam át. – Istenem… nem, persze hogy nem. Miért gondolod ezt?

– Nemtom – mormogta. – Csak gondoltam, talán konkrét oka van, hogy miért vagyok örökké egyedül.

– Nem vagy örökké egyedül, hiszen itt vagyok. A legjobb barátod vagyok.

Felsóhajtott.

– Rendben.

Megölelgettem, aztán megérkezett az italunk.

– Gondolod, hogy mivel én vagyok a legjobb barátod, meg tudnád próbálni *nem* utálni Rooney-t minden porcikáddal? Legalább ma este?

Pip belekortyolt az almaborába.

– Meg fogom próbálni. Nem tudom megígérni.

Ennek elégnek kellett lennie.

Amint befejeztük az italainkat, Rooney táncolni kezdett. Úgy tűnt, mindenféle emberrel beszélőviszonyban van a klubban, így folyamatosan eltűnt máshol szocializálódni. Rosszul éreztem magam emiatt, de igazából nem bántam, mert így volt egy kis időm magamra a legjobb barátaimmal.

És kiderült, hogy a klubozás valamivel jobb, amikor olyan emberekkel vagy, akiket ismersz és szeretsz. Pipnek sikerült rávenni minket, hogy megcsináljuk a szokásos bolond táncmozdulatainkat, és mosolyogtam, nevettem, és majdnem boldognak éreztem magam. Még Rooney is csatlakozott hozzánk, Pipnek pedig sikerült minimálisra csökkentenie a szúrós pillantásokat. Ha nem lettek volna a körülöttünk nyüzsgő, ijesztő idősebb diákok, és az örökké fenyegető veszedelem, hogy Rooney megpróbál összehozni egy sráccal, igazán jól szórakoztam volna.

Sajnálatos módon ez csak egy fél óráig tartott, mielőtt Rooney bevetette volna magát.

Én, Jason és Pip leültünk valami bőrkanapéra, amikor Rooney megjelent egy sráccal, akit nem ismertem. Ralph Lauren inget, barackszín chino nadrágot és vitorláscipőt viselt.

– Hé! – Rooney átkiabált nekem a zenén. – Georgia!

– Igen?

– Ő Miles! – mutatott a srácra. Ránéztem. Olyan módon mosolygott, ami azonnal felidegesített.

– Szia… – mondtam.

– Gyere, táncolj velünk! – Rooney kinyújtotta felém a kezét.

– Fáradt vagyok – feleltem, mert az is voltam.

– Azt hiszem, te és Miles nagyon jól kijönnétek egymással! – mondta Rooney. Fájdalmasan nyilvánvaló volt, mivel próbálkozik.

És nem akartam ebbe belemenni.

– Talán később! – mondtam.

Miles nem tűnt túl bosszúsnak, de Rooney mosolya lehervadt egy kissé. Közelebb lépett hozzám, hogy Miles ne hallhasson minket.

– Csak adj neki egy esélyt! – mondta. – Megcsókolhatnád, és aztán majd meglátod.

– Georgia jól van – hangzott fel Jason hangja az egyik oldalról. Nem vettem észre, hogy belehallgatott a beszélgetésünkbe.

– Én csak segíteni próbálok…

– Tudom – mondta Jason. – De nem akarja. Láthatod az arcán.

Rooney hosszan bámult rá.

– Látom – mondta. – Érdekes…

Miles már elkóborolt a barátaihoz, így Rooney Piphez fordult, aki szintén a beszélgetést hallgatta komor arckifejezéssel.

– Quintana! Táncolunk?

Úgy mondta, mintha párbajra hívná Pipet, úgyhogy Pip természetesen elfogadta, és elment táncolni vele, mintha valamit bizonyítani akarna. Rooney nem volt elég józan ahhoz, hogy megértse Pip viselkedésének az okát, hogy igazából nem bosszantja őt. Hacsak nem pontosan értette. Visszasüppedtem a kanapéba Jasonnel, és néztük Rooney és Pip táncát.

Majdnem úgy tűnt volna, mintha Pip jól szórakozna, ha nem lett volna az arcán a Mr. Darcy-féle grimasz minden alkalommal, amikor Rooney túl közel került hozzá. Fények villogtak körülöttük, és néhány másodpercenként más táncoló testek és mosolygó arcok takarták ki őket. De aztán újra feltűntek, és egy kicsit közelebb kerültek egymáshoz a zenére mozogva. Rooney az óriási sarkú csizmája miatt a legtöbbször Pip fölé tornyosult, de amúgy is jó pár centivel magasabb volt nála. Amikor köré fonta a karját, hirtelen aggódni kezdtem, hogy mindketten el fognak esni. Aztán Pip tiltakozni kezdett, de azt kellett tapasztalnia, hogy figyelmen kívül hagyják. Rájött, hogy ő hozta magát ebbe a helyzetbe, és most meg kell ezzel birkóznia.

Egy pillanatig azt hittem, Rooney oda akar hajolni, hogy megcsókolja, de nem tette.

Pip lőtt egy pillantást felém, én pedig csak rámosolyogtam, aztán felhagytam a figyelésükkel. Nem akarták megölni egymást. Remélhetőleg.

Jason és én egy csomag chipset ettünk, amit a pultnál szerzett, és beszélgettünk, ez pedig arra emlékeztetett, amit az iskolai színdarabok jelmezes próbáin csináltunk, amikor nem volt ránk szükség egy jelenetben. Pip mindig főszerepet játszott, szóval egész nap elfoglalt volt, de Jason és én elosonhattunk. A függöny mögött ültünk valahol, nasit ettünk, TikTok-összeállításokat néztünk a telefonomon, és próbáltunk nem túl hangosan nevetni.

– Hiányzik az otthonod? – kérdezte Jason. Elgondolkoztam rajta.

– Nem tudom. Neked?

– Nem tudom – mondta. Lecsukta a szemét, és hátrahajtotta a fejét. – Úgy értem, egy kicsit honvágyam van, azt hiszem – kuncogott. – Hiányoznak az apukáim, még annak ellenére is, hogy mindennap felhívnak. És már négyszer megnéztem a *Scooby-Doo*t. Vigasztalásként. De az iskola pokol volt. Az iskola nem hiányzik.

– Hm… – Az egyetem sem volt jobb eddig. Nekem legalábbis.

– Mi az?

– Szeretek *itt* lenni – mondtam.

– Az egyetemen?

– Nem, itt. Veled.

Jason újra kinyitotta a szemét, és felém fordult. Mosolygott.

– Én is.

– GEORGIA! – visította Rooney, és odabotladozott hozzánk a tánc-parkettről. – Te találtál egy FÉRFIT!

– Nem – mondtam. – Ő a barátom, Jason. Emlékszel?

– Tudom, ki ő – mondta, leguggolva elénk. – Pontosan tudom, mi folyik itt. *Te!* – szegezte rám az egyik ujját. – És *ő!* – mutatott Jasonre. Összecsapta a két kezét. – Nagy. Zavaros. Érzések.

Csak megráztam a fejem, és éreztem, ahogy Jason egy icipicit elhúzódik tőlem, miközben esetlenül nevet. Miről beszélt Rooney?

Rooney vállon veregette Jasont.

– Ez cuki. De egyszerűen el kellene mondanod Georgiának.

Jason nem mondott semmit. Ellenőriztem, tudja-e, miről beszél Rooney, de az arca nem árult el semmit.

– Nem értem – mondtam.

– Nagyon érdekes vagy – mondta Rooney Jasonnek –, és egyszerre nagyon unalmas, mert sosem *csinálsz* semmit.

– Kimegyek a vécére – mondta Jason. Olyan arckifejezéssel állt fel, amit csak akkor láttam rajta, amikor részeg volt: mély ingerültség. De nem volt részeg. Őszintén dühös volt. Elsétált tőlünk.

– Ez igazán goromba volt – mondtam Rooney-nak. Azt hiszem, én is őszintén dühös voltam.

– Tisztában vagy vele, hogy Jason beléd van esve?

A szavak villámként csaptak belém.

Tisztában vagy vele, hogy Jason beléd van esve?

Jason. Az egyik legjobb barátom az egész világon. Több mint négy éve ismertük egymást, többször lógtunk együtt, mint meg tudtam volna számolni, olyan jól ismertem az arcát, mint a sajátomat. Bármiről beszélhettünk egymással.

De *ezt* nem mondta el nekem.

– Mi? – krákogtam, a lélegzetem elakadt.

Rooney nevetett.

– Viccelsz? Az érzései irántad annyira nyilvánvalóak, hogy igazából fájdalmas nézni.

Ez mégis hogy lehetséges? Kiváló voltam a romantikus érzések felismerésében. Mindig meg tudtam mondani, amikor az emberek flörtöltek velem vagy egymással. Mindig tudtam, amikor Pip és Jason belezúgtak valakibe.

Ez hogyan kerülhette el a figyelmemet?

– Ő egy nagyon szeretetre méltó srác – mondta Rooney, a hangja lágyabb lett, miközben leült a kanapéra mellém. – Tényleg nem gondoltál rá?

– Én... – Elkezdtem mondani Rooney-nak, hogy nem kedvelem őt úgy, de... tudtam egyáltalán, milyen a romantikus érzelem? Hét éven át azt hittem, bele vagyok zúgva Tommyba, aztán kiderült, hogy az semmi sem volt.

Jason egy igazán szeretni való srác. Úgy értem, szerettem őt.

És hirtelen az ötlet ott kavargott az agyamban, és nem tudtam megállni a tűnődést. Talán ez olyan volt, mint azok az amerikai romkomok, amiknek a nézésével az egész tinédzserlétemet töltöttem; talán Jason és én olyanok vagyunk, mint a két főszereplő a *Hirtelen 30*-ból vagy a *Könnyű nőcské*ből, talán „ő mindvégig itt volt", talán csak nem mélyedtem el a romantikus érzéseimben, mert annyira kényelmesen és biztonságban éreztem magam Jason mellett, és csak leírtam őt mint „legjobb barátot", amikor valójában lehetett volna „a pasim" is helyette.

Talán, ha kinyújtom a kezem, ha megerőltetem magam – talán Jason életem szerelme.

– Mi... mit csináljak? – suttogtam.

Rooney visszatette a kezét a zsebébe.

– Még nem vagyok biztos. De... – Felállt, a haja a válla köré omlott, mint egy szuperhősköpeny. – Azt hiszem, meg fogjuk tudni oldani a kis „soha senkit nem csókoltam meg" helyzetedet.

ÉRETLEN

Egy álomból ébredtem aznap éjszaka, amikor Rooney visszatért a szobánkba. Azt mondta nekünk, hogy menjünk haza nélküle. Nem láttam őt túl jól a szemüvegem nélkül, de úgy tűnt, lábujjhegyen járkál, mint egy rajzfilmkarakter. Beindította a vízforralót, hogy elkészítse a késő éjszakai csésze teáját, és amikor kinyitotta a ruhásszekrényét, különféle vállfák estek le, nagyon hangosan. Megdermedt, és azt mondta:

– Ó, ne!

Épp időben tettem fel a szemüvegemet ahhoz, hogy lássam felém fordulni bűnös arckifejezéssel.

– Sajnálom – suttogta hangosan.

– Semmi baj – motyogtam rekedten az alvástól. Ellenőriztem a telefonomat. Hajnali 5:21. Hogyan? Hogy tudott bárki ébren maradni, pláne *bulizni* ilyen sokáig? Nekem is volt kétszázezernyi késő esti fanficbotlásom, de az csak annyit jelentett, hogy ültem az ágyban és olvastam.

– Nem tudtam, hogy bárhol ilyen sokáig nyitva tartanak.

Rooney kuncogott.

– Ó, nem, nem tartanak. Egy srácnál voltam.

Egy kicsit összezavarodva ráncoltam a homlokomat. De aztán megértettem. Egy srácnál volt, és szexelt.

– Ó! – mondtam. – Menő.

Tényleg azt gondoltam, hogy ez egészen menő. Mindig egy kicsit irigy voltam az emberekre, akik szuper szexpozitívak, és elég komfortosan érzik magukat ahhoz, hogy csak úgy dugjanak bárkivel, aki tetszik nekik. El sem tudtam képzelni, hogy én elég komfortosan érezzem magam ahhoz, hogy hagyjam, hogy valaki megcsókoljon, nem is beszélve arról, hogy egy teljesen idegen otthonába menjek, és meztelenre vetkőzzek.

Vállat vont.

– Őszintén szólva nem volt olyan nagyszerű. Kicsit csalódás volt. De tudod, miért ne? Ezen a héten mindenki kapható rá.

Kíváncsi voltam, hogyan volt csalódás a srác, de éreztem, hogy ezt talán egy kicsit tolakodó megkérdezni.

Rooney aztán drámaian sóhajtott egyet, megperdült és azt suttogta, *„elfelejtettem megöntözni Rodericket",* majd gyorsan megtöltött egy bögrét vízzel, átszaladt a szobanövényéhez, és beleöntötte a cserepébe.

– Gondolod…? – kezdtem, de aztán félbehagytam. Az álmosság arra késztetett, hogy őszinte legyek.

Nem szerettem őszinte lenni.

– Mit? – kérdezte, miközben befejezte Roderick gondozását. Odasétált az ágyához, és lekapta a magas sarkúját.

– Gondolod, hogy éretlen vagyok? – kérdeztem vaksin, az agyam nem volt teljesen ébren.

– Miért gondolnám ezt? – kezdte kicipzárazni az overallját.

– Mert nem szexeltem és nem is csókoltam meg senkit, vagy… bármi ilyesmi. Én nem… És én nem… jövök ki a srácokkal, és… tudod. – Nem vagyok te. És csinálom, amit te csinálsz.

Rám nézett.

– *Te* azt gondolod, éretlen vagy?

– Nem. Én csak azt gondolom, hogy egy csomó más ember ezt gondolja rólam.

– Ezt mondták neked?

Visszagondoltam a bál afterpartijára.

– Igen – mondtam.

Rooney lerángatta az overallját, és egy szál fehérneműben leült az ágyára.

– Ez borzalmas.

– Szóval… az vagyok?

Rooney várt egy kicsit.

– Azt gondolom, igazán csodálatos, hogy te nem érezted a társaink nyomását mostanáig, hogy bármit csinálj. Nem kényszerítetted magad semmire, amit nem akartál megtenni. Nem csókoltál meg valakit, csak mert féltél attól, hogy lemaradsz. Igazából, azt hiszem, ez a legérettebb dolog, amiről valaha hallottam.

Lehunytam a szemem, és arra gondoltam, elmondom neki, mi történt Tommyval. Majdnem megtettem.

De amikor újra kinyitottam a szemem, csak ült az ágyon, és a róla és a hableányhajú Bethről készült fotót nézegette. Beth biztosan igazán jó barátja volt. Ez volt az egyetlen fotó, amit Rooney kitett a falra.

Aztán felém kapta a fejét, és azt mondta:

– Szóval megpróbálsz randizni Jasonnel?

Minden eszembe jutott, és csak ennyi kellett.

Egy sugallat.

Rooney azt mondta:

– Sosem fogod megtudni, míg meg nem próbálod.

Meg azt mondta:

– Ő igazán cuki. Biztos vagy benne, hogy nem kedveled őt egy picikét? Igazán jól kijössz vele.

Majd azt mondta:

– Őszintén olyanok vagytok, mintha egymásnak lennétek teremtve.

Ennyi kellett ahhoz, hogy elgondolkodjak.

Igen.

Talán.

Talán bele tudnék szeretni Jasonbe.

KÉTSÉGTELENÜL SZERETJÜK
A DRÁMÁT

A Durham Diákszínház bemutatkozó találkozójára négy nappal később került sor, az egyetem második hetén, kedden az Assembly Rooms színházban. Rooney-nak majdhogynem fizikailag kellett elvonszolnia oda azok után, hogy az egész hétvégét a szobámban töltöttem, kimerülve az öt nap intenzív szocializációtól, de folyton emlékeztettem magam, hogy meg kell tennem, meg *akarom* tenni, hogy kilépjek a komfortzónámból és tapasztalatokat szerezzek. És Jason meg Pip is ott lesz, szóval nem lehet az egész rossz.

Az ülőhelyek már szinte teljesen megteltek, mivel egy csomó embert érdekelt, hogy részese legyen a DDSZ-nek, de én és Rooney kiszúrtuk, hogy Pip egyedül ül a zsöllye hátsó részének közelében, szóval mentünk és csatlakoztunk hozzá. Valószínűleg előrelátó módon Rooney és Pip közé kellett volna ülnöm, de Rooney végül besétált a széksorba előttem, ami nagyon kínos üdvözléshez vezetett közöttük.

Pillanatokkal később megérkezett Jason. Lihegett, és egy kicsit izzadtnak tűnt.

Azon tűnődtem, hogy vonzónak kellene-e találnom, mintha edzés után lenne, vagy ilyesmi.

– Foglalt... az a... hely?

Megráztam a fejem.

– Nem. – Szünetet tartottam, amíg megrángatta a mellkasára tapadt pólóját, aztán levette a mackókabátját. – Jól vagy?

Bólintott.

– Csak futottam… egész úton a könyvtártól… és most meghalok.

– Nos, időben ideértél.

– Tudom. – Megfordult, és rendesen rám nézett, felvillantva egy meleg mosolyt. – Helló!

Visszamosolyogtam.

– Szia!

– Szóval biztos vagy benne, hogy ezt akarod csinálni?

– Ja. És még ha nem is, azt hiszem, ezek ketten erőszakkal betoboroztak volna – mutattam Rooney és Pip felé, akik rendületlenül tudomást sem vettek egymásról.

– Igaz. – Keresztbe tette az egyik lábát a másikon, aztán esélyt sem adott nekem, hogy bármit is mondjak még, hanem elkezdte feltúrni a hátizsákját. Egy pillanattal később előhúzott egy családi méretű, nyitott zacskójú sózott popcornt, és felém nyújtotta. – Pattogatott kukoricát?

Beletúrtam, és kivettem egy marékkal.

– Sózott. Egy hős vagy.

– Mindannyiunknak el kell játszanunk a szerepünket ebben a rohadt világban.

Épp egyet akartam érteni, de aztán a fények elhalványultak, mintha egy igazi színdarabot néznénk, és a Durham Diákszínház első éves találkozója elkezdődött.

Az elnököt Sadie-nek hívták, és a legtisztább, legmegnyerőbb hangja volt, amit valaha hallottam. Elmagyarázta a DDSZ hálózatát, ami hihetetlenül komplikált volt, de az alapja az volt, hogy minden társaság a DDSZ-en belül kapott egy bizonyos összegű támogatást, hogy egy saját produkciót állítson színpadra, amit teljes egészében az adott társaság diákjai alkottak meg. Rooney egy csomó jegyzetet készített, amíg Sadie magyarázott.

A találkozó egy órán keresztül tartott, Jason és én ültünk, és megosztoztunk a popcornon egész idő alatt. Ennek jelentenie kellett volna valamit? Ez flörtölés? Nem. Nem, ez csak barátság, igaz? Jason és én ezek vagyunk általában.

Azt hittem, értem az ilyesféle dolgokat. Felfogtam a flörtölést. De most, amikor Jasonról volt szó, fogalmam sem volt, mit gondoljak.

Amikor a találkozó végre véget ért, Rooney és Pip lement, hogy csatlakozzanak a gólyák sorához, akik valamit kérdezni akartak Sadie elnöktől. Együtt mentek, de nem néztek egymásra.

Jason és én a helyünkön maradtunk, és felidéztük a legviccesebb ifjúsági színházi anekdotáinkat. A *Hajlakk*ot, amikor a zenei rendező a kotta egy hamisított változatát töltötte le, és az összes dal hamisan hangzott. A *Drakulá*t, amikor Pip elcsúszott egy kis művéren, és leszakította a színpadfüggönyt. A *Rómeó és Júliá*t, amikor én és Jason festettük a díszletet, és két óráig az erkélyen ragadtunk, mert mindenki elment ebédelni, és elfelejtették, hogy ott vagyunk.

Talán az volt az oka, hogy az elmúlt egy órában harsány színházi emberek vettek körül.

Talán az, hogy őszintén kedveltem Jasont ilyen módon.

Bármi is volt, magabiztossá tett, hogy kimondjam:

– Hé, én gondolkoztam… nekünk… csinálnunk kellene valamit.

Kíváncsian felvonta a szemöldökét.

– Valamit?

Ó, istenem! Miért csináltam ezt? Hogy csinálhattam ezt? Megszállt valaki szelleme valódi önbizalom-részecskékkel?

– Igen – mondtam. – Nemtom. Menjünk el megnézni egy filmet, vagy… – Várjunk csak. Milyen szórakoztató dolgokat csinálnak az emberek a randikon? Gyötörtem az agyamat, de az összes fanfic, amit olvastam, hirtelen törölte magát az elmémből. – Együnk… ételt.

Jason rám nézett.

– Georgia, mit csinálsz?

– Én csak… mi… lóghatnánk együtt.

– Állandóan együtt lógunk.

– Úgy értem, csak mi.

– Miért csak mi?

Majd szünet következett.

És aztán úgy tűnt, megértette.

A szeme elkerekedett. Hátramozdult tőlem egy kicsit, aztán ismét előre.

– Te… – Egy apró, hitetlenkedő kuncogást hallatott. – Úgy hangzol, mintha randira hívnál engem, Georgia.

Elfintorodtam.

– Öhm… Nos, igen.

Jason egy pillanatig nem mondott semmit.

Aztán rákérdezett:

– Miért?

Ez nem pontosan az a reakció volt, amire számítottam. – Én csak… – hallgattam el. – Azt hiszem… Nem tudom. Ezt akarom. Szórakozni menni veled. Ha te is akarod.

Továbbra is csak bámult.

– Ha nem akarod, semmi gond. Egyszerűen elfelejthetjük. – Éreztem, ahogy az arcom felforrósodik. Nem azért, mert Jason különösen izgatottá tett engem, hanem mert egy katasztrófa voltam, és minden, amit csináltam, tragikus hiba volt.

– Oké – mondta. – Igen. Gyerünk… gyerünk, csináljuk.

– Igen?

– Igen.

Egymásra néztünk. Jason vonzó srác volt, és jó ember is. Nyilvánvalóan olyasféle ember, akit romantikus értelemben kedvelnem kellett volna. Akit romantikus értelemben kedvelhetnék. Úgy nézett ki, mint egy pasialapanyag.

Szerettem a személyiségét. Évek óta szerettem a személyiségét.

Szóval szerelmes lehetnék belé. Egy kicsike erőfeszítéssel. Kétségkívül.

Jasonnek el kellett rohannia az egyik előadására. Egy kicsit lesokkolt, hogy képes voltam arra, amit épp tettem, de nemsokára elterelték a figyelmemet az előadóterem elejéből felcsendülő hangok. A hangok, amik Rooney-hoz és a DDSZ elnökéhez, Sadie-hez tartoztak.

Már alig valaki volt a színházban, szóval lesétáltam oda, ahol Rooney és Pip volt Sadie-vel közvetlenül a színpad előtt. Pip az első sorban ült, figyelte a beszélgetés – vagy vita, nem voltam biztos benne – menetét.

– Csak egy új társulatra van pénzügyi forrásunk ebben az évben – mondta Sadie határozottan. – És azt már megkapta a Pantomimtársulat.

– *Pantomimtársulat?* – fröcsögte Rooney. – Viccelsz? Mióta fontosabb a pantomim Shakespeare-nél?

Sadie úgy nézett rá, mint aki nagyon-nagyon belefáradt az olyan emberekkel való foglalkozásba, mint Rooney.

– Hozzá kell tennem, hogy a DDSZ-ben nem méltányoljuk a sznobizmust.

– Nem vagyok sznob, én csak… – Rooney vett egy nagy levegőt, nyilvánvalóan próbált nem kiabálni. – Én csak nem értem, hogy miért a Shakespeare Társulattól szabadultok meg elsőként!

– Mert nincs elég tag a folytatáshoz – mondta Sadie higgadtan.

Leültem Pip mellé az első sorba. Áthajolt hozzám, és azt suttogta:

– Én csak azt akartam megkérdezni, mi lesz a Gólyák Színdarabja ebben az évben.

– Mi lesz?

– Még fogalmam sincs. Már mióta ez történik.

– Mi van, ha magam finanszírozom a társaságot? – kérdezte Rooney.

Sadie felvonta az egyik szemöldökét.

– Hallgatlak…

– Nekem… nekem nincs szükségem a DDSZ pénzére. Én csak elő akarok adni egy Shakespeare-darabot – nézett őszinte kétségbeeséssel. Őszintén szólva, nem esett le, hogy ez ennyire fontos neki.

– Tudod, mennyibe kerül bemutatni egy színdarabot?

– Öhm… nem, de…

– A színház kibérlése? Kosztümök? Díszlet? Próbahelyiség? Mindez a DDSZ idejét és erőforrásait felhasználva?

– Nos, nem, de én…

Sadie ismét sóhajtott.

– Öt tagra van szükséged, hogy társulatnak számítsatok – mondta. – Mi pedig kibéreljük nektek a színházat *egy* előadásra.

Rooney becsukta a száját, egyszer pislogott, aztán azt mondta:

– Várj, tényleg?

– Nem akarok hazudni, csak azért csinálom, hogy ne zaklass tovább – kapott elő Sadie hirtelen egy jegyzettömböt a szórólaphalomból, ami vele volt a színpadon.

– Kik a tagjaitok?

– Rooney Bach – mondta Rooney, aztán végignézett rajtam és Pipen.
Még csak időnk sem volt tiltakozni.

– Felipa Quintana – mondta Rooney.

– Várj, nem! – mondta Pip.

– Georgia Warr.

– Várj, mi? – kérdeztem.

– És Jason Farley-Shaw.

– Ez legális? – kérdezte Pip.

– Ki az ötödik? – érdeklődött Sadie.

– Öhm… – Rooney habozott. Azt hittem, csak felidézi a sok barátja
közül az egyik nevét, de úgy tűnt, senki nem jut eszébe. – Ehm, azt hi-
szem, még nincs meg az ötödik tagunk.

– Nos, akkor jobb, ha gyorsan találtok egyet, oké? Pénzt adunk ne-
ked erre. Muszáj tudnom, hogy komolyan gondolod.

– Úgy lesz.

– Mutassatok be egy elég jó előadást az év végén, és fontolóra ve-
szem, hogy teljes fedezetet adjunk nektek jövő évre. Ez elfogadhatónak
hangzik?

– Öhm… Igen. Igen! – Rooney leeresztette a karját. – Kö… köszönöm.

– Szívesen – nyúlt Sadie egy műanyag palackért, és nagyot kortyolt
belőle, akkorát, hogy elgondolkoztam rajta, lehet, hogy nem víz van
benne. – Nem hiszem, hogy felfogtad, mennyi munka bemutatni egy
darabot. Jónak kell lennie, oké? Néhány darabunk az Edinburgh-i Fesz-
tiválra megy.

– Jó lesz – mondta Rooney, és bólintott. – Ígérem!

– Oké. – Sadie szenvtelen arccal, egyenesen rám nézett, amikor ezt
mondta. – Isten hozott a Durham Diákszínháznál, ahol kétségtelenül
szeretjük a drámát.

– Nem értem, miért nem hagyod egyszerűen, hogy ezt az egyetlen dol-
got megkapjam, és szerepelsz a darabomban – dörrent rá Rooney Pip-
re, amikor visszafelé sétáltunk a kollégiumhoz. – Mit akartál csinálni?
Csatlakozni a Pantomimtársulathoz?

– A Gólyák Színdarabjában akartam játszani, mint a *normális* gólyák – vágott vissza Pip. – A *Bunbury – avagy jó, ha szilárd az ember*t adják elő, az isten szerelmére! Egy klasszikust.

– Shakespeare *sokat* jelent nekem, oké? Alapvetően ez volt az egyetlen dolog, amit élveztem a gimiben…

– Mi van? És nekem fel kellene adnom az érdeklődésemet és a hobbijaimat, csak mert neked van egy érzelmes történeted? Ez nem a kibaszott *X-faktor!*

Néhány lépéssel mögöttük sétáltam, miközben Pip és Rooney veszekedett, a hangjuk fokozatosan hangosabb és hangosabb lett. Az utcán a körülöttünk lévő emberek kezdtek megfordulni, hogy a jelenetet figyeljék, ahogy elhaladtak mellettünk.

Pip szorosan a teste köré burkolta a bomberdzsekijét, és átfuttatta az egyik kezét a haján.

– Vágom, hogy te, nos, egy sztárelőadó voltál a gimidben, de én is az voltam, és nem jöhetsz ide, és tehetsz úgy, mintha jobb lennél, mint én, csak mert szereted Shakespeare-t.

Rooney összefonta a karját.

– Nos, azt hiszem, bemutatni egy Shakespeare-darabot egy kicsit jelentősebb dolog, mint valami kis vígjátékot.

– *Valami kis vígjáték?* Kérj bocsánatot Oscar Wilde-tól kibaszottul most azonnal!

Rooney megállt, és ezzel mindannyiunkat megállásra késztetett. Azt fontolgattam, hogy beugrom a legközelebbi kávézóba. Rooney Pip felé lépett egy kissé, aztán úgy tűnt, meggondolta magát, és megint visszalépett, tartva a biztonságos távolságot kettejük között.

– Te csak azért vagy itt, hogy szórakozz. Nos, én azért vagyok itt, hogy tényleg csináljak valamit, ami jelent is valamit.

Pip megrázta a fejét.

– Mi a francról beszélsz, csajszi? Ez egy színházi társulat. Nem egy politikai párt.

– Uh, olyan idegesítő vagy!

– Ahogy te is!

És aztán csend volt egy pillanatig.

– Kérlek, legyél a társulatom tagja – mondta Rooney. – Öt tagra van szükségem.

Pip ránézett, az arckifejezése nem változott.

– Melyik darabot csinálod?

– Még nem tudom.

– Lehet egy vígjáték? Nem csinálom ezt, ha valamelyik seggunalmas történelmi színdarabot adjuk elő.

– Vígjáték vagy tragédia lesz. Semmi történelmi színdarab.

Pip összehúzta a szemét.

– Átgondolom – mondta.

– Igen?

– Igen. De még mindig nem kedvellek téged.

Rooney szélesen elmosolyodott.

– Tudom.

Pip elindult a Kastély felé, egyedül hagyva Rooney-t és engem a macskaköves utcán, a katedrálisnál.

– Mi történt az imént? – kérdeztem Rooney-t.

Hosszan kifújta a levegőt. Aztán elmosolyodott.

– Bemutatunk egy színdarabot.

RANDIZÁSI KÉSZSÉGEK

Valahogy randira hívtam a legjobb barátaim egyikét, és abszolút nem állt módomban ezt visszavonni, ami azt jelentette, hogy valószínűleg végig kell csinálnom, és tényleg randira kell mennem Jason Farley-Shaw-val. Végül üzenetet írt nekem erről a DDSZ-találkozót követő napon.

Jason Farley-Shaw
Hahó ☺ szóval mi a helyzet azzal a filmmel/kajával?

Akkor kaptam meg az üzenetet, amikor Rooney és én a Bevezetés a költészetbe előadáson voltunk, és ahelyett, hogy az előadót hallgattam volna Keatsről szónokolni, az órát ennek az üzenetnek az elemzésével töltöttem. Nem nyitottam meg, de el tudtam olvasni az egészet a kezdőképernyőmön. Nem akartam megnyitni, mert nem akartam, hogy tudja, hogy elolvastam, mert ha tudja, hogy elolvastam, válaszolnom kell, nehogy azt gondolja, hogy ignorálom őt, és valamilyen oknál fogva az ötlet, hogy folytassuk ezt a hihetetlenül új és hihetetlenül furcsa flörtöt Jasonnel, arra késztetett, hogy hagyjam a fenébe a diplomámat, és legyek a bátyám vízvezeték-szerelő inasa.

A nagyon átlagos mosolygó fej emoji és az egyetlen tekintélyes kérdőjel rendkívüli módon nem vallott Jasonre, ami azt sugallta, hogy ő is túlgondolta ezt a beszélgetést. Hogyan kellene válaszolnom? Nyelvtanilag szabálykövetőnek és udvariasnak kellene lennem? Vagy csak el kéne kezdenem rögtön mémeket küldeni neki, mint általában? Hogy kellett volna ennek működnie?

Hogy tökéletesen és teljesen őszinte legyek, egyáltalán nem akartam randira menni vele.

De akartam *akarni* ezt a randit.

És ez volt a problémám gyökere.

– Miért bámulod úgy a telefonodat, mintha megpróbálnád felrobbantani az elméddel? – kérdezte Rooney, miközben visszasétáltunk a szobánkhoz az előadás után.

Úgy döntöttem, őszinte leszek. Rooney valószínűleg tudni fogja, hogyan kell ezt megoldani.

– Jason üzenetet küldött nekem – mondtam.

– Ó! – hajította le a táskáját a padlóra, az ágyára vetődött, lerúgta a Converse cipőjét, és kiengedte a haját a lófarokból. – Kedves. Mit írt?

A saját ágyamon ülve feltartottam neki a telefonomat.

– Valahogy randira hívtam őt tegnap.

Rooney felugrott az ágyáról.

– MIT csináltál?

Hallgattam.

– Öhm… Randira hívtam őt. Ez… hiba volt?

Hosszú ideig bámult rám.

– Egyáltalán nem értelek téged – mondta végül.

– …oké.

Visszaült, az ujjait a szájához nyomva.

– Oké, nos… jó. Ez jó – vett egy nagy levegőt. – Hogy történt?

– Nemtom, én csak gondolkoztam erről azután, amit mondtál, és… úgy értem, azt hiszem, én csak azt gondoltam… mármint rájöttem… – összefontam a karomat –, hogy tényleg.

– Hogy tényleg mi?

– Kedvelem őt.

– Romantikus értelemben?

– Mmm…

– Szexuálisan?

Sziszegő hangot adtam ki, mert hirtelen elképzeltem a szexet Jasonnel.

– Ki gondol a szexre ilyen gyorsan?

Rooney felhorkantott.

– Én.

– Mindenesetre, kedvelem őt. – *Igen.* Kedvelem. Valószínűleg kedvelem.

– Ó, tudom, hogy kedveled. Attól a pillanattól kezdve tudtam, hogy ez lesz, amikor találkoztam vele – sóhajtott boldogan. – Mint egy filmben.

– Nem tudom, mit írjak vissza neki – mondtam. – Segíts nekem!

Egy kicsikét zavarban éreztem magam. Ez egy egyszerű dolog volt, Krisztus szerelmére! Tizenkét éves szintű randikészség.

Rooney hunyorított. Aztán felkelt az ágyáról, átsétált hozzám, és intett nekem, hogy mozduljak meg. Engedelmeskedtem, ő pedig lehuppant a paplanra mellém, és kivette a telefonomat a kezemből. Megnyitotta az üzenetet, mielőtt megállíthattam volna.

Néztem, ahogy elolvassa.

– Oké – mondta, aztán begépelt helyettem egy üzenetet, és elküldte.

Georgia Warr
Persze hogy igen! Szabad vagy egyáltalán ezen a héten?

– Ó! – mondtam.

Visszacsapta a telefonomat a kezembe.

Arra számítottam, hogy megkérdezi, miért nem tudok elvégezni egy ilyen egyszerű feladatot. Arra számítottam, hogy talán tapintatosan nevetni fog azon, hogy mennyire bepánikoltam.

Hosszan rám nézett, és vártam, hogy megkérdezi: *mi volt olyan nehéz? Miért nem tudtad magad megtenni ezt? Még csak nem is akarsz beszélni Jasonnel? Azért pánikoltál, mert bele vagy zúgva, vagy azért, mert még abban sem vagy biztos, mit csinálsz, vagy miért csinálod, vagy egyáltalán akarod-e csinálni? Azért pánikolsz, mert ha még ezt sem tudod akarni, akkor lehet, hogy soha nem is leszel képes akarni?*

De helyette csak mosolygott, és azt mondta:

– Semmi probléma.

EGY ROMANTIKUS
REGÉNYBE IS

Jason és én erre a szombatra terveztük a randinkat, ami azt jelentette, hogy öt teljes napom volt pánikolni miatta.

Szerencsére a második hetem az egyetemen üdvözlendő figyelemelterelésnek bizonyult.

Rooney és én mindketten most szembesültünk a *tényleges egyetemi munkával:* igazi előadások és szemináriumok, valamint négy hét alatt tíz teljes könyv elolvasása. És berendezkedtünk az új közös életünkbe is. Mindig együtt mentünk az előadásokra, és együtt mentünk ebédelni, de ő szeretett lemenni esténként a bárba, vagy szórakozni a klubba más barátaival, míg én előnyben részesítettem az ágyban ücsörgést keksszel és egy fanfickel. Néha Rooney a Shakespeare-darabbal kapcsolatos ötleteiről beszélt velem, izgatottan csevegett arról, hogyan csinálná a díszletet, a jelmezeket és a rendezést, máskor pedig csak úgy bármiről beszélgettünk. Tévéshow-k. Egyetemi pletyka. Az otthoni életünk.

Nem igazán értettem, Rooney miért engem választott. Nyilvánvaló, hogy bárkit megkaphatott, akit akart, bármit, amit csak akart: barátok, partner, alkalmi kapcsolat, még olyasvalakit is, akivel játékosan évődhet.

De annak dacára, hogy képes volt összebarátkozni bárkivel, és már ötven ismerőse volt, én voltam, akivel evett, akivel keresztülsétált Durhamen, és együtt lógott, amikor nem partizott.

Valószínűleg csak kényelmes voltam. Ez volt a szobatársak lényege.
De összességében nem volt ezzel baj. Jól voltam. Talán nem voltam
az a társasági ember, aki reméltem, hogy lehetek az egyetemen, de Roo-
ney-val élni nem okozott gondot, és még egy randit is sikerült összehoz-
nom valakivel.

Egy valódi romantikus randit.

A dolgok biztatóak voltak.

Ahogy kiderült, nem volt semmi érdekes, amit Durhamben csinálhat-
tál, leszámítva az étteremben evést, ivást és a moziba járást. Hacsak nem
szeretsz különösen öreg épületeket nézegetni. De még ez is unalmas
volt, miután mindennap elmentél mellettük úton a Tesco felé.

Valami igazán szórakoztató tevékenységet akartam kitalálni Jasonnel,
mint a jégkorcsolya, bowling, vagy az egyik olyan menő bár, ami egyben
minigolfpálya is. De Jason azonnal azt javasolta, hogy menjünk el egy
kis fagylaltozó-kávézóba a Saddler utcában, és mivel nem tudtam sem-
mi jobbat javasolni, beleegyeztem. Plusz a fagylalt finom.

– A randidra igyekszel? – kérdezte Rooney épp, amikor azon voltam,
hogy elhagyom a szobánkat szombat délután, körülbelül tíz perccel ko-
rábban, mint megbeszéltük, hogy találkozunk. Végignézett az öltözéke-
men fel és le.

– Igen… – mondtam magamra nézve.

Egyszerűen a normális ruháimat viseltem: mamifarmert, egy kivágott
gyapjúpulóvert és a kabátomat. Azt gondoltam, igazából egész jól nézek
ki, a szokásos „barátságos könyvesboltos" módomon. Csak fagyizni me-
gyünk, az isten szerelmére.

– Aranyosan nézel ki – mondta Rooney, és úgy éreztem, mintha
tényleg komolyan gondolná.

– Köszi.

– Várod már?

Valójában nem igazán vártam. Úgy véltem, az idegesség miatt. Min-
denki ideges lesz az első randija miatt. És én *nagyon* ideges voltam. Tud-
tam, hogy lazítanom kell, és önmagamnak lenni, és ha nem érzem azt
a szikrát egy idő után, akkor csak nem vagyunk egymásnak teremtve.

De azt is tudtam, hogy ez egy esély számomra igazán megtapasztalni a romantikát, és olyasvalakinek lenni, akinek vicces, mókás élményei vannak, és nem egyedül hal meg.

Semmi nyomás, azt hiszem.

– Pisztácia – mondta Jason a fagylaltomra nézve, amint leültünk egy asztalhoz. Megint a mackókabátját viselte, amit szerettem a meghittség és barátságosság érzése miatt. – Elfelejtettem, hogy szó szerint egy gusztustalan kis kobold vagy, ha fagylaltról van szó.

A kávézó cuki volt, apró és pasztellszínekkel és virágokkal díszítették. Csodáltam Jasont, amiért ezt javasolta. Ez egy romantikus regénybe is beillett volna.

A fagyijára pillantottam.

– Vanília, mi? Amikor van csokis-kekszes is?

– Ne bántsd a vaníliát. A vanília klasszikus – tett a szájába egy kanálnyit, és elvigyorodott.

Felvontam a szemöldökömet.

– Elfelejtettem, mennyire unalmas vagy.

– Nem vagyok unalmas!

– Ez egy unalmas választás. Ez minden, amit mondok.

Ültünk a kis kerek asztalunknál a fagylaltozó-kávézóban, és egy órát beszélgettünk.

Többnyire az egyetemről. Jason kifejtette, hogy a történelem-előadások máris kicsit unalmasak, én pedig az olvasmánylistáim hossza miatt panaszkodtam. Jason bevallotta, nem gondolja, hogy az italozós-klubozós életstílus igazán neki való lenne, én pedig azt mondtam, ugyanígy érzek. Hosszú időt töltöttünk azzal, hogy arról beszéltünk, mindketten monumentális átverésnek éreztük a Gólyahetet: az egész egyetemi életed legjobb heteként adták el, csak hogy kiderüljön, hogy egy hét végtelen ivászat, undorító klubok látogatása és igaz barátok szerzésének kudarca.

Végül a beszélgetés egy kicsit alábbhagyott, mert évek óta ismertük egymást, és már több tucat, ha nem több száz mély beszélgetésünk volt.

Már azon a ponton voltunk, ahol a csend nem érződött furcsának. Ismertük egymást.

De nem tudtuk, hogyan csináljuk ezt.

Hogyan legyünk romantikusak.

Randizzunk.

– Szóval ez furcsa, nem? – kérdezte Jason. Már rég végeztünk a fagylaltunkkal.

Az asztalra könyököltem, és a tenyerembe támasztottam a fejem.

– Mi furcsa?

Jason lesütötte a szemét. Egy kicsit feszengőn.

– Nos… a tény, hogy mi… tudod… ezt csináljuk.

Ó, igen.

– Ez… – Nem igazán tudtam, mit mondjak. – Azt hiszem, az. Egy kicsit.

Jason továbbra is szilárdan lesütötte a szemét, nem nézett rám.

– Egész héten erről gondolkoztam, és én csak… Úgy értem, még csak fogalmam sem volt, hogy talán így kedvelsz.

Nekem sem volt. De akkor még fogalmam sem volt, hogy egyáltalán milyen érzés lehet „valakit így kedvelni". Ha bárkivel is lenni akartam volna, akkor valószínűleg vele.

A hangja kicsit elhalkult, és esetlenül mosolygott, mintha nem akarta volna, hogy lássam, mennyire ideges.

– Csak azért csinálod ezt, amit Rooney mondott, amikor együtt szórakozni mentünk?

Feljebb ültem egy kicsit.

– Nem, nem… nos, úgy értem, talán egy kicsikét? Azt hiszem, az, hogy ezt mondta, tulajdonképpen, öhm… *ráébresztett* arra, hogy ezt akarom. Szóval… Azt hiszem, elkezdtem gondolkozni erről azután, és… igen. Én csak úgy éreztem… azt hiszem, csak helyesnek érződött.

Jason bólintott, én pedig reméltem, hogy érthető voltam.

Muszáj volt őszintének lennem. Jason volt a legjobb barátom. Meg kellett oldanom ezt a dolgot, és a saját tempómban kellett csinálnom.

Szerettem Jasont. Tudtam, hogy őszintén vele lehetnék.

– Tudod, hogy még sosem csináltam ezt ezelőtt – mondtam.

Megint bólintott. Megértően.

– Tudom.

– Én… lassan akarok haladni.

Egy kicsit elvörösödött.

– Igen. Persze.

– Kedvellek téged – mondtam. Legalábbis hittem benne. Talán így is lesz, ha eléggé próbálom, ha erőltetem, ha úgy teszek, mintha valódi lenne, amíg az nem *lesz*. – Úgy értem, azt hiszem, tudnék… akarok adni ennek egy esélyt, és nem akarok megbánni semmit a halálos ágyamon.

– Oké.

– Én csak nem igazán tudom, mit csinálok. Mármint… Elméletileg igen, de a gyakorlatban… nem.

– Oké. Nincs ezzel gond.

– Oké. – Azt hiszem, egy kicsit én is elvörösödtem. Az arcom forrónak érződött. Azért volt, mert izgatottnak éreztem magam Jason mellett, vagy mert egy kicsit kínos volt erről az egész dologról beszélni?

– Nem bánom, ha lassan haladunk – mondta Jason. – Mármint az összes romantikus tapasztalatom eddig kicsit szar volt.

Mindent tudtam Jason múltbeli romantikus tapasztalatairól. Tudtam az első csókjáról egy lánnyal, akiről azt hitte, igazán kedveli, de a csók olyan szörnyű volt, hogy igazából eltántorította, hogy újra megtegye. És tudtam a barátnőjéről, akivel öt hónapig volt, amikor végzősök voltunk. Aimee, aki a mi ifjúsági színházi csoportunkba járt. Aimee valahogy idegesítő volt olyan *„Jason az én tulajdonom, és nem szeretem, ha bárki más vele lóg"* módon. Pip meg én sosem kedveltük őt, de Jason boldog volt egy kis ideig, szóval támogattuk a kapcsolatot.

Vagy legalábbis addig, míg ki nem derült, hogy Aimee mindenféle megjegyzést tett Jasonnek arról, hogy nem szabad együtt lógnia bizonyos emberekkel, és abba kell hagynia a más lányokkal való beszélgetést, beleértve engem és Pipet. Jason *hónapokig* tűrte ezt, míg rájött, hogy Aimee valójában egy seggfej.

Jason vele szexelt először, és felhúzott engem, hogy olyasvalakivel tapasztalta ezt meg, mint Aimee.

– Ez nem lesz szar – mondtam, aztán átfogalmaztam. – Ez… nem lesz szar, ugye?

– Nem – mondta. – Határozottan nem.

– Lassan fogunk haladni.

– Igen. Ez egy új terep.

– Igen.

– És ha nem működik... – kezdte Jason, aztán úgy tűnt, meggondolta, amit mondani akart. Őszinte leszek: még mindig nem voltam biztos benne, hogy bele vagyok zúgva Jasonbe. Szuperkedves, vicces, érdekes és helyes volt, de nem tudtam, hogy éreztem-e bármi mást, mint plátói barátságot. De sohasem tudom meg, ha nem tartok ki. Ha nem próbálkozom. És ha ez nem működik, Jason meg fogja érteni.

– ...még mindig barátok leszünk – fejeztem be a mondatát. – Bármi történjék.

– Igen – dőlt hátra Jason a székében, és összefonta a karját. És istenem, boldog voltam, hogy Jasonnel csináltam ezt, és nem valami random emberrel, aki nem ismer engem, aki nem érti, aki elvárna tőlem dolgokat, és azt gondolná, hogy furcsa vagyok, amiért nem akarom...

– Van még egy dolog, amiről valószínűleg beszélnünk kellene – mondta Jason.

– Mi?

– Mit fogunk mondani Pipnek?

Csend lett. Őszintén szólva még nem gondolkoztam azon, hogyan érezne Pip ezzel kapcsolatban.

Valami azt súgta nekem, nem lenne boldog, hogy a két legjobb barátja összejött, és nagymértékben eltorzul a baráti csoportunk dinamikája.

– El kellene mondanunk neki – mondtam. – Amikor találunk egy jó alkalmat.

– Igen. Egyetértek. – Jason megkönnyebbülten nézett, hogy ezt mondtam. Hogy nem neki kellett javasolnia.

– A legjobb őszintének lenni erről.

– Igen.

Amikor elhagytuk a fagyizó-kávézót, megöleltük egymást búcsúzóul, és ez egy normális ölelésnek tűnt számunkra. Egy normális „Jason és Georgia"-ölelés. Olyasféle ölelés, amiben évek óta részünk volt.

Nem volt semmilyen furcsa pillanat, amikor azt éreztük, hogy csókolóznunk kéne. Még nem jutottunk el odáig, úgy véltem.

Ez később következik.

És nekem ezzel nem volt bajom.

Ez volt, amit *akartam*.

Gondolom.

Igen.

A SZIKRA

Aznap éjjel, amikor Rooney visszatért a szobánkba, a Jasonnel való randim minden részletét hallani akarta. Nem lett volna bajom ezzel, ha nincs hajnali négy óra harmincnyolc perc.

– Szóval akkor jól ment? – kérdezte, miután befejeztem a neki adott összefoglalót a paplanom alól, amibe burritóként bebugyoláltam magam.

– Igen… – mondtam.

– Biztos vagy benne? – kérdezte. A saját ágyán ült egy csésze teával az egyik, sminklemosóval a másik kezében.

Összeráncoltam a homlokomat.

– Miért?

– Csak… – Megvonta a vállát. – Nem hangzol túl lelkesnek.

– Ó! – mondtam. – Hát… Azt hiszem, én csak…

– Mi az?

– Még nem vagyok biztos benne, hogy tényleg úgy kedvelem őt. Nemtom.

Rooney hallgatott.

– Nos, ha nincs ott a szikra, nincs ott a szikra.

– Nem, úgy vélem, nagyon jól kijövünk. Mármint, szeretem őt mint embert.

– Igen, de ott a szikra?

Honnan kellett volna ezt tudnom? Mi a fene az *a szikra?* Egyáltalán milyen érzés *a szikra?*

Azt hittem, értem, milyen érzés lesz ez a sok romantikus dolog: a *pillangók* és a *szikra,* és egyszerűen *tudni,* amikor kedvelsz valakit. Több százszor olvastam ezekről az érzésekről könyvekben és fanficekben. Sokkal több romkomot láttam, mint az valószínűleg normális egy tizennyolc éves esetében.

De most elkezdtem azon töprengeni, vajon ezek a dolgok csak kitaláltak-e.

– Talán… – mondtam.

– Nos, akkor esetleg várhatsz is, és meglátod, hogy mi lesz. Amikor tudod, tudod.

Ez valahogy arra késztetett, hogy felsikítsak. Nem tudtam, *hogyan* tudhatom meg.

Őszintén, ha lettek volna bármiféle érzéseim a lányok iránt, eltűnődtem volna, vajon heteró vagyok-e. Talán a *fiúk* jelentették úgy általában a problémát.

– Milyen érzés, amikor érzed a szikrát? – kérdeztem. – Mint… ma este. Te… feltételezem, egy sráccal voltál.

Az arckifejezése azonnal elkomorult.

– Ez más.

– Várj… hogy mi? Miért?

Felállt az ágyról, megfordult, és megragadta a pizsamáját.

– Csak más. Semmiben sem hasonlít erre a helyzetre.

– Én csak azt kérdeztem…

– Hogy szexelek valami random sráccal, nem hasonlít arra, hogy te a legjobb barátoddal randizol. Teljesen más forgatókönyv.

Pislogtam. Ebben valószínűleg igaza volt.

– Szóval miért szexelsz random srácokkal? – kérdeztem. Ahogy kimondtam, rájöttem, milyen nyers és tolakodó kérdés volt. De tudni akartam. Ez nem olyan, mintha elítélném őt. Őszintén, azt kívántam, bárcsak én is ilyen magabiztos lennék. De tényleg nem értettem, hogyan csinálta. Miért akarta ezt csinálni? Miért menne valaki egy idegen házába, és venné le a ruháit, amikor egyszerűen otthon is maradhat, és biztonságosan, kényelmesen maszturbálhat. A végeredmény kétségtelenül pontosan ugyanaz.

Rooney hátrafordult. Egy hosszú, értelmezhetetlen pillantást vetett rám.

– Őszintén? – kérdezte.

– Igen – mondtam.

– Én egyszerűen *élvezem* a szexet – mondta. – Szingli vagyok, és szeretem a szexet, szóval szexelek. Szórakoztató, mert jó érzés. Nem érzek „szikrát", mert ez nem a romantikáról szól. Ez egy alkalmi, testi dolog.

Éreztem, hogy igazat mond. Tényleg csak ennyi volt.

– Különben is – folytatta – sokkal fontosabb dolgokon kell most gondolkoznunk.

– Mint például?

– A Shakespeare Társulat. – Rooney felvette a pizsamáját, megragadta a szennyeszsákját, és a hálószobaajtónk felé tartott. – Aludj csak!

– Oké. – És ezt tettem. De csak azután, hogy egy kis ideig a szikrán gondolkoztam. Varázslatosnak hangzott. Mint valami, ami egy tündérmeséből származik. De nem tudtam elképzelni, milyen lehet. Testi érzés? Vagy csak ösztönös megérzés?

Miért nem éreztem soha, de soha...?

Ennek a második hétnek a vasárnapján Rooney és én a hálószobánkban lógtunk, amikor valaki kopogott az ajtón. Rooney kinyitotta, az ismerősei közül legalább harmincan léptek be léggömböket, konfettiágyúkat és szerpentint cipelve, aztán egy srác fél térdre ereszkedett mindenki előtt, és megkérte Rooney-t, hogy legyen a college felesége.

Rooney sikított, a srácra ugrott, egy szoros ölelésbe fogta, és beleegyezett, hogy a college felesége lesz. És ennyi volt. Az egészet az ágyamból néztem végig, valójában szórakoztatott. Valahogy bájos volt.

Amint mindenki meglépett, segítettem Rooney-nak feltakarítani a konfettiágyú- és szerpentinmaradványokat. Egy egész órába telt.

Ezen a héten néhány este elment szórakozni, és mindig egy *történettel* tért vissza: egy egyéjszakás kaland, vagy egy részeg kaland, vagy valami egyetemi dráma. Én pedig mindig elbűvölten és zavarban, irigykedve hallgattam. Egy részem ezt az izgalmat akarta, ugyanakkor egy olyan éjszaka gondolata, mint ez, rettegéssel töltött el. Tudtam, hogy nem akarok valójában összejönni részegen egy idegennel, bármennyire is szórakoztatónak tűnt kívülállóként. Különben sem volt szükségem rá most, hogy volt ez az ügyem Jasonnel.

Rooney akartam lenni, amikor először találkoztam vele. Azt gondoltam, utánoznom kell őt.

Most már nem voltam biztos benne, hogy meg tudnék birkózni ezzel.

ROONEY BACH RÖVID,
DE LENYŰGÖZŐ
PREZENTÁCIÓJA

Rooney hosszan rám nézett, amint leültünk egymással szemben a Diákszövetség kávézójában az egyetemi harmadik hetünk szerdáján. Aztán kivette a MacBookját a táskájából.

– Miről van szó? – kérdeztem.

– Ó, meglátod. Meg fogod látni.

Idevonszolt engem a ma reggeli Hőskor előadás után, de nem volt hajlandó elmondani, miért. Ezt azzal magyarázta, hogy növelni akarja a feszültséget. De csak felbosszantott.

– Feltételezem, ez egy Shakespeare társulati dolog – mondtam.

– Igazad van.

Bár nem igazán magamtól csatlakoztam a Shakespeare Társulathoz, őszintén nagyon izgatottnak éreztem magam, hogy részt vehetek benne. Olyan érzés volt, mintha tényleg nyitnék, kipróbálnék valami újat, és ez remélhetőleg egyévnyi szórakoztató próbát, új emberekkel való találkozást és az *egyetemi tapasztalatok* élvezetét eredményezi majd.

De most úgy tűnt, négy ember társulata maradunk, akiket már mind ismerek, és elég tag nélkül valószínűleg különben sem fogunk valódi társulatként működni.

– Eldöntötted, melyik színdarabot csináljuk meg?

– Még jobb – vigyorgott.

Mielőtt esélyem lett volna megkérdezni, mit jelent ez, megérkezett Pip, a Kanken táskáját átvetve az egyik vállán, óriási kémiakönyvvel az egyik karjában, a felsőteste körül bő, gombos ing.

Feltolta a szemüvegét, és leült mellém.

– Biztosra vettem, hogy találsz majd valami ürügyet, hogy kiszállj ebből. Kilépsz az egyetemről, vagy elszöksz, hogy kecskepásztor legyél.

– Hé! – vágtam csalódott arcot. – Itt akarok lenni! Szórakoztató egyetemi tapasztalatokat akarok, és emlékeket szerezni!

– Emlékeket, mint négyszer hányni egyetlen este alatt?

– Biztos vagyok benne, hogy az csak egyszeri dolog volt.

Rooney, mindkettőnket figyelmen kívül hagyva, megnézte az óráját.

– Most már csak Jasonre várunk.

Pip és én ránéztünk.

– Tényleg rávetted Jasont, hogy beleegyezzen ebbe? – kérdezte Pip. – Nem mondta nekem, hogy beleegyezett.

– Megvannak a módszereim – mondta Rooney. – Nagyon meggyőző vagyok.

– Inkább nagyon bosszantó.

– Nincs különbség.

Ekkor Jason, a Shakespeare színtársulatunk negyedik tagja, besétált a szövetség kávézójába, és leült Rooney mellé, lerázva magáról a mackókabátját. Alatta teljes sportruházatot viselt, beleértve egy melegítőfelsőt, amin „Egyetemi Kollégiumi Evezős Klub" logó volt.

– Helló! – mondta.

Pip összevonta a szemöldökét.

– Haver, mikor csatlakoztál az *evezőklub*hoz?

– A Gólyák Börzéjén. Konkrétan ott voltál, amikor leírtam a nevemet.

– Nem gondoltam, hogy tényleg elmész. Nem hajnali hatkor van edzésük mindennap?

– Nem mindennap. Csak kedden és csütörtökön.

– Miért tennéd ki magad ennek?

Jason felnevetett, de láttam, hogy egy kicsit bosszús.

– Mert ki akartam próbálni valami újat? Ez annyira rossz?

– Nem, nem. Bocsánat. – Pip gyengéden megbökte az egyik könyökével. – Ez klassz.

Rooney hangosan összecsapta a két kezét, félbeszakítva a beszélgetésüket.

– Figyelmet kérek! – nyitotta fel a MacBookját. – A prezentáció most kezdetét veszi.

– A mi? – kérdezte Pip.

– Jézusom – mondtam.

A képernyőn egy PowerPoint-prezentáció első diája volt.

Egy Shakespeare-egyveleg: Rooney Bach rövid, de lenyűgöző prezentációja

– Rövid... de lenyűgöző – ismételtem meg.

– Megértelek – mondta Pip.

– Mi történik? – kérdezte Jason.

Rooney a következő diára kattintott.

1. rész: A premissza
a) Számos Shakespeare-jelenet egyvelege (csak jók) (NINCS történelmi színdarab)
b) Mind különböző szerepeket játszunk a különböző színdarabok különböző jeleneteiben
c) Az összes jelenet a SZERELEM témáját járja körül, és ezt nagyon mélyen és jelentőségteljesen teszi

Ez legalább felkeltette az érdeklődésemet. És úgy tűnt, Jasont és Pipet is érdekli, mivel mindketten előredőltek megnézni, ahogy néhány kép tűnt fel a képernyőn: Leonardo DiCaprio és Claire Danes traumatizáltnak tűnt a *Rómeó és Júlia* filmben, majd David Tennant és Catherine Tate ácsorgott a *Sok hűhó semmiért* West End produkciójában, aztán egy kép valakiről szamár maszkban, ami valószínűleg a *Szentiván-éji álom*ból volt.

– Úgy döntöttem – mondta Rooney –, hogy ahelyett, hogy csak egy darabot játszanánk el, a legjobb részeket csináljuk meg belőlük.

Nyilvánvalóan csak a jókat – pillantott Pipre. – Egyetlen történelmi színdarabot sem. Csak komédiákat és tragédiákat.

– Gyűlölöm ezt mondani – mondta Pip –, de igazából ez egy mókás ötlet.

Rooney győzedelmes arckifejezéssel dobta hátra a lófarkát.

– Köszönöm, hogy elismered, hogy igazam van.

– Várj, én nem ezt...

Jason félbeszakította.

– Szóval egy csomó különböző részt fogunk előadni? Rooney bólintott.

– Igen.

– Ó! Király! Ez tényleg mókásnak hangzik.

Felvontam a szemöldökömet. Őszintén szólva azt gondoltam, hogy inkább a Musical Színházi Társulathoz csatlakozik. Mindig jobban szerette a musicaleket, mint a prózai darabokat.

Jason vállat vont.

– Benne akarok lenni ebben az évben egy előadásban, és tudod, ha megpróbálkozunk egy meghallgatással a Gólyák Darabjában vagy a Musical Színházi Társulatnál, vagy nem jutunk be, mert olyan sok ember akar benne lenni, vagy csak egy aprócska szerephez jutunk. Emlékszel tizedikben, amikor fát kellett játszanom a *Szentivánéji álom*ban...

Bólintottam.

– Izgalmas tapasztalat volt számodra.

– Nincs különösebben kedvem elpazarolni egy évet az életemből arra, hogy megjelenjek a próbákon csak azért, hogy egy helyben álljak, és időnként hadonásszak a karommal – pillantott Jason Rooney-ra. – Ezzel legalább tudjuk, hogy főszerepeket kapunk, és megfelelő mennyiségű sort. És barátokkal csinálnánk. *Mókás* lenne. – A combjára csapott, és hátradőlt a székében. – Benne vagyok.

Rooney szinte sugárzott.

– Szerződtetnem kellett volna téged, hogy te csináld meg a prezentációt.

– Ó, istenem! – mondta Pip összefonva a karját. – Nem tudom elhinni, hogy máris a saját oldaladra állítottad Jasont.

– A vonzerőm és intelligenciám volt.

– Menj a fenébe!

Rooney továbblépett a következő diára.

2. rész: A terv

a) Én fogok dönteni a színdarabokról és jelenetekről, amiket előadunk

b) Én fogom rendezni

c) Heti próbák a márciusi előadásunkig

(MINDANNYIÓTOKNAK MEG KELL JELENNETEK)

– Várj! – hadarta Pip átfuttatva az egyik kezét a tincsein. – Ki nevezett ki téged a Shakespeare Társulat *legfőbb nagyurá*nak?

Rooney önelégülten rámosolygott.

– Azt hiszem, csakis én lehetek, tekintettel arra, hogy ez az egész az én ötletem volt.

– Igen, nos… – vörösödött el Pip. – Én… én úgy gondolom, kéne hogy lehessen véleményünk arról, hogy ki rendez.

– Ó, igazán?

– Igen.

Rooney előrehajolt az asztal fölött, így közvetlenül Pip arcába bámult.

– És neked mi a véleményed?

– Én… – Pip megköszörülte a torkát, nem igazán tudta fenntartani a szemkontaktust. – Társrendező akarok lenni.

Rooney vigyora leolvadt. Egy pillanatig semmit sem mondott. Aztán:

– Miért?

Pip állta a sarat.

– Mert akarom.

Nem ez volt az ok. Pontosan tudtam, Pip miért csinálta ezt. Le akarta körözni Rooney-t. Vagy legalább egyenlőnek lenni vele.

– Ez a feltétel – mondta. – Ha azt akarod, hogy részese legyek ennek, társrendező akarok lenni.

Rooney összeszorította a száját.

– Rendben.

Pip szélesen mosolygott. Ezt a kört megnyerte.

– Haladjunk! – mondta Rooney, és a következő diára kattintott.

3. rész: Az ötödik tag
a) Megtalálni
b) Becsábítani
c) A Shakespeare Társulat jóváhagyást kap mint teljes társulat
d) SIKER

– Becsábítani? – kérdeztem.

– Szent ég! – mondta Pip.

Jason kuncogott.

– Úgy hangzik, mintha embereket próbálnánk meggyőzni, hogy csatlakozzanak egy szektához.

– Igen, nos… – fújtatott Rooney. – Nem tudtam, hogy másképp fogalmazzam meg ezt. Csak találnunk kell egy ötödik embert – folytatta.

– Körbekérdeznétek mindenkit, hátha valakit érdekel? Minden kárba vész, ha nem tudunk összeszedni egy ötödik embert. Én is körbekérdezek.

Mindhárman beleegyeztünk, hogy megkérdezzük az embereket, akiket ismerünk, de én nem voltam egészen biztos, kit tudnék megkérdezni, mivel az összes barátom itt ült az asztalnál.

– Tényleg elgondolkoztál ezen az egészen – mondta Pip.

Rooney elmosolyodott.

– Lenyűgözött?

Pip összefonta a karját.

– Nem, csak… nem igazán, nem. Megtetted a minimumot, ami rendezőként elvárható tőled…

– Ismerd be! Lenyűgöztelek.

Jason megköszörülte a torkát.

– Szóval… próba ezen a héten?

Rooney mosolya széles vigyorrá vált. A kezével az asztalra csapott, magára vonva a helyiségben a legtöbb ember figyelmét.

– *Igen!*

Megegyeztünk a dátumban és az időpontban, aztán Pipnek és Jasonnek mennie kellett, Pipnek a laborba, Jasonnek egy szemináriumra. Amint elhagyták a kávézót, Rooney felállt, és átvetette magát az asztalon, hogy megöleljen. Én csak ültem ott, és hagytam megtörténni.

Ez volt az első ölelésünk.

Épp azon voltam, hogy megmozdítsam a karomat és visszaöleljem, amikor elhúzódott, leült, és lesimította a lófarkát. Az arca ismét a szokásos Rooney-arcra váltott: egy könnyed mosoly.

– Ez csodálatos lesz – mondta.

A társulatunk két sztárszínészből állt, akik mindketten irányítani akartak, egy lányból, aki minden alkalommal hányt, amikor szerepelnie kellett, és egy fiúból, aki esetleg életem szerelme lehet.

Abszolút katasztrófa lesz, de ez nem állította meg egyikünket sem.

KÉZBE KÉZ

– Ez tökéletes – mondta Rooney pontosan abban a pillanatban, amikor Jason megpróbált besétálni a helyiségbe, és olyan erősen beverte a fejét az ajtókeret tetejébe, hogy olyan hangot adott ki, mint egy megrémült macska.

Becsületére legyen mondva, Rooney *megpróbált* lefoglalni egy rendes helyiséget az első Shakespeare társulati próbánkhoz. Megkísérelte lefoglalni az egyetemi épületek egyik óriási termét a katedrális közelében, ahol egy csomó zene- és drámatársulat próbált. Megpróbált lefoglalni egy tantermet is az Elvet Riverside épületében, ahol az előadásaink és a szemináriumaink voltak, és ahol majd vizsgázunk.

De Sadie nem válaszolt Rooney e-mailjeire, és a DDSZ engedélye nélkül Rooney nem foglalhatott le helyiséget a Shakespeare Társulat számára.

Rámutattam, hogy talán próbálhatnánk egyszerűen a hálószobánkban, de Rooney ragaszkodott hozzá, hogy találjunk egy igazi próbahelyet.

– Hogy hangulatba jöjjünk – mondta.

És így kötöttünk ki végül egy roskadozó teremben, az évszázados kollégiumi kápolnában, olyan alacsony mennyezettel, hogy Jasonnek, aki százkilencvenkét centi magas, ténylegesen össze kellett magát húznia egy kicsit, hogy besétálhasson. A szőnyeg kopottas és elnyűtt volt, és lógott egy foszladozó vasárnapi iskolai plakát a falon, de csendes volt, és ingyenesen használható, és ez minden, amire igazából szükségünk volt.

Pip facetime-ozott a szüleivel, amikor belépett a terembe, ahhoz túl gyorsan beszélt spanyolul, hogy a kisérettségi szintű készségemmel megértsem, és kissé dühösnek látszott, mivel az anyukája folyton félbeszakította.

– Egy órája beszélget velük – magyarázta Jason, amint leült a fejét dörzsölgetve. Leültem a mellette lévő székre. Pip szülei nagyon gyengéd módon mindig némileg túlzottan védelmezőek voltak. Én nem beszéltem a szüleimmel múlt hét óta.

– Kivel beszélsz? – kérdezte Rooney átszökdécselve Piphez, és lopott egy pillantást a válla fölött.

– *Ki ez, nena?*[4] – kérdezte Pip apukája. – *Végre szereztél magadnak egy barátnőt?*

– NEM! – rikácsolta azonnal Pip. – Ő… ő határozottan nem az!

Rooney széles vigyorral integetett Pip szüleinek.

– Jó napot! Rooney vagyok.

– Nézzétek, mennem kell – csattant fel Pip a telefonba.

– *Mit tanulsz, Rooney?*

Rooney közelebb hajolt a telefonhoz, és ennek eredményeként Piphez is.

– Angol irodalmat! És én meg Pip együtt vagyunk a Shakespeare Társulatban.

Pip igazgatni kezdte a haját, láthatólag azért, hogy az egész karját a teste és Rooney-é közé tegye.

– Most megyek! Szeretlek titeket! *¡Chau!*[5]

– Óóó… – mondta Rooney, amint Pip bontotta a hívást. – A szüleid olyan cukik. És kedvelnek engem!

Pip felsóhajtott.

– Most minden egyes alkalommal, amikor felhívnak engem, rólad fognak kérdezni.

Rooney vállat vont és elsétált.

---

[4] Spanyolul lány, lányka.
[5] Elköszönés spanyolul.

– Ők nyilvánvalóan látják, hogy jó barátnő lennék. Csak mondom.

– És miért?

– A vonzerőm és intelligenciám, nyilvánvalóan. Ezt már megbeszéltük.

Vártam, hogy Pip visszavágjon, de nem tette. Egy kicsit elvörösödött, aztán nevetett, mintha tulajdonképpen szórakoztatónak találná Rooney-t.

Rooney megfordult – ettől a lófarka keresztülszelte a levegőt –, és megfejthetetlen arckifejezéssel nézett.

Húsz percbe telt, mire tényleg elkezdtük a próbát, nagyrészt, mert Pip és Rooney abba nem hagyták volna a civakodást. Először arról, ki fogja játszani Rómeót és Júliát, aztán arról, a *Rómeó és Júlia* melyik részét adjuk elő, végül arról, hogyan adjuk elő.

Még azután is, hogy megegyeztek a „Jason és én mint Rómeó és Júlia"-szereposztásban, Pip és Rooney újabb tizenöt percet töltöttek körbe-körbetoporzékolva a teremben, kitalálva a jelenetet, és szenvedélyesen ellenkezve egymással tök komolyan mindenen, míg Jason úgy nem döntött, hogy valószínűleg közbe kéne lépnünk.

– Ez nem működik – mondta. – Nem társrendeztek.

– Eh, de *igen,* azt tesszük – mondta Pip.

– Van néhány kisebb művészeti nézeteltérésünk – mondta Rooney. – De ettől eltekintve ez abszolút jól működik.

Felhorkantottam. Pip haragos tekintetet vetett rám.

Rooney az egyik kezét a csípőjére tette.

– Ha Felipa csak egy kicsit is kompromisszumkész lenne, akkor a dolgok egyszerűbbek lennének.

Pip harciasan Rooney fölé tornyosult. Vagy legalábbis próbált, de nem egészen tudott, mert Rooney több centivel magasabb volt, mint Pip még a hajával együtt is.

– Nem adtam engedélyt, hogy Felipának szólíts – mondta.

– Ez rossz – motyogtam Jasonnek. Egyetértően bólintott.

– Mi lenne, ha csak improvizálnánk? – kérdezte. – Hadd kezdjük el Georgiával a jelenetet, és majd onnan folytathatjuk.

A két társrendező vonakodva beleegyezett, és minden rendben volt egy rövid pillanatig.

Amíg rá nem jöttem, hogy előadni készülök egy *Rómeó és Júlia*-jelenetet Jason Farley-Shaw-val.

Szerettem szerepelni. Szerettem belépni egy karakterbe, és úgy tenni, mintha valaki más lennék. Szerettem dolgokat mondani, és olyan módon viselkedni, ahogyan sosem tenném a való életben. És tudtam, hogy jó is vagyok benne.

A közönség volt az, ami idegessé tett, ami ebben az esetben Pip és Rooney volt. És plusznyomást jelentett *egy romantikus jelenetet előadni Jasonnel, a legjobb barátommal, akivel amúgy randiztam*. Remélhetőleg érthető, hogy nagyon ideges voltam, amikor belekezdtem ebbe a jelenetbe.

A *Rómeó és Júlia*-példányok ott voltak a kezünkben. Nos, az enyém némileg a karomban volt, mert az óriási *Shakespeare Oxfordi Antológiája* kötetemet használtam. Jasoné volt az első sor. Pip és Rooney leültek a székre – egy helyet kihagytak maguk között –, és figyeltek.

– *Szentségtelen kézzel fogom* – kezdte Jason – *ez áldott, Szentséges oltárt, ezt a lágy kacsót, De ajkam – e két piruló zarándok – Jóváteszi s bűnöm föloldja csók.*[6]

Oké. Éld át! Egy romantikus főszereplő vagyok.

– *Zarándok* – mondtam a könyv szavainak felolvasására fókuszálva, és próbáltam nem túlgondolkodni a kézfogást –, *a kezed mivégre bántod?*

– Várj, Georgia! – vágott közbe Pip. – Egy kicsit távolabb helyezkednél Jasontől? Csak az *epekedést* hangsúlyozni.

– És aztán egy kicsit közelebb léphetnél hozzá, miközben beszélsz – mondta Rooney. – Mármint ez az első igazi találkozótok, és máris megszállottan odavagytok egymásért.

Pip ránézett.

– Igen. Jó ötlet!

Rooney enyhe szemöldökrándulással viszonozta a tekintetét.

– Köszönöm.

Csináltam, ahogy utasítottak, és folytattam.

---

[6] Kosztolányi Dezső fordítása.

– Hisz jámbor áhítat volt az egész. A szent kezét is illeti zarándok, és csókolódzik akkor kézbe kéz.

– Határozottan van itt egy érintés – mondta Rooney.

Jason kitartotta a kezét nekem, én pedig megérintettem az enyémmel. Éreztem, ahogy az idegesség hulláma átáramlik rajtam.

– Szentnek s zarándoknak – mondta Jason egyenesen rám bámulva – hát nincs-e ajka?

Éreztem, hogy elvörösödöm. Nem azért, mert izgatott voltam, vagy a jelenet romantikájától. Hanem mert kényelmetlenül éreztem magam.

– Van – feleltem –, ámde csak imádkoznak vele.

– Georgia – mondta Pip –, lehetek őszinte?

– Igen?

– Ez elvileg egy szuper kacér sor, de te egyszerűen úgy nézel ki, mintha szarnod kéne.

Kipréseltem magamból egy nevetést.

– Hűha!

– Tudom, hogy ez csak egy olvasópróba, de… izé… lennél romantikus?

– Igyekszem.

– Igen?

– Ó, istenem! – Összecsaptam a könyvet, őszintén szólva, egy kicsit bosszúsan. Nem voltam rossz színész. A színjátszás azon kevés dolgok egyike, amiben tényleg kitűntem. – Olyan kíméletlen vagy.

– Elkezdhetnénk újra az elejétől?

– Rendben.

Jason és én visszaálltunk, és újra kinyitottam a könyvemet. Oké. Én voltam Júlia. Szerelmes voltam. Épp találkoztam ezzel a szuperdögös, tiltott fiúval, és megszállottan odavoltam érte. Meg tudtam csinálni.

Átolvastuk, míg el nem jutottunk megint az „ajkak" részig, és Jason keze az enyémet fogta.

– Ó, szent – mondta Jason –, kezed ajkad kövesse, rajta, halld meg imám, ne lökj pokolba le.

Jason mindent beleadott. Istenem, kényelmetlenül éreztem magam.

– A szent csak áll, bár hallja az imát.

– *Állj s a jutalmat én veszem im át.*

Jason hirtelen félszegen pillantott rám, aztán Rooney-hoz és Piphez fordult, és azt mondta:

– Minden bizonnyal itt csókolózunk.

Rooney örömében összecsapta a kezét.

– *Igen.*

– Kétségkívül – mondta Pip.

– Csak egy picit.

– Nemtom. Azt hiszem, itt lehetne egy rendes csók.

Rooney a szemöldökét vonogatta.

– Óóó! Felipa benne van a dologban…

– Jobb szeretném – mondta Pip –, ha nem hívnál így.

Pip igazán, igazán nem szerette, ha Felipának hívták. A Pip nevet használta, amióta csak ismertem. Mindig azt mondta, hogy jobban preferál egy férfias hangzású nevet – kivéve, ha a családtagjai használták –, a Felipát egyszerűen nem érezte a magáénak.

Rooney önelégült mosolya leolvadt, ahogy Pip hangneme megváltozott.

– Oké – mondta Rooney több őszinteséggel, mint ahogy eddig beszélni hallottam Piphez. – Persze. Sajnálom.

Pip megborzolta a haját, és megköszörülte a torkát.

– Köszönöm.

Egymásra bámultak.

Aztán Rooney azt mondta:

– Mit szólnál, ha inkább *Pipszkálódó*nak hívnálak?

Pip úgy nézett ki, mint aki mindjárt kitör, de Jason megszólalt, mielőtt belekezdhettek volna egy kivirágzó vitába.

– Szóval a csók.

– Nem kell most megcsinálnotok – mondta Pip gyorsan.

– Nem – értett egyet Rooney. – A jövőbeli próbákon, de nem most.

– Oké – mondtam, és megkönnyebbülten hátraléptem egy kicsit.

Nyilvánvalóan nem akartam emberek előtt megcsókolni Jasont. És nem akartam, hogy az első csókom egy színdarabban legyen.

Valószínűleg emiatt éreztem kínosan magam. Valószínűleg emiatt nem hoztam a legjobb formámat.

Valószínűleg emiatt volt, hogy Júlia, az irodalomtörténet egyik legromantikusabb szerepe, kicsit hányingert okozott számomra.

– Ez nem volt… olyan… kínos vagy mi, igaz? – suttogta nekem Jason, amint összepakoltunk húsz perccel később.

– Mi? Nem. Nem, ez… ez jó volt. Nagyszerű. Nagyszerű volt. Te nagyszerű voltál. Nagyszerűek leszünk. – Túl sok, Georgia.

Megkönnyebbülten felsóhajtott.

– Oké. Jó.

Egy pillanatig elgondolkoztam rajta, majd mielőtt lebeszélhettem volna magam, azt mondtam:

– Nem akarom, hogy az első csókunk egy színdarabban legyen.

Jason lefagyott az egymásra rakott székek között. Csak egy másodpercre. Az arca kipirult.

– Öhm, nem. Határozottan nem.

– Igen.

– Igen.

Amikor megfordultunk, láttam, hogy Pip ránk néz a terem másik oldaláról, a tekintete gyanakodva összeszűkült. De mielőtt bármit mondhatott volna, Rooney megszólalt:

– Valaki körbekérdezett, hogy megtalálja az ötödik tagunkat?

– Nincsenek más barátaim – mondtam azonnal, mintha nem lett volna már mindenki teljesen tisztában ezzel.

Jason kilépett a teremből, így végre teljes magasságában fel tudott egyenesedni.

– Én megpróbálhatom megkérdezni néhány Kastély-beli barátomat, de… Nem vagyok biztos benne, hogy igazán színészkedő típusok.

– Én már megkérdeztem a Kastély-beli barátaimat – mondta Pip. – Nemet mondtak – fordult Rooney-hoz. – Neked nincs vagy ötven legjobb barátod? Nem tudsz találni valakit?

Rooney arckifejezése hirtelen elkomorult, és egy rövid pillanatra őszintén mérgesnek tűnt. De aztán elmúlt. Megforgatta a szemét, és azt mondta:

– Nincs ötven barátom.

De nem mondott ennél többet.

Egyetértettem Pippel. Kicsit furcsa volt, hogy Rooney, aki legalább kétszer a héten eljárt partizni, és a legtöbb másik napon lent volt a bárban, nem ismer egyetlen embert sem, aki csatlakozhatott volna.

– Mi a helyzet a college férjeddel? – javasoltam. Végül is barátoknak kell lenniük.

Rooney megrázta a fejét.

– Nem hiszem, hogy igazán szereti a színházat.

Talán nem is állt annyira közel ezekhez az emberekhez, mint gondoltam.

Ahogy mind ott álltunk kint az őszi hidegben, a macskaköves utcán, és búcsúzkodtunk, azon tűnődtem, hogy Rooney mindenekelőtt miért foglalkozik ezzel ennyire. Annyira, hogy ennyit fáradozzon: elindítani egy új társulatot, rendezőnek lenni, a saját színdarabját előadni.

Most már néhány hete ismertük egymást. Tudtam, hogy egy szexpozitív partilány és Shakespeare-rajongó, aki tudott mosolyogni, hogy megkedveltesse magát.

De hogy *miért* tette mindazt, amit tett?

Ötletem sem volt.

MACSKA ÉS A FORRÓ KÁSA

GEORGIA WARR, FELIPA QUINTANA

Felipa Quintana
ROONEY

Georgia Warr
valójában a nevem Georgia

Felipa Quintana
Csak tudni akartam, hogy egy ember, aki ennyire dögös, hogy tud ilyen kibaszott idegesítő lenni

Georgia Warr
ó jó
végre beszélni fogunk a macskáról és a forró kásáról

Felipa Quintana
Milyen macska???

Georgia Warr
hogy baromira belezúgtál rooney bachba

Felipa Quintana
Uh várj várj várj
Úgy értem, TÁRGYILAGOSAN dögös
Nem vagyok belezúgva

Georgia Warr
aldkjhgsldkfjghlkf

Felipa Quintana
NEM VAGYOK BELEZÚGVA EGY HETERÓ LÁNYBA

Georgia Warr
lol

Felipa Quintana
Megölnénk egymást ha randiznánk
Amit nem fogunk mert ő heteró
És nem kedvelem őt úgy
És szuper idegesítő és mindig a saját feje után kell mennie
És arra vagyok ítélve, hogy 1 életre magányos meleg legyek

Georgia Warr
egyre mélyebbre ásod magad ebben a gödörben

Felipa Quintana
TÉMÁT VÁLTOK
Van egy kérdésem

Georgia Warr
ki vele csajszi

Felipa Quintana
Lehet... hogy csak kitaláltam ezt az egészet, de... van valami
közted és Jason között???

Elmondta nekem hogy találkoztatok csak ti ketten a minap
és nemtom ez majdnem úgy hangzott mint egy randi vagy mi
hahaha

Georgia Warr
furcsának találnád? ha randiztunk volna?

Felipa Quintana
Nemtom
Változás lenne

Georgia Warr
nos azt hiszem még nem igazán tudom mi a helyzet ezzel

Felipa Quintana
Szóval tetszik??

Georgia Warr
nem igazán tudom... talán...
úgy döntöttünk megnézzük mi történik

Felipa Quintana
Hm
Oké

GEORGIA WARR, JASON FARLEY-SHAW

Georgia Warr
az előbb elmondtam pipnek, hogy potenciálisan találkozgatunk
egymással

Jason Farley-Shaw
Óó BASZKI oké!
Hűha
Mit mondott?

Georgia Warr
csak azt mondta „Hm oké"

Jason Farley-Shaw
Ó istenem akkor dühös

Georgia Warr
nem hiszem hogy mérges
valószínűleg csak összezavarodott

Jason Farley-Shaw
Érthető azt hiszem
Ez valamiféle váratlan fejlemény

Georgia Warr
de túl lesz rajta igaz? úgy értem nem lesz gondja vele?

Jason Farley-Shaw
Nem
Biztosan

GEORGIA WARR, ROONEY BACH

Georgia Warr
hé tükörtojás hol vagy??

Rooney Bach
Bulizni!!!!! ☺

Georgia Warr
ma este visszajössz? megvitatnivaló dolgaim vannak

Rooney Bach
Óóóóóó DOLGOK
Milyen dolgok? szeretem a dolgokat

Georgia Warr
nos
nemtom mit csináljak legközelebb jasonnel
szóval beidézlek segédkezni
hacsak nem akarsz a buliban maradni, semmi nyomás haha

Rooney Bach
Nem az emberek egyszerűen unalmasak és részegek és nem
vagyok abban a hangulatban hogy bárkivel összejöjjek
Tükörtojás úton van

Georgia Warr
siess, tojás

AZ „X" BETŰ

– És kész – mondta Rooney, ahogy rákoppintottam a küldésre.

Georgia Warr
Szóóóóval akarsz megint találkozni ezen a hétvégén?

Egymás mellett ültünk az ágyam fejtámlájának dőlve, Rooney még mindig teljes bulizós öltözékben, én pedig valami karácsonyi pizsamában a tény ellenére, hogy kora november volt.

– Mit csináljak a randin? – kérdeztem az üzenetet bámulva, míg vártam, hogy Jason megnézze.

Rooney belekortyolt a buli utáni teájába.

– Amit csak akarsz.

– De kell csókolóznunk a második randin?

– Semmit sem *kell* csinálnod.

Rooney-hoz fordultam, de túl közel ültünk, szóval csak megpillantottam a laza hullámokká göndörödött sötét haját.

– Te csókolóznál a második randin?

Rooney felhorkantott.

– Én nem járok randizni.

– De voltál már ezelőtt randin.

Néma maradt egy pillanatig.

– Azt hiszem – mondta végül. – De általában csak a szexet részesítem előnyben.

– Ó...

– Ne érts félre, valószínűleg *kellemes* lenne kapcsolatban lenni. És néha találkoztam valakivel, és azt gondoltam, talán... – Tartott egy kis szünetet mondat közben, aztán legördült az ágyamról, és átsétált a sajátjához. – Csak... nos, mindig rossz emberbe esem bele. Szóval mi értelme?

– Ó...

Nem mondott ennél többet, és durvának tűnt erőltetni, és a részletekről kérdezni. Inkább elkezdte felvenni a pizsamáját, és határozottan láttam, hogy vetett egy pillantást a róla és a hableányhajú Bethről készült fotóra.

Talán Beth az egyik exbarátnője. Vagy csak bele volt zúgva. Nem mintha lett volna bármi bizonyítékom, hogy Rooney kedveli a lányokat, de nem volt lehetetlen.

– Nincs semmi rossz abban, ha csak szexelsz – mondta, amint ágyba bújt.

– Tudom – feleltem.

– Egyszerűen a kapcsolatok nem valók nekem, azt hiszem. Sosem végződnek jól.

– Oké.

Hirtelen kiugrott az ágyból azt motyogva, *Roderick,* és odaszaladt meglocsolni. Roderick egy kicsit rosszabbul nézett ki, hogy őszinte legyek, úgy tűnt, Rooney meglehetősen gyakran felejtette el megöntözni. Öt perccel azután, hogy végzett, már aludt is, míg én fennmaradtam, és felváltva bámultam a kék árnyalatú plafont és görgettem a telefonomat. Stresszeltem, hogy vajon meg kell-e csókolnom Jasont a második randinkon.

Mi van, ha tényleg nem kedvelem a srácokat, és emiatt olyan nehéz eligazodni ebben az egészben?

Amint a gondolat átvillant az agyamon, meg kellett vizsgálnom távolabbról. Megnyitottam a Safarit a telefonomon, és begépeltem: „meleg vagyok?".

Egy csomó link ugrott fel, a legtöbb használhatatlan internetes kvíz, amiről azonnal tudtam, hogy haszontalan és pontatlan. De egyvalami megragadta a tekintetemet: *a Kinsey-skála teszt.* Elkezdtem olvasni a Kinsey-skáláról. A Wikipédia elmagyarázta, hogy ez a szexuális orientáció skálája, ami nullától, a „kizárólagosan heteroszexuálistól", hatig, a „kizárólagosan homoszexuálisig" tart.

Kíváncsi voltam, és frusztrált, ezért elvégeztem a tesztet, próbáltam csak ösztönösen válaszolni a kérdésekre, és semmit sem túlgondolni. Amikor befejeztem, a „beküldöm a válaszokat"-ra kattintottam, és vártam.

És egy szám helyett az *X* betű ugrott fel.

Nem mutattál semmilyen szexuális preferenciát. Próbáld módosítani a válaszaidat!

Elolvastam és újraolvastam ezeket a mondatokat.

Én... rosszul csináltam a tesztet.

Biztosan rosszul csináltam a tesztet.

Visszatértem a kérdéseimhez, és keresni kezdtem, hol változtathatnék a válaszaimon, de nem találtam olyat, amire pontatlanul feleltem volna, szóval egyszerűen úgy döntöttem, hogy kilépek a böngészőből.

Valószínűleg csak egy hibás teszt volt.

MR. ÖNBIZALOM

– Jól nézel ki! – Ez volt az első dolog, amit Jason mondott nekem, amikor a Gala mozi előtt találkoztunk szombat délután.

– Ó, öhm, köszönöm… – mondtam lenézve magamra. Valami khakiszínű overallt választottam alatta egy Fair Isle pulcsival. De a ruházatom nagy részét elrejtette az óriási kabátom, mert Durhamben már tíz fok alá csökkent a hőmérséklet, én pedig nem viseltem jól a hideget. Jason viszont a mackókabátját és fekete farmert viselt, ahogy szinte egész évben.

– Arra gondoltam – mondta, miközben besétáltunk az épületbe –, hogy a mozi valószínűleg szörnyű ötlet egy… egy, izé, találkozóhoz.

Azt akarta mondani, hogy „egy randihoz". Tehát ő is tudta, hogy ez egy randi.

Készen állok.

– Igen. Gyerünk, találkozzunk, és ignoráljuk egymást két órán át – kuncogtam.

– Tulajdonképpen. Őszintén szólva úgy gondolom, elég pihentetőnek hangzik.

– Ez igaz.

– Azt hiszem, a tökéletes házasság két emberből állhat, akik kényelmes csendben tudnak ülni egymás mellett huzamosabb ideig.

– Lassíts – mondtam –, még nem vagyunk házasok.

Erre egy harsány, némiképp megbotránkozott nevetést eresztett meg. Szép. Flörtölhetnék. Profi vagyok benne.

Egy félórája néztük a filmet, amikor a tűzjelző beindult. Addig a pontig a dolgok elég jól mentek. Jason nem próbálta megfogni a kezem, körém fonni a karját, és hála istennek, megcsókolni sem. Egyszerűen két barát voltunk, akik filmet néztek a moziban. Nyilvánvaló, hogy nem akartam, hogy ezek közül bármelyiket megtegye, mert szörnyen klisés lett volna, és majdhogynem mocskos.

– Nos, most mi legyen? – kérdezte, amint a mozi előtt álltunk a hidegben. Úgy tűnt, senki nem tudja, a tűz igazi volt-e, de nem úgy tűnt, hogy a közeljövőben visszamennénk. A személyzet tagjai egyszerűen kijöttek, és moziutalványokat osztogattak.

Kicsit szorosabbra húztam magam körül a kabátomat. Nem így képzeltem el ezt a délutánt. Azt reméltem, hogy egymás mellett ülünk majd csendben két órán át, megnézünk egy kellemes filmet, aztán hazamegyünk.

De nem fejezhettük be most a randit. Az kínos lett volna. Az nem lett volna randihoz illő viselkedés.

– Öhm… Azt hiszem, egyszerűen visszamehetnénk a college-ba, és teázhatnánk, vagy valami… – mondtam. Úgy tűnt, hogy az egyetemen ez volt az a dolog, amivel az emberek szocializálódtak. Tea a hálószobákban.

Ó, várjunk! Hálószoba. Jó ötlet a hálószobába menni? Vagy ez azt jelentené…

– Igen – mosolygott Jason, zsebre dugta a kezét. – Igen, ez jól hangzik. Akarsz jönni az enyémbe? Nézhetnénk egy filmet a szobámban, vagy valami…

Bólintottam.

– Igen, ez jól hangzik.

Oké.

Ez rendben volt.

Meg tudom csinálni.

Normális tudok lenni.

Fel tudok menni egy fiú szobájába egy randin, és meg tudok tenni bármit, ami ezzel általában együtt jár. Beszélgetés. Flörtölés. Csókolózás. Talán szex.

Bátor vagyok. Nem kell hallgatnom a saját gondolataimra. Meg tudom csinálni ezt az egészet.

Igazából nem szeretem a teát, amit Jason nyilvánvalóan tudott, és automatikusan forró csokoládét csinált nekem helyette.

Saját szobája volt, akárcsak Pipnek és a legtöbb diáknak a Durhamben, ami azt jelentette, hogy a szoba kicsi volt. Talán a Rooney-val közös szobánk harmada egy egyszemélyes ággyal. A berendezés azonban nagyjából ugyanaz: egy régi durva szőnyeg, sárga betontégla falak és IKEA bútorzat. A lepedője sima kék volt. Egy laptop és néhány könyv feküdt az éjjeliszekrényén, és néhány pár cipő takarosan felsorakoztatva a radiátor alatt.

De nem ezeket vettem észre először. A fal volt, amit először észrevettem.

A fal teljesen üres volt, eltekintve egy bekeretezett Sarah Michelle Gellar és Freddie Prinze Jr. fényképtől a *Scooby Doo 2: Szörnyek póráz nélkül*ből.

Megnéztem.

Jason nézte, ahogyan nézem.

– Vannak kérdéseim – mondtam.

– Érthető – felelte, bólintott, és leült az ágyára. – Öhm, emlékszel Edwardra? A régi iskolámból. Ő adta nekem.

Befejezte a mondatot, mintha ez lett volna a sztori vége.

– Folytasd! – mondtam.

– Szóval… Oké, le kellene ülnöd, ha ezt meg akarom magyarázni – veregette meg a helyet maga mellett az ágyon.

Ez egy kissé idegessé tett. Nem mintha lett volna más hely a szobában, ahová le lehetett volna ülni, és nem csinálta ezt különösen flörtölős módon, szóval úgy véltem, rendben van.

Leültem mellé, az ágy szélére a forró csokoládémat szorongatva.

– Szóval mind tudjuk, hogy Scooby Doo-rajongó vagyok…

– Nyilvánvalóan.

– És Sarah Michelle Gellar- meg Freddie Prinze Jr.-rajongó is.

– Értem… oké, persze.

– Oké. Szóval a régi iskolámban, mielőtt átjöttem végzősként, úgy is-
mertek, mint a srác, aki sosem csókolt meg senkit.

– Mi van? – kérdeztem. – Ezt sosem mondtad el.

– Nos, tudod, otthagytam azt az iskolát, mert olyan… – Elfintoro-
dott. – Egy csomó srác ott… Úgy értem, fiúiskola volt, és az emberek a
szart is kiszekálták egymásból minden apró dologért.

– Igen.

Jason mesélt nekünk egy kicsit erről azelőtt. Hogy az emberek a régi
iskolájában többnyire szemetek voltak, és nem akart többé ilyesféle kö-
zegben lenni.

– Szóval zavarta őket, hogy sohasem csókolóztam. És hát… egy cso-
mót piszkáltak emiatt. Semmi durvulás, de, igen, azért számított. Min-
denki azt gondolta, hogy ez eléggé fura.

– De most már csókolóztál emberekkel – mondtam. – Mármint…
volt egy barátnőd ezelőtt.

– Az mind utána volt. Azelőtt ez volt *az a dolog,* ami miatt az embe-
rek piszkáltak. És tudod… ilyenekkel jöttek, hogy azért van, mert csú-
nya vagyok, pattanásos, szeretem a musicaleket, és ehhez hasonló hülye
szarságok. Most már nem zavar az ilyesmi, de azt hiszem, zavart, ami-
kor fiatalabb voltam.

– Ó… – mondtam, de a hangom hirtelen rekedtnek hangzott. –
Ez szörnyű.

– Amikor tizenegyedikben leléptünk, Ed adta nekem ezt a bekerete-
zett fotót – mutatott a képre. – Sarah és Freddie. És Ed azt mondta, *ez
egy szerencsehozó talizmán, ami segít barátnőt szerezni.* Mindketten iga-
zán szerettük a Scooby Doo-filmeket, és állandó poénunk lett, hogy Sa-
rah Michelle Gellar és Freddie Prinze Jr. a romantika csúcsa, mert háza-
sok a való életben, a képernyőn pedig szerelmesek. Minden alkalommal,
amikor valakinek, akit ismertünk, kapcsolata lett, azt kérdeztük, *de Sa-
rah és Freddie szintjén vagytok, haver?* Én… igen. Oké. Ez furcsán hang-
zik, amikor megpróbálom elmagyarázni.

– Nem, ez vicces – mondtam. – Csak remélem, nem válnak el a közeljövőben.

Bólintott.

– Igen. Az eléggé elfuserálná az egész dolgot.

– Igen.

– Mindenesetre, azután, hogy nekem adta a képet, úgy egy héttel később életemben először csókolóztam – kuncogott Jason. – Úgy értem, szar csók volt, de… Azt hiszem, letudtam. Szóval *ez* egy szerencsét hozó talizmán.

Jason úgy mesélte el ezt a történetet, mint egy vicces anekdotát, amin, felteszem, nevetnem kellett volna. De nem volt vicces.

Valójában kibaszottul szomorú volt.

Emlékeztem az első csókjának a történetére a lánnyal, aki nem igazán tetszett neki. Elmondta nekem és Pipnek, hogy nem volt nagyszerű, de boldoggá tette, hogy megvolt. Ám most, hogy hallottam mindezt Jasonről, rájöttem, mi történt valójában.

Úgy érezte, hogy nyomást gyakorolnak rá az első csókja miatt. Mivel az emberek terrorizálták, mert még nem csókolt meg senkit, kényszerítette magát, hogy megtegye, és ez rossz volt.

Egy csomó tinédzser ezt teszi. De Jasontől hallani igazán, igazán dühössé tett.

Tudtam, milyen, ha rosszul érzed magad attól, hogy még nem csókoltál meg senkit.

És hogy milyen a nyomás, hogy megtedd, mert mindenki más is megtette.

Mert furcsa, ha nem tetted.

Mert ez az emberi lét lényege.

Mindenki ezt mondta.

Jason felnézett a képre.

– Vagy talán mégsem egy szerencsehozó talizmán. Azt hiszem, a romantikus tapasztalataim mostanáig nem voltak… nagyszerűek – fordította el a tekintetét. – Egy szar első csók, és aztán… Aimee.

– Igen, Aimee undorító ember volt.

– Azt hiszem, csak azért maradtam Aimee-vel olyan hosszú ideig, mert féltem szingli lenni, és… hogy újra az az ember legyek. Az emberek leszartak engem évekig, mert én... Nemtom, *szeretetre méltatlan* vagyok, vagy ilyesmi. Ha szakítok Aimee-vel, azt gondoltam, örökre szeretetre méltatlan leszek. – A hangja elhalkult. – Tényleg azt hittem, ő a legjobb, amit érdemlek.

– Többet érdemelsz! – vágtam rá azonnal. Tudtam, hogy ez igaz, mert szerettem. Talán nem *szerelemmel,* még nem, de szerettem.

– Köszönöm – mondta. – Úgy értem, tudom. Most már tudom.

– Oké, Mr. Önbizalom.

Nevetett.

– Csak azt kívánom, bár elmondhatnám ezt a tizenhat éves önmagamnak.

Álszent voltam. Pontosan azt csináltam, amire Jason kényszerítette magát évekkel ezelőtt. Tapasztalatok, csókok, kapcsolatok – mindez azért, mert félt más lenni. Félt az a srác lenni, aki senkit nem csókolt meg.

Ez pontosan az, amit én is épp csináltam. És a végén bántani fogom őt.

Talán csak el kellene mondanom neki most. Elmondani, hogy le kéne állnunk ezzel, befejezni, és csak barátoknak maradni.

De talán, ha kitartok még egy kicsikét, szerelmesek leszünk, és többé nem gyűlölném magam.

Mielőtt esélyem lett volna újra megszólalni, Jason már a fejtámlához húzódott, és felnyitotta a laptopját.

– Akkor... Egy film? – Megütögette az ágyat maga mellett, és kihúzta a takarót maga alól. – Választhatsz, mivel én választottam a mozifilmet.

Mellé húzódtam szemrevételezni a filmkínálatot. Betakarta a lábát a takaróval. Mi van, ha mindez az előjele annak, hogy szexeljünk? Vagy legalább csókolózzunk? Ez lenne a normális pillanat, amikor elkezdenénk csókolózni, igaz? A randizó emberek nem csak ücsörögnek a film alatt. Tíz percig húzzák, aztán csókolózni kezdenek. Ezt kellett volna tennem? Már a puszta gondolattól is sírni akartam.

Választottam valamit, és csendben néztük. Még mindig idegeskedtem. Nem tudtam, mit tegyek. Nem tudtam, mit *akarok* tenni.

– Georgia? – szólalt meg Jason körülbelül húsz perc után. – Jól... vagy?

– Öhm… – Kiborultam. Nagyrészt kiborultam. Kedveltem Jasont, és akartam vele lógni meg filmet nézni. De semmi mást nem akartam csinálni. Mi van, ha a szexualitásom csak egy *X* betű, ahogy a Kinsey-skála mondta? – Igazából egy kicsit rosszul érzem magam.

Jason felült a fejtámlától.

– Ó, ne! Mi a baj?

Megráztam a fejem.

– Nem betegség, én csak… csak egy kicsit fáj a fejem, őszintén szólva.

– Be akarod fejezni mára? Egy kicsit pihenned kéne, vagy valami.

Istenem, Jason annyira kedves volt!

– Nem lenne baj? – kérdeztem.

Komolyan megrázta a fejét.

– Természetesen nem.

Amikor elmentem, egy rövid pillanatra elsöprő megkönnyebbülést éreztem.

De aztán csak gyűlöltem magam.

SUNIL

Végül mégsem mentem vissza a St. John'sba. Egyenesen a földszintre mentem, ki a Kastély épületéből, és arra gondoltam, hogy elmegyek a Tescóhoz szerezni valami vigaszkaját estére. De aztán csak leültem a lépcsőn, és nem tudtam megmozdulni. Ezt teljesen, teljesen elszúrtam. Végül fájdalmat fogok okozni Jasonnek. És végül egyedül maradok. Örökre.

Ha nem tudok kedvelni egy srácot, aki szeretetre méltó, kedves, vicces, helyes, *a legjobb barátom...* hogy tudnék valaha bárkit kedvelni? Ez a filmekben nem így történt. A filmekben a két gyerekkori legjobb barát végül rájönne, hogy mindennek ellenére egész idő alatt egymásnak voltak teremtve, hogy a kapcsolatuk túlmutat a vonzalmon, aztán összejönnének, és boldogan élnek, míg meg nem halnak.

Velem miért nem így történik?

– Georgia? – hangzott fel egy hang a hátam mögül. Megfordultam. Meghökkentem, hogy valaki, akinek a hangját nem ismertem fel azonnal, tudta, ki vagyok. És ismét meghökkentem, amikor megláttam, hogy Sunil az, a college szülőm, aki olyan magabiztos volt, mint a Fantasztikus ötös tagjai a *Meleg szemmel*ben.

– Sunil – mondtam.

Felkuncogott. Vastag, színes kabátot viselt, és alatta egy fekete szmokingot.

– Én vagyok – felelte.

– Miért vagy a Kastélyban?

– Zenekari próba – válaszolta meleg mosollyal. – Benne vagyok a diákzenekarban, és át kellett futnunk néhány dolgot a többi csellistával. – Leült mellém a lépcsőre.

– Te csellózol?

– Igen. Egész élvezetes, de a zenekar stresszes. A karmester nem kedvel engem, mert mindig beszélgetek Jess-szel.

– Jess… a Pride Egyesület standjától? Ő is tag?

– Ja. Brácsa, szóval ő nem volt itt ma. De nagyjából mindent együtt csinálunk.

Tudtam, hogy amit mondott, aranyos dolog, de nehezemre esett bármiféle pozitív érzelmet mutatni tényleg bármivel kapcsolatban, szóval csak megpróbáltam kierőltetni egy mosolyt, ami nyilvánvalóan nem sikerült.

– Jól vagy? – vonta fel a szemöldökét.

Kinyitottam a szám, hogy azt mondjam, igen, tökéletesen jól vagyok, de helyette hisztérikusan nevetni kezdtem.

Azt hiszem, ez állt a legközelebb ahhoz, hogy valaki más előtt sírjak.

– Ó, ne! – mondta Sunil riadtan, tágra nyílt szemmel. – Határozottan nem vagy jól.

Várta, hogy mondjak valamit.

– Jól vagyok – mondtam. Ha játék baba lettem volna, ez lenne az egyik előre felvett mondatom.

– Ó, *nem!* – rázta meg Sunil a fejét. – Ez volt a legrosszabb hazugság, amit életem során hallottam.

Ez valóban megnevettetett.

Sunil megint várt, hátha részletesen kifejtem, de nem tettem.

– Nem jöttél el a Pride Egyesület gólyaheti klubestjére – folytatta kicsit felém fordulva.

– Ó, öhm, igen. – Gyengén megvontam a vállamat. – Öhm… a klubestek nem igazán az én világom.

Megkaptam az e-mailt róla, természetesen. Két héttel ezelőtt volt. *A Pride Egyesület üdvözöl téged! Gyere partizni az új QUILTBAG[7] családoddal!* Ki kellett gugliznom, mit jelent a QUILTBAG, de közben végig tudtam, hogy nem fogok elmenni. Még ha szeretnék piálni és bulizni, akkor sem mennék el. Nem tartoztam oda. Nem tudtam, vajon QUILTBAG vagyok-e, vagy sem.

Bólintott.

– Tudod, mit? Dettó.

– Tényleg?

– Aha. Nem bírom az alkoholt. Remegek tőle, és már egy kevéstől *kész* vagyok. Sokkal szívesebben tartanék egy queer filmestet vagy egy queer teapartit, tudod?

Ahogy beszélt, lepillantottam a kabátjára, és rájöttem, hogy megint viseli azokat a kitűzőket. Kiszúrtam a lila, fekete, szürke és fehér csíkokkal díszítettet. Istenem, utána akartam nézni, mit jelent. Igazán tudni akartam.

– Apropó Pride Egyesület – mondta a szmokingja felé intve –, az őszi bankettre tartok. A vezetői csapat többi tagja most készül elő, és remélem, hogy nem történt semmilyen katasztrófa.

Nem tudom, mi szállt meg, hogy megkérdezzem, de a következő dolog, amit mondtam, az volt:

– Jöhetek?

Felvonta a szemöldökét.

– Velem akarsz jönni? Nem jeleztél vissza az e-mailre.

Azt az e-mailt is megkaptam. Nem töröltem ki. Egész élénken elképzeltem, milyen lenne részt venni valami ilyesmin, magabiztosan valaminek a részévé válni.

– Segíthetnék… segíthetnék előkészülni – javasoltam.

Kedveltem Sunilt. Tényleg. Egy kicsit többet akartam vele lógni.

Látni akartam, milyen a Pride Egyesület.

---

[7] Mivel az angol LGBTQIA-t nehéz kimondani, ezért született ez a változat, amiben átrendezték a betűket anagrammaszerűen, hogy egy kimondható szót alkothassanak, plusz hozzáadtak egy U betűt, ami a unidentified, vagyis meghatározatlan rövidítése. A szó jelentése egyébként díszes, varrott szövettáska/zsák.

És el akartam felejteni, mi történt az előbb Jasonnel.

Egy hosszú pillanatig nézett rám, aztán elmosolyodott.

– Tudod mit? Miért ne? Jól jönne még egy ember, aki segít felfújni a lufikat.

– Biztos vagy benne?

– Igen!

Hirtelen megéreztem, hogy fázik a lábam. Lenéztem az overallra és a kötött pulóverre.

– Nem vagyok kiöltözve.

– Mindenki letojja, mit viselsz, Georgia. Ez a Pride Egyesület.

– De te szexin nézel ki, én pedig, mintha épp most estem volna be egy reggel kilences előadásra.

– Szexin? – nevetett, mintha valami vicces jutott volna eszébe a szóról, aztán felállt, és felém nyújtotta a kezét.

Nem tudtam semmit tenni vagy mondani, így megfogtam.

KOMOLYABBAN IS
FOGLALKOZHATTAK
VOLNA A PRIDE-ZÁSZLÓKKAL

Sunil egész végig fogta a kezemet, amíg Durhamen keresztülsétáltunk. Kissé szokatlan, ugyanakkor komfortos módon. Úgy éreztem, mintha együtt lógnék az egyik szülőmmel. Feltételezem, bizonyos szempontból ezt is tettem.

Úgy tűnt, nem érzi úgy, hogy beszélnünk kell. Csak sétáltunk. Néha meglóbálta a kezem. Körülbelül félúton elcsodálkoztam, mit is művelek. Csak be akartam kuporodni az ágyba, és azt a Jimmy/Rowan Pókember AU ficet olvasni, amit múlt éjjel kezdtem el. Nem kéne ezen a fogadáson részt vennem. Nem érdemlem meg, hogy ott legyek.

Muszáj üzenetet küldenem Jasonnek, és megmagyaráznom.

Muszáj megmagyaráznom, mi a baj velem.

Muszáj bocsánatot kérnem.

– Itt is vagyunk – mondta Sunil mosolyogva. Egy piros ajtóhoz értünk, ami bevezetett Durham számos öreg dickensi épületének egyikébe. Megnéztem a boltot, amihez kapcsolódott.

– Gregg's?

Sunil felhorkantott.

– Igen, Georgia. Az egyesületi díszvacsoránk a *Gregg's*nél van.

– Nem panaszkodom. Szeretem a kolbásztekercseket.

Kinyitotta az ajtót, mire feltárult egy szűk folyosó, ami egy lépcsősorhoz és egy táblához vezetett: *Big's Digs: Étterem és bár.*

– Kibéreltük a Big'st ma estére – mondta Sunil vidáman, felvezetett a lépcsőkön, be az étterembe. – A klubestek jók, nyilvánvalóan, de ragaszkodtam hozzá, hogy idén legyenek bankettjeink. Nem mindenki szeret bulizni.

Nem volt nagy a tér, de gyönyörű volt. Durham régi épületeinek egyikében jártunk, szóval a mennyezet alacsony volt, fagerendákkal és lágy, meleg fényekkel. Az összes asztalt takaros négyzetekbe rendezték, leterítették őket fehér abroszokkal, gyertyák, fénylő evőeszközök és színes asztaldíszek kerültek rájuk, amiken mindenféle különböző Pride-zászló szerepelt. Párat felismertem, párat nem. Néhány színes lufi csüngött a szoba sarkaiban, és zászlók szegélyezték az ablakokat. Leghátul, az egész terem fölött egy nagy szivárványos zászló volt.

– Komolyabban is foglalkozhattak volna a Pride-zászlókkal – vonta össze Sunil a szemét. Nem tudtam volna megmondani, vajon viccel-e.

Nem voltunk egyedül a teremben, páran az utolsó simítást végezték éppen a dekoráción. Gyorsan kiszúrtam a másik harmadévest, Jesst, akivel találkoztam a standnál, habár a copfjait feltűzte. Egy olyan ruhát viselt, amin apró kutyák voltak. Integetett, átugrált Sunilhoz, és köré fonta a karját.

– Ó, istenem, *végre!* – mondta.

– Hogy megy?

– Valójában jól. Csak azon vitatkoztunk, vajon csináljunk-e ültetőkártyákat, vagy sem.

– Hm… De az emberek a barátaikkal akarnak majd ülni.

– Én is így gondoltam. De Alex úgy gondolja, hogy ez káoszt fog okozni.

Megtárgyalták az ültetőkártyákat, míg én egy kissé Sunil mögött álltam, mint totyogós a szülei lába mögött egy családi összejövetelen. A szervező diákok mind harmadévesnek tűntek. Néhányan fényes, mókás öltözéket vettek fel, flitteres, mintás öltönyt, magas sarkút, míg mások sokkal hétköznapibb ruhákat és szmokingot viseltek. Úgy éreztem, teljesen kilógok az overallomban, bármit mondott is Sunil.

– Ó, és elhoztam Georgiát, hogy segítsen rendezkedni – mondta Sunil félbeszakítva a gondolataimat. Megszorította a vállamat.

Jess rám mosolygott. Egy kicsit pánikoltam: meg fogja kérdezni, miért vagyok itt? Mi a szexuális irányultságom? Miért nem jöttem el bármely más rendezvényükre?

– Fel tudnád fújni a léggömböket? – kérdezte.

– Öhm, igen.

– Köszönöm, *istenem,* mert én tökre nem, Laura pedig sopánkodik miatta, mert úgy tűnik, köhög. – És aztán odaadott egy csomag lufit.

Sunilnak el kellett mennie segédkezni az esti előkészületekben, én pedig hamar kezdtem azt érezni, hogy szörnyű hibát vétettem, amikor eljöttem. Kénytelen leszek egy csomó emberrel beszélgetni, akiket igazából nem ismerek. De úgy tűnt, Jess örül, hogy a nyakán lógok, és a magam módján dolgozom a lufikon, miközben ő felzárkózik a barátaihoz és ismerőseihez. Még egy kicsit meg is ismerkedtem vele, kérdezgettem a zenekarról, a brácsázásról és a Sunilhez fűződő barátságáról.

– Őszintén szólva, nem volt egy igazi barátom sem itt, míg nem találkoztam vele – mondta, miután felkötöttük az utolsó lufifürtöt is. – Leültünk egymás mellé a zenekarban, és azonnal áradozni kezdtünk arról, amit a másik viselt. És azóta sziámi ikrekként összenőttünk – mosolygott Sunilt nézve, ahogy néhány félénk kinézetű gólyával cseveg. – Mindenki szereti Sunilt.

– Nos, ő igazán kedves, szóval érthető – mondtam.

– Nemcsak ez, de ő valóban igazán jó elnök. Elsöprő fölénnyel nyert a Pride egyesületi választáson. Múlt évben mindenki komolyan torkig volt az elnökkel. Nem akarta felhasználni senki más ötletét, kivéve a sajátját. Ó, ha már itt tartunk… – Jess átszökkent Sunilhoz, és halkan azt mondta: – Itt van Lloyd. Csak figyelmeztetésképpen – mutatott a bejárat felé.

Sunil az ajtó felé pillantott, ahol egy bársonyszmokingot viselő, vékony, szőke srác állt. Egy olyan kifejezés villant át Sunil vonásain, amit még nem láttam rajta ezelőtt: harag.

Lloyd ránézett, mosolytalanul, aztán átsétált egy asztalhoz a terem másik oldalán.

– Lloyd gyűlöli Sunilt – mondta Jess, amint Sunil visszacsatlakozott a beszélgetésbe egy csoport gólyával. – Szóval van itt egy kis izé.

– Dráma? – kérdeztem.

Jess bólintott.

– Dráma.

Valamilyen oknál fogva – sajnálat vagy őszinte kedvesség, nem voltam biztos – végül Sunil mellett ültem az asztalnál a vacsora alatt. Nyolc órára a terem zsúfolásig megtelt emberekkel és élettel, a pincérek pedig felszolgálták az italokat és az előételeket.

A fogások között Sunil igyekezett körbejárni a termet, és beszélgetni mindenkivel minden asztalnál, különösen a gólyákkal. Az újoncok őszintén izgatottnak tűntek, hogy találkozhattak vele. Valahogy csodálatos volt nézni.

Sikerült csevegnem egy keveset más emberekkel az asztalnál, de megkönnyebbültem, amikor Sunil visszatért a desszertért, és rendesen beszélgethettem vele. Elmondta nekem, hogy zenét tanul, amiről úgy gondolta, valószínűleg hiba, de élvezte. Birminghamből származott, ez megmagyarázta az akcentusának enyhe árnyalatát, amit nem tudtam hová tenni. Még fogalma sem volt, mit fog csinálni a Durham után, annak ellenére, hogy ez volt az utolsó éve a diplomáig. Meséltem neki a Shakespeare Társulatról, és hogy valószínűleg katasztrófa lesz.

– Egy kicsit színészkedtem, amikor gimis voltam – mondta Sunil, amikor elmondtam neki, hogy szükségünk van egy ötödik tagra. Belekezdett egy sztoriba arról az időről, amikor kisebb szerepet játszott a *Wicked* iskolai produkciójában, és azzal zárta, hogy: – Talán benne lehetnék a darabokban. Hiányzik a színház.

Megmondtam neki, hogy az csodálatos lenne.

– Bár elfoglalt vagyok – mondta. – Egyszerűen… mindig sok dolgom van. – És a fáradt arckifejezéséből ítélve nem túlzott, szóval azt mondtam neki, nem lesz baj, ha nem tud.

De azt mondta, gondolkozik rajta.

Ezelőtt még sosem találkoztam ilyen sok nyíltan queer emberrel. Volt egy banda a gimiben, akikkel Pip időnként együtt lógott, de maximum csak hét-nyolc ember lehetett. Nem tudom, mire számítottam. Nem volt egy bizonyos embertípus, nem volt egy bizonyos stílus vagy kinézet. De mind annyira barátságosak voltak. Volt néhány nyilvánvaló baráti csoport, de jórészt az emberek boldogan beszélgettek bárkivel. Mind csak *önmaguk* voltak.

Nem tudom hogyan megmagyarázni ezt.

Nem volt semmi színlelés. Semmi rejtőzködés. Semmi hamisság.

Ebben a Durham régi utcáin elrejtett kis étteremben egy csomó queer ember mind megmutatkozhatott, és csak *lehetett*.

Nem hiszem, hogy felfogtam, milyen ez, addig a pillanatig.

A desszertet követően az asztalokat oldalra tolták, és mindenki mindenkivel beszélgetett. A fények elhalványultak, zene hangzott fel, és majdnem mindenki álldogált, csevegett, nevetgélt és ivott. Gyorsan rájöttem, hogy a szociális tartalékaim teljesen lemerültek attól, amit őszintén életem leghosszabb napjának éreztem, és elég alkoholt is ittam ahhoz, hogy abban a furcsa semmiben legyek, ahol minden egy álomnak érződik. Szóval találtam egy üres széket a sarokban, és meghúzódtam ott a telefonommal és egy pohár borral egy félórára, amíg átgörgettem a Twittert és az Instagramot.

– Elbújtál a sarokba, college gyermekem?

Riadtan felkaptam a fejem, de csak Sunil állt ott egy pohár limonádéval a kezében. A szmokingjában úgy nézett ki, mint egy híresség, a haja szépen hátrasimítva. Végül is ő itt egy híresség.

Leült a mellettem lévő székre.

– Hogy vagy?

Bólintottam neki.

– Jól! Igen. Ez nagyon szép lett.

Mosolygott, és átbámult a termen. Boldog emberek szórakoztak.

– Igen. Jól sikerült.

– Szerveztél bármi ilyesmit ezelőtt?

– Soha. Része voltam az egyesület vezetői csapatának múlt évben, de az ilyen események nem az én hatáskörömbe tartoztak. Tavaly szó szerint csak kocsmázások és klubozós éjszakák voltak.

Elfintorodtam. Sunil látta, és nevetett.

– Igen. Pontosan.

– Stresszes? Elnöknek lenni?

– Néha. De megéri. Azt érezteti velem, hogy valami fontosat csinálok. És hogy *része* vagyok valami fontosnak. – Kifújta a levegőt. – Én... sokáig egyedül csináltam a dolgokat. Tudom, milyen érzés teljesen egyedül lenni. Szóval most próbálok meggyőződni arról... hogy egyetlen queer embernek sem kell így éreznie ebben a városban.

Ismét bólintottam. Ezt meg tudtam érteni.

– Nem vagyok szuperhős, vagy ilyesmi. Nem akarok az lenni. Egy csomó gólya így lát engem, mint egy queer angyalt, akit ideküldtek, hogy helyrehozza az összes problémájukat. De nem vagyok, tényleg, tényleg nem vagyok. Csak egy ember vagyok. De szeretem azt gondolni, hogy pozitív hatással lehetek másokra, még ha csak egy kicsit is.

Hirtelen az az érzésem támadt, hogy Sunil sok mindenen ment keresztül, mielőtt ilyen ember lett: magabiztos, meggyőző, bölcs. Nem volt mindig az egyesület magabiztos elnöke. De bármin is ment keresztül, megcsinálta. Túlélte. És jobb hellyé tette a világot.

– De állandóan nagyon fáradt vagyok – mondta egy kis kuncogással.

– Azt hiszem, néha megfeledkezem arról... hogy törődjek magammal. Egyszerűen... ledarálni egy sorozatot, vagy nem tudom. Sütni egy tortát. Nemigen csinálok ilyen dolgokat. Néha azt kívánom, bárcsak több időt tölthetnék azzal, hogy valami teljesen értelmetlen dolgot csinálok.

– A tekintete találkozott az enyémmel. – És most túlságosan megnyíltam!

– Nem bánom! – szakadt ki belőlem. Tényleg nem bántam. Szerettem a mély beszélgetéseket, és úgy éreztem, mintha jobban megismertem volna Sunilt. Tudtam, hogy ő mint college szülőm elvben a mentorom itt, a Durhamben, de máris jobban akartam ismerni őt ennél. Azt akartam, hogy barátok legyünk.

Ám ekkor meghallottam a hangot.

– Georgia?

Felnéztem, bár nem volt szükségem rá, mert majdnem olyan jól ismertem a hangot, mint a sajátomat.

Pip egy Suniléhoz hasonló szmokingot viselt, és zavart arckifejezéssel bámult le rám.

– Mit csinálsz te itt?

PIP

Pipre néztem. Pip rám nézett. Sunil Pipre nézett. Aztán rám. Lenéztem a kezemre, kínlódva, hogy rájöjjek, mit csináljak, vagy hogy magyarázzam meg, miért vagyok jelen a Pride Egyesület bankettjén, amikor állítólag Jasonnel járok, és Pipnek nincs oka azt hinni, hogy nem vagyok hetero.

– É… én belefutottam Sunilba – mondtam, de nem tudtam, hogyan tovább.

– Én vagyok a college szülője – mondta Sunil.

– Igen.

– Szóval… – mosolygott Pip esetlenül. – Te csak… úgy döntöttél, hogy eljössz?

Csend lett.

– Igazából – egyenesedett ki Sunil a székén – én kértem Georgiát, hogy jöjjön segíteni. Kicsit kevesen voltunk ennek az egésznek a megszervezéséhez – fordult felém egy mosollyal, ami egy icipicit baljóslatúnak nézett ki. Valószínűleg, mert zsigerből hazudott. – És cserébe benne leszek Georgia színdarabjában.

– Ó! – Pip azonnal felderült, a szeme elkerekedett. – Basszus! Igen! Igazán szükségünk volt egy ötödik tagra!

– Te is benne vagy?

– Igen! Nos, bele lettem kényszerítve, de igen.

Amint feldolgoztam a tényt, hogy Sunil épp önként felajánlkozott, hogy benne legyen a darabunkban, egy másik társaság elhívta. Megveregette a vállam, és elbúcsúzott mindkettőnktől.

Pip tekintete megint találkozott az enyémmel. Még mindig egy kicsit zavarodottnak tűnt.

– Menjünk a pulthoz?

Bólintottam. Túl sok bort ittam, és nagyon szükségem volt némi vízre.

– Igen.

Valójában körülbelül húsz percbe telt elérni a pulthoz, mert az emberek folyamatosan megálltak beszélgetni Pippel.

Pip rengeteg új barátot szerzett a Pride Egyesületben, amin nem kellett volna meglepődnöm. Mindig jó volt a barátkozásban, de válogatós volt, és a szülővárosunkban nem akadt igazán sok ember, akivel együtt akart lógni. Ott volt a többi lány a tanulócsoportunkból alsó tagozatban, és lett egy maréknyi queer haverja a végzős években, de nem volt Pride Egyesület az iskolánkban. A falusi Kentben nem voltak queer helyek, üzletek vagy klubok, mint a nagyvárosokban.

Tizenöt éves korunkban bújt elő nekem. Nem volt a legdrámaibb, legviccesebb vagy legérzelmesebb coming out, ha a filmek vagy a tévé alapján ítéljük meg.

„Azt hiszem, én talán inkább a lányokat kedvelem." – Ezt mondta, miközben átkutattuk a főutcai üzleteket új iskolatáskákért. Volt némi alapozás. A fiúkról beszélgettünk, akik a fiúiskolába jártak. Mondtam, hogy nem igazán értem a felhajtást. Pip egyetértett.

Mondanom sem kell, hogy Pip általában véve szarul érezte magát. És bár sok-sok más ismerőse volt, akivel kétségkívül elmélyíthette a barátságát, mindig hozzám jött megbeszélni a nehéz dolgokat. Nem tudom, hogy azért, mert bízott bennem, vagy csak mert jó hallgatóság vagyok. Talán mindkettő. Akárhogy is, biztonságos hellyé váltam. Akkor és még most is boldog voltam, hogy az lehetek.

Boldog voltam, hogy megadhattam ezt neki.

– Sajnálom – mondta, amint végre leültünk a bárszékekre, és rendeltünk két pohár almalevet, egyikünk sem volt különösebben hangulatban, hogy folytassuk az alkoholivást.

Mosolygott.

– Nem sajnálod – vigyorogtam vissza. – Rendkívül népszerű vagy.

– Oké, megfogtál – tette keresztbe a lábát. A jellegzetes csíkos zokni kikandikált a nadrágja alól. – Most rendkívül népszerű vagyok, és szeretem ezt. Ne aggódj! Még mindig te és Jason vagytok a közös legjobb barátaim.

Visszanéztem a Pride Egyesület tagjainak kis csoportjaira, néhányan csak álldogáltak és csevegtek, mások táncoltak, megint mások italokkal a sarkokban ültek meghitten suttogva.

– Elmentem a Latin-amerikai Társaságba is – mondta Pip. – Néhány napja volt egy üdvözlő összejövetelük.

– Ó! Milyen volt?

Pip izgatottan bólogatott.

– Igazából lenyűgöző. Anya lényegében kényszerített, hogy elmenjek, mert nos, nem voltam szuper lelkes. Nem igazán tudtam, mit lehet benne valójában csinálni. De igazán kellemes volt néhány barátot szerezni ott. És tényleg annyi mindent csinálnak. Mármint találkoztam ezzel a másik kolumbiai lánnyal, és mesélt arról a kis összejövetelről, amit tavaly decemberben tartottak a *gyertyák éjszakáján* – mosolygott.

– Ez olyan érzést keltett bennem… Nemtom. Arra emlékeztetett, mint amikor Londonban éltem.

A szülővárosunkban Pip néha bizonyos szempontból egyedül érezte magát, és ezen Jason és én egyszerűen nem tudtunk segíteni. Gyakran mondogatta, hogy azt kívánja, bár a családja ne költözött volna el Londonból, mert legalább ott voltak a nagyszülei és egy nagy közösség. Amikor a mi apró kenti városunkba költözött tízévesen, elvesztette ezt a közösséget. Pip volt az egyetlen latina az iskolai évfolyamunkon.

Emiatt, és mert rájött, hogy meleg, Pip határozottan a rövidebbet húzta *abból a szempontból, hogy hányan élnek a környezetében, akikkel a közös élettapasztalatoknak köszönhetően mélyen tudott kapcsolódni.*

– Elfelejtettem, milyen jó érzés volt ennyi latinx[8] emberrel körülvéve, tudod? – folytatta. – A mi iskolánk olyan *fehér* volt. És még itt, Durhamben is… Durham összességében annyira fehér. Még a Pride Egyesület is elég fehér!

---

[8] Nemsemleges kifejezés olyan Latin-Amerikában született vagy onnan származó ősökkel rendelkező emberekre, akik más országban élnek.

Körbemutatott, és amikor megnéztem, rájöttem, hogy mennyire igaza van, Sunil, Jess és egy maréknyi másik ember kivételével a legtöbb arc a teremben fehér volt.

– Azt kezdtem érezni, hogy mennyire mesterkélt számomra csak... fehér emberekkel lenni állandóan. Mármint melegnek *és* latinának lenni azt jelenti, hogy én egyszerűen... nem ismerek senki olyat, mint én. Bármilyen jó érzés volt, hogy végre volt néhány queer barátom a végzős tanulócsoportban, mind fehérek voltak, szóval én egyszerűen nem tudtam teljesen azonosulni velük – kuncogott fel hirtelen. – De találkoztam ezzel a meleg csajjal a LatAmban, és hatalmasat beszélgettünk arról, hogy melegek és latinxek vagyunk, és istenre esküszöm, soha nem éreztem magam ennyire megértettnek még életemben.

Azon kaptam magam, hogy mosolygok. Mert a legjobb barátom *kivirult*.

– Mi az? – kérdezte, látva a mosolyt az arcomon.

– Csak örülök neked – mondtam.

– Istenem, te igazi kis bolond!

– Nem tehetek róla. Te vagy az egyik a nagyon kevés ember közül, akivel tényleg törődöm a világon.

Pip felragyogott, mintha nagyon boldog lett volna ettől a ténytől.

– Nos, én egy nagyon népszerű és sikeres leszbikus vagyok. Megtiszteltetés ismerni engem.

– *Sikeres?* – vontam fel a szemöldökömet. – Ez egy új fejlemény.

– Először is, hogy merészeled? – Pip hátradőlt a székén önelégült arckifejezéssel. – Másodszor, igen, lehet, hogy összejöttem egy lánnyal a Pride Egyesület klubestjén.

– Pip! – Vigyorogva felegyenesedtem ültömben. – Miért nem mondtad ezt el nekem?

Megvonta a vállát, de nyilvánvalóan nagyon elégedett volt magával.

– Nem volt semmi komoly, mármint nem mintha randizni akartam volna vele, vagy ilyesmi. De meg akartam csókolni... Mindketten csókolózni akartunk, szóval... csak megtettük.

– Milyen volt a lány?

Ültünk a pultnál, és Pip elmesélte nekem az egész légyottot a másodéves lánnyal a Hatfield College-ból, aki franciát tanul, és cuki szoknyát visel, és hogy ez nem jelentett különösebben semmit, de szórakoztató volt, és jó, elhamarkodott, de közben minden, amire az egyetemtől vágyott.

– Annyira butaság, de ez egyszerűen… ez egyszerűen reményt adott nekem. Csak egy kicsikét – fújta ki a levegőt. – Mármint… talán mégsem leszek örökre egyedül. Mármint talán megvan az esély rá, hogy… itt tényleg önmagam legyek. Érezzem, hogy *jó dolog* önmagamnak lenni – nevetett, aztán kisöpörte a fürtjeit a szeméből. – Nem tudom, hogy éreztem-e valaha úgy, hogy önmagamnak lenni… jó.

– Ez aztán a kedélyállapot! – válaszoltam vicces módon, de úgy véltem, komolyan gondolom.

– Nos, ha valaha fontolóra veszed, hogy meleg leszel, tudasd velem. Nagyon gyorsan össze tudlak hozni valakivel. Most már vannak kapcsolataim.

Felhorkantottam.

– Ha a szexualitás így működne…

– Mármint választás alapján?

– Igen. Azt hiszem, ha választhatnék, meleg lennék.

Pip semmit sem mondott egy pillanatig, én pedig eltűnődtem, hogy valami furcsát vagy bántót mondtam-e. De ez volt az igazság. Ha választhatnék, meleg lennék.

Tudtam, hogy a lányokat kedvelni nehéz lehet, amikor te is lány vagy. Általában az volt, legalábbis egy ideig. De gyönyörű is volt. Olyan kibaszottul gyönyörű.

Kedvelni a lányokat, amikor te is lány vagy, *erő* volt. *Fény*. Remény. Öröm. Szenvedély.

Néha egy kis időbe telt, mire a lányok, akik a lányokat kedvelték, rájöttek erre. De amikor rájöttek, szárnyaltak.

– Tudod – mondta Pip –, a heteró emberek nem gondolkoznak ilyen szarságokon.

– Ó! Tényleg?

– Igen. Ilyen szarságokon gondolkozni az első lépés a felismeréshez, hogy leszbikus vagy.

– Ó… Igaz… – nevettem esetlenül. Még mindig elég biztos voltam benne, hogy nem vagyok leszbikus. Vagy talán az voltam, és tényleg csak elfojtottam. Vagy talán csak egy *X* voltam a Kinsey-skálán. Semmi.

Istenem… Megbántam, hogy nem rendeltem több alkoholt.

Csendben ültünk egy pillanatig, egyikünk sem akarta igazán feszegetni a kérdést. Általában Pip pokoli kíváncsi volt, akármikor mély dolgokról kezdtünk beszélgetni, de valószínűleg tudta, hogy van, amivel kapcsolatban nem menő kíváncsiskodni.

Azt kívántam, bárcsak kíváncsi lett volna.

Azt kívántam, bár meg tudnám találni a szavakat, hogy beszéljek minderről a legjobb barátommal.

– Szóval te és Jason – mondta Pip, én pedig azt gondoltam, *ó, ne!*

– Öhm, igen? – kérdeztem.

Pip felhorkantott.

– Csókolóztatok már?

Éreztem, ahogy egy kicsit elvörösödöm.

– Öhm, nem.

– Jó. Nem tudom elképzelni, hogy csókolóztok – húzta össze a szemét, és a távolba nézett. – Az olyan lenne… Nemtom. Mint látni a testvéreimet csókolózni.

– Nos, valószínűleg valamikor meg fogjuk tenni végül – mondtam. *Határozottan.* Határozottan meg fogjuk.

Pip ismét rám nézett. Nem tudtam olvasni benne. Mérges volt? Vagy csak furcsának találta?

– Ezelőtt sosem érdeklődtél igazán senki iránt – mondta. – Úgy értem, a Tommy-dolog… az volt minden… de azt csak *kitaláltad.* Véletlenül.

– Igen – értettem egyet.

– De neked… most csak hirtelen megtetszett Jason?

Pislogtam rá.

– Mi az? Nem hiszel nekem?

Előredőlt egy kicsit, aztán megint hátra.

– Nem vagyok biztos benne, hogy hiszek.

– Miért nem?

Nem akarta kimondani. Tudta, hogy tiszteletlenség lenne kimondani, *feltételezni* bármit a szexualitásomról, de mindketten arra gondoltunk.

Mindketten azt gondoltuk, hogy én valószínűleg egyszerűen nem szeretem a férfiakat.

Nem tudtam, mit mondjak, mert egyetértettem.

El akartam mondani Pipnek, hogy semmiben sem vagyok biztos, és állandóan olyan furcsán érzek, olyannyira, hogy gyűlölöm önmagam. Egy gyerek vagyok, aki mindent tud a szexualitásról az internetnek köszönhetően, de még csak megközelítőleg sem tudok rájönni, hogy mi vagyok, még hozzávetőleges becsléssel sem tudok előállni, miközben mindenki másnak ez annyira, annyira könnyűnek tűnik. Vagy ha nem is volt könnyű nekik, átvészelték a nehéz időszakot középiskolában, és amikorra velem egyidősek lettek, már készen álltak csókolózni, szexelni és szerelembe esni annyira, amennyire akartak.

Csak annyit tudtam mondani:

– Nem igazán tudom, hogyan érzek.

Pip tisztában volt vele, hogy nem mondtam el mindent, ami a fejemben járt. Mindig tudta.

Megragadta a kezem, és megszorította.

– Rendben van, csajszim – mondta. – Rendben van.

– Bocsánat – motyogtam. – Szar vagyok… a magyarázkodásban. Hamisnak hangzik.

– Itt vagyok, ha bármikor beszélni akarsz, ember.

– Oké.

Oldalsó ölelésbe húzott, az arcom nekinyomódott a gallérjának.

– Randizz Jasonnel egy kicsit, ha akarsz. Csak… ne bántsd őt, oké? Teljesen nyugodtan és összeszedetten viselkedik, de igazából érzékeny annyi szar után Aimee-vel.

– Tudom. Nem fogom bántani – emeltem fel a fejem. – Számodra tényleg oké ez?

A mosolya erőltetett és fájdalmas volt, és ettől majdnem összetört a szívem.

– Persze. Szeretlek.

– Én is szeretlek.

KÁPRÁZAT

Ezután úgy döntöttem, hogy elmegyek. Pipet folyton olyanok vonták be a beszélgetéseikbe, akiket nem ismertem, és nem maradt már energiám, hogy új emberekkel beszélgessek. Jess azzal volt elfoglalva, hogy elvegyüljön, Sunilt pedig sehol sem láttam. Ellenőriztem a telefonomat. Csak tíz óra húsz perc volt. Eltűnődtem, vajon Jason rendben van-e.

Valószínűleg még mindig a szobájában ült, teljesen egyedül, azon morfondírozva, vajon tényleg fájt a fejem, vagy csak nem tetszik nekem. Nem akartam többé a szerelemre gondolni.

Amint kisétáltam az étteremből, le a keskeny lépcsőn, lentről meghallottam egypár visszafojtott hangot. Megálltam, rájöttem, hogy az egyik hang Sunilhez tartozik.

– Én vagyok most az elnök – mondta –, és ha ez ennyire feldühít téged, nem kell eljönnöd az egyesületi eseményekre többé.

– Mi van, most megpróbálsz engem kidobni? – kérdezte a második hang. – Jellemző. Mostanra már nem kéne meglepődnöm.

– És most megint provokálni próbálsz. – Sunil sóhajtott egyet. – Nem fáradsz bele soha, Lloyd? Mert én igen.

– Jogom van kimondani az aggodalmaimat az egyesülettel kapcsolatban. Megváltoztattad az összes eseményt, amit csinálunk, és most túl sok embert engedsz be!

– Túl sokat engedek be… *Melyik* bolygón élsz te?

– Láttam a kibaszott szórólapokat, amiket a Gólyák Börzéjén osztogattál. *Aszexuálisok, bigenderek* és akármik. Egyszerűen bárkit beengedsz, aki úgy gondolja, valami kitalált internetes identitása van...

Rövid csend következett, aztán Sunil ismét megszólalt, a hangja megkeményedett.

– Tudod mit, Lloyd? Igen. Igen, ezt teszem. Mert a Pride Egyesület inkluzív, nyitott és szeretetteli, és *többé nem te irányítod!* És mert még mindig vannak olyan szomorú kis cisz melegek, mint te, akik, úgy tűnik, más queerek puszta létét fenyegetésnek veszik a polgárjogotokra nézve, még a *gólyákét* is, akik első alkalommal jelennek meg itt – néhányan közülük valószínűleg *soha* életükben nem vettek részt queer eseményen –, és csak próbálnak találni egy helyet, ahol lazíthatnak és önmaguk lehetnek. És nem tudom, hogy tisztában vagy-e ezzel, Lloyd, mert tudom, hogy nem ismersz el bármilyen Pride-zászlót, ami nem a kibaszott szivárványos, de valójában én vagyok az egyik ilyen *kitalált internetes identitás*. És tudod mit? Én vagyok az elnök. Szóval takarodj a picsába a fogadásomról.

Lépések hangját hallottam távolodni, és az ajtót nyílni és csukódni.

Vártam egy pillanatot, de nem volt mód színlelni, hogy nem hallottam a beszélgetést, szóval lementem a lépcsőn. Sunil felnézett, ahogy közeledtem. Nekidőlt a falnak, az ujjai szorosan markolták a felkarját.

– Ó, Georgia! – mondta, és kierőltetett egy mosolyt, de biztosan bűntudatosnak néztem ki, mert azonnal azt mondta: – Á, hallottál valamit belőle.

– Sajnálom – mondtam, ahogy elértem az alsó lépcsőfokot. – Jól vagy? Akarsz...' – Erőlködtem, hogy kitaláljam a módját, hogyan tudnék segíteni. – Akarsz egy italt, vagy valami?

Sunil kuncogott.

– Édes vagy. Rendben vagyok.

– Ő... undorító embernek... hangzott.

– Igen. Nagyon az. Csak mert meleg vagy, nem jelenti, hogy nem lehetsz bigott.

– De azt hiszem, eléggé megsemmisítetted.

Megint nevetett.

– Köszi. – Eleresztette a karját. – Hazafelé indulsz?

– Igen. Nagyon jó volt.

– Jó. Nagyszerű. Bármikor szívesen látunk.

– Köszönöm. És... köszönet azért, amit Pipnek mondtál arról... tudod, miért voltam itt.

Megvonta a vállát.

– Nem nagy ügy.

– Nem kell benne lenned a darabunkban.

– Ó, nem, én határozottan benne vagyok a darabotokban.

A szám tátva maradt.

– Benne... vagy?

– Határozottan. Igazán szükségem van rá, hogy valami olyasmit csináljak, mint ez... valami *szórakoztatót*. Szóval benne vagyok – vágta zsebre a kezét. – Ha megengeditek.

– Igen! Igen, szükségünk van ötödik tagra, vagy a társulatot felszámolják.

– Nos, akkor meg is van. Megírod nekem a részleteket?

– Igen, feltétlenül.

Egy kis szünet következett.

Elmehettem volna. Értelemszerűen haza kellett volna mennem.

Helyette azon kaptam magam, hogy beszélek.

– Valamiféle randin voltam ma – mondtam. – Amikor rám találtál.

Sunil felvonta a szemöldökét.

– Ó, igazán?

– De... nem ment túl jól.

– Ó! Miért? Gond volt a partnerrel?

– Nem ez... a srác nagyon kedves. Én vagyok a probléma. Furcsa vagyok.

Sunil szünetet tartott.

– És miért vagy furcsa?

– Én csak... – nevettem idegesen. – Nem hiszem, hogy valaha is érezhetnék bármit.

– Talán nem ő a megfelelő ember számodra.

– Nem – mondtam. – Ő csodálatos. De sosem érzek semmit senki iránt.

Egy másik hosszú szünet következett.

Még nem tudtam, hogyan magyarázzam meg ezt rendesen. Olyan érzés volt, mintha csak kitaláltam volna. Mint egy álom, amire nem emlékezhettem pontosan.

És egy szó.

Egy szó, amit Lloyd olyan rosszindulattal mondott, de Sunil megvédelmezte.

Egy szó, ami szikrát gyújtott az agyamban.

Végül rájöttem a kapcsolatra.

– Uh… – Hálás voltam, hogy egy kicsit spicces vagyok. Rámutattam a kitűzőjére, a fekete, szürke, fehér és lila sávosra. – Ez… a zászló az, öhm… aszexualitás zászlaja?

Sunil szeme elkerekedett. Egy röpke pillanatra őszintén meglepettnek tűnt, hogy nem vagyok biztos benne, mit jelent a kitűzője.

– Igen – mondta. – Aszexualitás. Tudod, mi az?

Határozottan *hallottam* már az aszexualitásról. Láttam néhány embert beszélni erről online, és sok ember feltüntette a Twitter- vagy a Tumblr-életrajzában. Időnként még fanficen is találkoztam aszexuális karakterrel. De még alig hallottam, hogy az emberek használnák ezt a szót a való életben vagy akár a tévében, esetleg filmekben. Úgy gondoltam, hogy valami köze van ahhoz, hogy nem szeretik a szexet. De nem tudtam biztosan.

– Öhm… nem igazán – mondtam. – *Hallottam* róla. – Azonnal zavarban éreztem magam ennél a beismerésnél. – Igazán nem kell azzal töltened az idődet, hogy elmagyarázod nekem, én csak… én csak mehetek és rákereshetek…

Ismét mosolygott.

– Minden oké. Szívesen elmagyarázom. Az internet egy kicsit zavaros tud lenni.

Becsuktam a szám.

– Az aszexualitás azt jelenti, hogy nem vonzódom szexuálisan egyik nemhez sem.

– Szóval… – gondolkoztam el ezen. – Azt jelenti…, hogy nem akarsz szexelni senkivel?

Kuncogott.

– Nem szükségszerűen. Néhány aszexuális ember így érez. Ám néhány nem.

Most voltam csak összezavarodva. Sunil megérezte.

– Semmi gond – mondta, és ettől őszintén úgy éreztem, mintha nem lenne gond, hogy nem értem. – Az aszexualitás azt jelenti, hogy nem *vonzódom* szexuálisan egyik nemhez sem. Szóval nem nézek férfiakra, vagy nőkre, vagy bárkire, és gondolom azt, hogy *hűha, szexi dolgokat akarok tenni vele.*

Ez horkantásra késztetett.

– Valaki tényleg ilyeneket gondol?

Sunil elmosolyodott, de ez egy szomorú mosoly volt.

– Talán nem pontosan ezekkel a szavakkal, de igen, a legtöbb ember gondol ilyen dolgokat.

Ez megrázott.

– Ó!

– Szóval egyszerűen nem érzem ezeket az érzéseket. Még akkor sem, ha valakivel randizok. Még akkor sem, ha az illető egy modell vagy egy celeb. Még ha alapvetően, objektív módon meg tudom mondani, hogy konvencionálisan vonzó. Egyszerűen csak nem érzem a vonzalom érzését.

– Ó! – mondtam ismét.

Szünet következett. Sunil rám nézett, megfontolva, mit mondjon következőnek.

– Néhány aszexuális ennek ellenére élvezi a szexet egészen különböző okokból – folytatta. – Azt hiszem, ez az, amiért egy csomó ember ezt zavarosnak találja. Viszont néhány aszexuális egyáltalán nem kedveli a szexet, és néhány csak semleges ezzel kapcsolatban. Néhány aszexuális mindazonáltal érez romantikus vonzalmat emberek iránt: kapcsolatban akar lenni vagy akár megcsókolni embereket, például. De mások egyáltalán nem akarnak romantikus kapcsolatot. Ez egy széles spektrum egy egész sor különböző érzéssel és tapasztalattal. És valójában lehetetlen megmondani, hogyan érez egy adott személy, még ha nyíltan aszexuálisnak is írja le magát.

– Szóval… – Tudtam, hogy kicsit tolakodó megkérdezni, de egyszerűen *muszáj* volt. – *Te* mégis akarsz kapcsolatot?

Bólintott.

– Igen. Melegként is azonosítom magam. Meleg aszexuális.

– I… is?

– A szakkifejezés rá homoromantikus. Még mindig kapcsolatban akarok lenni srácokkal és férfias emberekkel. De nagyon közömbösen érzek a szexszel kapcsolatban, mert sosem néztem férfiakra vagy bármelyik nemre, és éreztem szexuális vonzalmat irántuk. A férfiak nem izgatnak fel. Ahogy senki sem.

– Szóval a romantikus vonzalom *különbözik* a szexuális vonzalomtól?

– Néhány ember számára ezek különböző dolgoknak tűnnek, igen – mondta Sunil. – Szóval néhány ember hasznosnak találja, ha a vonzódásuk ezen két aspektusát eltérően definiálja.

– Ó! – Nem tudtam, hogyan érzek ezzel kapcsolatban. Amit éreztem, annyira *kerek* volt, nem érződött két különböző dolognak.

– Jess… ő aromantikus, ami azt jelenti, hogy nem érez romantikus vonzalmat senki iránt. És biszexuális is. Nem bánja, hogy ezt elmondom neked. Egy csomó embert fizikailag vonzónak talál, csak nem lesz szerelmes beléjük.

Ez nem szomorú? – akartam kérdezni. – *Hogy lehet neki ez oké?* Hogy lenne nekem ez oké?

– Ő boldog – mondta Sunil, mintha az elmémben olvasna. – Beletelt neki egy kis időbe, hogy boldog legyen önmagával, de… Úgy értem, találkoztál vele. *Boldog* azzal, aki ő maga. Talán ez nem a heteronormatív álom, amire gyerekkorában vágyott, de… azt hiszem, ismerni, ki vagy te, és *szeretni* önmagad, annyival jobb, mint az.

– Ez nagyon… sok – mondtam, a hangom halk és egy kicsit rekedt volt.

Sunil megint bólintott.

– Tudom.

– *Nagyon-nagyon* sok.

– Tudom.

– Miért kell a dolgoknak ilyen bonyolultnak lenniük?

– Oh, Avril Lavigne örökké bölcs szavai.

Nem tudtam, mit mondjak ezek után. Csak álltam ott, és próbáltam feldolgozni.

– Ez vicces – mondta Sunil néhány pillanat múlva. Lenézett, mintha egy régi viccre emlékezne. – Olyan kevés ember tudja, mi az aszexualitás vagy aromantikusság. Néha, azt hiszem, annyira el vagyok foglalva a Pride Egyesülettel, hogy elfelejtem, vannak emberek, akik egyszerűen… még sosem hallották ezeket a szavakat. Vagy fogalmuk sincs arról, hogy ez egy valóságos dolog.

– Sa… sajnálom – mondtam azonnal. Megbántottam őt?

– Ó, istenem, nincs semmi, amiért bocsánatot kéne kérned. Ez nincs benne a filmekben. Nemigen szerepel a tévéműsorokban, és amikor igen, valami pici mellékcselekmény, amit a legtöbb ember figyelmen kívül hagy. Amikor beszélnek róla a médiában, szanaszét trollkodják. Még néhány queer ember is gyűlöli az aro vagy ace fogalmát, mert azt gondolják, természetellenes vagy *hamis*. Úgy értem, hallottad Lloydot. – Sunil bánatosan rám mosolygott. – Örülök, hogy kíváncsi voltál. Mindig jó kíváncsinak lenni.

Most aztán kíváncsi voltam, az biztos.

És rémült is.

Úgy értem, ez nem én vagyok. Aszexuális. Aromantikus.

Még mindig szexelni akartam valakivel, előbb vagy utóbb. Egyszer találok valakit, akit igazából kedvelek. Csak mert még sosem kedveltem senkit, az nem jelenti, hogy *soha nem is fogok…* igaz?

És szerelmes akartam lenni. Nagyon-nagyon akartam.

Egyszer biztosan az leszek.

Szóval ez nem lehetek én.

Nem akartam, hogy ez én legyek.

Bassza meg! Nem tudom.

Egy kicsit megráztam a fejem, próbáltam elűzni a zavarodottság hurrikánját, ami azzal fenyegetett, hogy kialakul az agyamban.

– Nekem… haza kellene mennem – dadogtam. Hirtelen úgy éreztem, mintha nagyon zavarnám Sunilt. Valószínűleg csak egy szép estét akart, de itt voltam én, és szexualitási leckét kértem. – Úgy értem… vissza a college-ba. Bocsánat… öhm, köszönöm a magyarázatot… mindenről.

Sunil egy hosszú pillanatig bámult rám.

– Persze – mondta. – Igazán boldog vagyok, hogy eljöttél, Georgia.

– Igen – motyogtam. – Köszönöm.

– A Pride Egyesület itt van neked – mondta. – Oké? Mellettem nem volt soha senki, míg... míg nem találkoztam Jess-szel. És ha nem találkozom vele... – Elhalkult, valami kifejezés átfutott a vonásain, amit nem tudtam értelmezni. Felváltotta az ismerős, nyugodt mosollyal. – Csak azt akarom, hogy tudd, ezek az emberek itt vannak neked.

– Oké – mondtam rekedten.

És aztán elmentem.

Azt hiszem, joggal mondhatom, hogy sok minden kavargott az agyamban azon a sétán hazafelé.

Meg fogom bántani Jasont, vagy Jason és én együtt halunk meg jegygyűrűket viselve. Pip kivirágzott, talán többé már nem volt szüksége rám. Miért nem tudtam érezni valamit valaki iránt? Az voltam, ami Sunil és Jess? Ezek a szuperhosszú szavak, amikről a legtöbb ember még csak nem is hallott?

Miért nem tudok szerelmes lenni valakibe?

Elhaladtam az üzletek és a kávézók, a történelemtanszék és a Hatfield College, a részeg diákok és botorkáló helyiek, valamint a sötétben finoman megvilágított katedrális mellett, és ez megállásra késztetett. Arra gondoltam, hogy ezen a járdán sétáltam Jasonnel csupán néhány órával korábban, nevettünk, és majdnem el tudtam képzelni, hogy valaki egészen más vagyok.

Amikor visszaértem a szobámba, az emberek az emeleten megint szexeltek. Ritmikus kopogás a falnál. Gyűlöltem, de aztán rosszul éreztem magam, mert talán két szerelmes ember az.

Végül is ez a probléma a romantikával. Olyan könnyű kiszínezni, mert ott van mindenhol. A zenében, a tévében és a filterezett Instagramfotókon. Ott van a levegőben, ropogósan és elevenen, friss lehetőséggel. A hulló levelekben, málladozó fa kapualjakban, elkoptatott macskaköveken és pitypangmezőkön. Ott volt a kezek érintésében, lefirkantott betűkben, gyűrött lepedőkön, a naplementék aranyfényében.

Egy diszkrét ásításban, egy kora reggeli nevetésben, cipők sorakozásában az ajtó mellett. A táncparkett felett találkozó tekintetekben.

Az egészet láthattam, állandóan, mindenfelé, de amikor közelebb kerültem, megállapítottam, hogy semmi sincs ott.

Egy káprázat.

HARMADIK RÉSZ

SENKIT SEM SZERETEK

– GEORGIA! – mondta egy hang, vagy inkább visította, amikor néhány nappal később beléptem a Shakespeare Társulat próbájára.

Ez volt az első próbánk egy igazi próbateremben. A Durham-katedrális számos nagy, régi épületének egyikében voltunk, ami nem tartalmazott mást, csak osztálytermeket, amiket ki lehetett bérelni mint a társulat tevékenységi területét. Olyannak találtam az épületet, mint amilyenek a magániskolák: fából készült és feleslegesen nagy.

A szóban forgó sikoltozás olyasmi volt, amit már kezdtem jól ismerni.

Rooney jelent meg az egyik osztályterem ajtajában, bordó munkásruhát viselt, ami mérhetetlenül divatosnak tűnt rajta, de ha én viseltem volna, úgy néztem volna ki, mint egy autómosó alkalmazottja.

Megragadta mindkét karomat, és bevezetett a terembe. Nagyrészt üres volt a helyiség, leszámítva egy asztalt, amit a túlsó végén állítottak fel, és amin Pip és Jason ült. Úgy tűnt, Jason az előadás-sorozatának az olvasmányait bújja, miközben Pip felnézett és Rooney-ra bámult nem kevesebbel, mint megvetéssel.

– Meghalok, Georgia – mondta Rooney. – Szó szerint. Fel fogok robbanni.

– Kérlek, higgadj le!

– Nem, nem fogok. Ma reggelig voltam fent, hogy megtervezzem a műsor hátralévő részét.

– Tudom. Együtt élünk.

Amióta tájékoztattam Rooney-t, hogy Sunil csatlakozott, egy kicsit túlzásokba esett a darab előkészítésével kapcsolatban: későig fennmaradt tervezni, beütemezte a heti próbákat az év hátralévő részére, és folyamatosan bombázott minket az új csoportchatben, amit Pip a „Szentivánéji Csapás" névre keresztelt. Rooney több órán keresztül vitatkozott a csoportchat neve miatt Pippel a csoportchatben.

– El kell készítenünk az első pár jelenetet a Bailey-bál előtt – folytatta Rooney. – Így majd tudunk fókuszálni.

– Az már csak néhány hét.

– *Pontosan.*

A Bailey-bál, a St. John's december elején esedékes bálja, teljesen irreleváns volt a társulatunk számára, de Rooney úgy döntött, határidőként használja. Valószínűleg csak azért, hogy ránk ijesszen, és részt vegyünk a próbákon.

– Mi van, ha Sunil nem akar jönni végül? – halkította suttogásig a hangját. – Mi van, ha azt gondolja, ez egy szar ötlet? Ő harmadéves. Tud dolgokat.

– Őszintén szólva, nem igazán az a fajta ember, aki kritizálni fog egy diákszíndarabot.

És ekkor lépett be Sunil a terembe sötét chino nadrágban, aminek vörös csík vírított mindkét oldalán, szoros pólóban és farmerdzsekiben. Úgy tűnt, valahogy nem fagy halálra a novemberi durván északi hőmérsékletben.

Mosolygott, ahogy közeledett, én pedig a bűntudat kellemetlen hullámát éreztem, hogy talán csak azért van itt, mert megkértem.

Pip és Jason csatlakozott hozzánk köszönni.

– Te vagy az egyetlen, akivel még nem találkoztam – nyújtotta Sunil Jason felé a kezét.

Jason megrázta. Ijedtnek tűnt. Valószínűleg csodálattal töltötte el a színtiszta nyugalom, ami Sunilból áradt mindig.

– Szia! Jason vagyok.

– Szia! Én Sunil. Nagyon magas vagy, Jason.

– Öhm… Felteszem, az vagyok…

– Gratula!

– Köszi?

Rooney hangosan összecsapta a kezét.

– Oké! Kezdjük!

Jasont és Sunilt a terem másik oldalára küldték, hogy átvegyenek egy jelenetet a *Szentivánéji álom*ból, míg Pip, Rooney és én leültünk a padlóra egy körben az elénk kirakott *Sok hűhó semmiért*-példányokkal.

A *Sok hűhó* valószínűleg az egyik legjobb Shakespeare-darab, mert a cselekmény pont olyan, mint egy „ellenségből szerelmesek" fanfic útközben egy csomó kavarással és félreértéssel. A sztori röviden: Beatrice és Benedetto *gyűlölik* egymást, a barátaik ezt viccesnek találják, szóval úgy döntenek, ráveszik őket, hogy szerelembe essenek, és ez sokkal jobban működik, mint bárki remélte.

Bámulatos.

Pip és Rooney ismét engem választottak az egyik romantikus főszerepre: Benedetto. Pip Beatrice-t játszotta. Körbeültünk felolvasni a jelenetet, és reméltem, hogy ezúttal jobban csinálom majd. Talán csak Jasonnel volt kínos. Most Pippel játszottam, méghozzá egy sokkal viccesebb jelenetben.

– *Csodálom, hogy még most is jár a szád, signor Benedetto* – húzta el a száját Pip egy szemforgatással –, *mikor senki sem figyel rád.*[9]

A legjobb szarkazmusomat vettem elő, és választoltam:

– *Ni csak, a megtestesült utálat – szoknyában! Hát kegyed még él?*

– Kevesebb indulattal, azt hiszem – mondta Rooney. – Mintha Benedetto cukkolná őt. Azt gondolja, hogy ez vicces.

Szerettem az „ellenségből szerelmesek" románcokat. De nehezen tudtam beleélni magam. Sokkal szívesebben néztem volna, ahogy valaki más adja elő.

Hagytam, hogy Pip felolvassa a következő sorát, mielőtt újra bekapcsolódtam, ezúttal próbáltam kevésbé bosszúsnak hangzani.

– *Úgy látszik, az imádat köpönyegforgató. De annyi bizonyos, hogy – kegyedet kivéve – minden hölgy szeret. Kívánnám, bár volna a mellemben kő szív helyett hő szív – mert szavamra, engem egy se érdekel.*

– Hm… – mondta Rooney.

– Nézd… – mondtam –, ez az első alkalom, hogy ezt átolvassuk.

---

9 Fordította: Mészöly Dezső.

– Ez oké. Talán csak nem neked való ez a szerep.

Ez és Júlia *sem?* Csak a romantikus szerepeket nem tudom megcsinálni? Biztosan nem. A múltban rengeteg romantikus szerepet játszottam az iskolai darabokban és az ifjúsági színházi előadásokban, és jó voltam. Miért készültem ki most a romantikus szerepektől?

– Hé! – vakkantotta Pip Rooney-nak. – Ne sértegesd Georgiát!

– Én vagyok a rendező! Őszintének kell lennem!

– Uh, én *is* rendező vagyok, és szerintem bunkó vagy!

– Dráma – mondta Jason a szoba másik feléből. Megfordultam, és láttam, hogy Sunil felvonja a szemöldökét, aztán pedig mindketten röhögni kezdtek.

– Ha azt gondolod, hogy Georgia *aaannyira* szar… – mondta Pip.

– Nem ezt mondta, de oké – feleltem.

– Akkor hadd lássam, hogy *te* jobban csinálod, Rooney Bach. Ha nem okoz problémát, hogy meleg legyél egy jelenet miatt.

– Ó, nincs problémám azzal, hogy *meleg legyek,* pipszkálódó – mondta Rooney. Úgy tűnt, valami egészen másra utalt, amit Pip észrevett, és hátrahőkölt kicsit döbbenetében.

– Akkor oké – mondta Pip.

– Oké – mondta Rooney.

– Oké.

Rooney lecsapta a *Sok hűhó*-példányát a földre.

– OKÉ!

Leültem Sunillel és Jasonnel, hogy együtt nézhessük, ahogy Pip és Rooney előadja Beatrice és Benedetto első veszekedését a *Sok hűhó semmiért*-ből. Úgy jósoltam, hogy vagy abszolút remek lesz, vagy totális káosz. Esetleg mindkettő.

Rooney felegyenesedett, és gúnyosan lenézett Pipre.

– *Kívánnám, bár volna a mellemben kő szív helyett hő szív – mert szavamra, engem egy se érdekel.* – Még csak rá sem nézett a példányára. Fejből tudta.

Pip nevetett és elfordult, mintha egy nézőhöz címezné.

– *Jó szerencse ez a nőkre, mert különben folyton nyaggatná őket egy veszett nőbolond.* – Visszafordult Rooney-hoz összehúzva a szemét. – *Hála istennek – és hideg véremnek –, ebben történetesen megegyezünk. Ha varjút ugat meg a kutyám, azt is szívesebben hallgatom, mint azt, ha férfi szerelmet vall.*

Rooney szája megrándult. Megdöbbentően hasonlított ahhoz, mint amikor *nem* színészkedett.

Valamicskét közelebb lépett Piphez, mintha kihangsúlyozná a magasságbeli fölényét.

– *Isten tartsa meg kegyedet ebben a hajlandóságában* – szorította meg az egyik kezével Pip vállát –, *mert így legalább egyik-másik úrfi megmenekül az összekarmolt orca végzetétől.*

– *A karmolás se csúfíthatná már tovább orcájukat* – mart vissza Pip azonnal egy oldalsó fejbiccentéssel és egy pimasz vigyorral –, *feltéve, hogy uraságodhoz hasonlítanak.*

Honnan tudták máris mindketten fejből ezt a jelenetet?

Rooney egyenesen előrehajolt, az arca mindössze centiméterekre volt Pipétől.

– *Kiválóan taníthatnád* – lélegzett mélyet – *nyelvelni a papagájt.*

Pip élesen beszívta a levegőt.

– *Többet ér egy madár az én nyelvemmel, mint egy barom a tiéddel.*

És Rooney, az abszolút mániákus, hagyta, hogy a tekintete Pip szájára ereszkedjen.

– *Bár a paripám volna olyan szilaj és kitartó* – mormolta –, *mint a nyelved!*

A csend, ami ezt követte, fülsértő volt. Jason, Sunil és én csak bámultunk elragadtatottan. A levegő a szobában nem egyszerűen elektromos volt – *lángolt.*

Vártuk, hogy a pillanat véget érjen, és Pip volt, aki végül megtörte. Kiszakította magát a jelenetből, vörös arccal.

– És így kell ezt csinálni, gyerekek! – mondta egy meghajlással. Tapsoltunk.

Rooney elfordult, és különösen csendesen elkezdte a lófarkát igazítani.

– Szóval ti ketten akarjátok játszani Benedettót és Beatricét, igaz? – kérdezte Jason.

Pip vetett rám egy pillantást.

– Nos, ha Georgia nem bánja…

– Nem, persze hogy nem – mondtam. – Ez nagyszerű volt.
Talán egy kicsit *túl* nagyszerű, ha a Pip arcán lévő pírból következtethetünk.

– Mi az? – kérdezte Pip visszanézve Rooney-ra, aki még mindig a lófarka kihúzásával és összekötésével volt elfoglalva. – Túl szexi volt neked a jelenet?

– Semmi sem túl szexi nekem – vágott vissza Rooney. De nem fordult meg. Rejtőzködött.

Pip önelégülten mosolygott. Láttam rajta, hogy úgy érezte, nyert.

A próbánk hátralévő idejét azzal töltöttük, hogy segítettünk Rooneynak és Pipnek kidolgozni a jelenetet, hozzáadva néhány kelléket, mielőtt még párszor átvettük volna. Úgy tűnt, hogy minden alkalommal egyre nyugtalanabbak, és a jelenetben egyre több volt az intenzív szemkontaktus és az érintés.

A két óra végén én, Sunil és Jason halomba raktuk a székeket, aztán az ajtó közelében vártunk, míg Pip és Rooney a terem közepén állt, és a jelenet vége felé lévő néhány soron civakodott. Jason felvette a mackókabátját.

– Szóval… – mondta Sunilnak. – Megbántad?

Sunil nevetett.

– Nem! Szórakoztató volt. Boldog vagyok, hogy tanúja lehettem… – intett tétován Pip és Rooney felé –, …akármi is *ez*.

– Elnézést miattuk! – mondtam.

Ismét nevetett.

– Nem, őszintén. Mókás volt. Valójában egy kellemes változás a Pride Egyesületben megszokott káoszhoz és drámához képest. És a harmadév stresszéhez képest is – vágta zsebre a kezét, és vállat vont. – Nem tudom, azt hiszem… Azt hiszem, szükségem volt rá, hogy valami olyasmit csináljak, mint ez. Az egyetem stresszes. Mármint, amikor gólya voltam, egyszerűen… nagyon rosszul éreztem magam, aztán az egész másodévemet azzal töltöttem, hogy dolgokat csináltam a Pride Egyesületnek, és… nos, nyilvánvalóan ezt folytattam ebben az évben. A zenekar jó időtöltés, de pokoli stressz. Nem hiszem, hogy valaha is időt szántam volna arra, hogy csak... azért csináljak valamit, mert *szórakoztató.* Tudjátok? – Felnézett, és mintha meglepődött volna, hogy még mindig ott állunk, és hallgatjuk őt. – Sajnálom, most túlságosan megnyíltam.

– Nem, ez rendben van – mondtam, de nem éreztem elégnek a szavaimat. – Mi... igazán örülünk, hogy itt vagy.

Jason megveregette Sunil vállát.

– Ja, el kell jönnöd velünk pizzázni néha. Hogy épüljön a csapatszellem.

Sunil rámosolygott.

– Így lesz. Köszönöm.

Elköszöntünk tőle, mert el kellett mennie egy szemináriumra, és Jason meg én nekidőltünk az ajtókeret ellentétes oldalainak várva Pipet és Rooney-t.

Jason elkezdte átlapozni a szövegkönyv oldalait.

– A *Sok hűhó* olyan jó darab. Habár nem értem az olyan kapcsolatok vonzerejét, ahol az elején gonoszak egymással.

– Ez az egész csak építkezés a csúcspont felé, ahol szükségszerűen nagyon vadul szexelnek – mondtam enyhe elfogultsággal a kedvenc „ellenségből szerelmesek" ficeim miatt. – Ez izgalmasabbá teszi az esetleges szexet.

– Feltételezem, ettől lesz jó a sztori. – Jason átlapozott egy oldalt. – Vicces, hogy mennyi dolog forog a szex körül. Még csak nem is hiszem, hogy szükségem lenne rá egy kapcsolatban.

– Várj, tényleg?

– Mármint szórakoztató, de... nem hiszem, hogy ez egy kizáró ok. Ha a másik ember nem akarja annyit csinálni. Vagy egyáltalán, azt hiszem – nézett fel a könyv mögül. – Mi az? Ez furcsa?

Megvontam a vállam.

– Nem, csak klassz az, ahogy gondolkozol a dologról.

– Ha igazán szeretsz valakit, egyszerűen azt hiszem, nem igazán... számítanak ezek a dolgok. Nemtom. Azt hiszem, mindenkit arra kondicionáltak, hogy a megszállottja legyen, amikor valójában... tudod, ez csak az egyik dolog, amit az emberek szórakozásként csinálnak. Többé már ahhoz sem szükséges, hogy gyereked legyen. Nem olyasmi, ami nélkül meghalsz.

– Meghalni mi nélkül? – kérdezte Pip, aki hirtelen csak pár méterre volt tőlünk, és éppen a bomberdzsekijét húzta fel.

Jason összecsapta a könyvet.

– Pizza.

– Ó, istenem, szerezhetünk egy pizzát most azonnal? Most azonnal *meg fogok halni* pizza nélkül!

Csevegve hagyták el együtt a termet, míg én Rooney-ra vártam, aki a cipőfűzőjét kötötte.

Lenne valamiféle harmadik választás a Jasonnel való kapcsolatom esetében? Együtt lehetnénk, és egyszerűen... nem szexelnénk? Álltam ott, az ajtónyílásban, és megpróbáltam elképzelni. Nincs szex, de mégis romantikus. Egy *párkapcsolat*. Megcsókolni Jasont, fogni a kezét. *Szerelmesnek* lenni.

Rengeteg időt töltöttem azzal, hogy azon gondolkodjak, mit érzek a szerelemmel kapcsolatban, de a *szexről* nem sokat elmélkedtem. Csak feltételeztem, hogy automatikusan a része lenne. De nem kell annak lennie. Sunil megmondta, hogy néhány ember nem akar szexelni, de tökéletesen boldogok egy kapcsolatban enélkül.

Talán kedveltem Jasont *romantikus értelemben*. Csak szexelni nem akartam vele.

MASZTURBÁCIÓS FANTÁZIÁK

Nyilvánvaló, hogy a nap hátralévő részében a szexről gondolkoztam. Még csak nem is szórakoztató módon. Csak összezavarodott módon. A bál utáni buliig nem sokat gondolkodtam azon, hogyan érzek a szexszel kapcsolatosan. Ekkor kezdtem el tűnődni, vajon furcsa vagyok-e, amiért nem tettem meg mindazt, amit állítólag más emberek megtettek. Beleértve a szexelést is.

Mind tudjuk, hogy a „szüzesség" fogalma oltári hülyeség, és a nőgyűlölők találták ki, de ez nem akadályozott meg, hogy úgy érezzem, lemaradtam valami igazán nagyszerűről. De tényleg lemaradtam? Sunil azt mondta, hogy *közömbösen* érez a szexszel kapcsolatban. Korábban sosem hallottam senkit így beszélni erről. Mintha gyorsétterem lenne, amit okénak tart, de személy szerint nem választaná.

Minden, amit eddig a szexszel kapcsolatban éreztem, az a szégyen volt, amiért nem volt részem benne.

Aznap éjszaka az ágyban eldöntöttem, beszélnem kell valakivel, aki valóban tudott ezt-azt a témáról. Rooney.

Megfordultam, hogy szembenézzek vele a szoba másik oldalán. A MacBookján gépelt, testének nagy részét elrejtette a paplanja.

– Rooney… – mondtam.

– Mm?

– Gondolkoztam rajta… tudod… a dolgon Jasonnel.

Ez azonnal felkeltette a figyelmét. Feljebb ült egy kicsit, lecsukta a MacBookját, és azt kérdezte:

– Igen? Megcsókoltad már?

– Öhm… nos, nem, de…

– Tényleg? – vonta fel a szemöldökét, és nyilvánvalóan azt gondolta, hogy ez furcsa. – Hogyhogy?

Nem tudtam, mit mondjak neki.

– Ne stresszelj ezen! – intett. – Meg fog történni. Amikor eljön az ideje, egyszerűen *meg fog történni.*

Ez feldühített. Tényleg ennyire semmitmondó dolog a csókolózás?

– Azt hiszem – mondtam, mert úgy éreztem, hogy egyszerűen csak őszintének kell lennem. – Én… még nem tudom, vajon… tudod, vonzódom-e úgy általában a férfiakhoz, vagy… valami ilyesmi.

Rooney pislogott.

– Igazán?

– Igen.

– Oké – mondta Rooney. Bólintott, de láttam az arcán, hogy ez meglepetés volt számára. – Oké.

– De nem vagyok biztos. Egy csomót gondolkoztam rajta, öhm… nos, hogy érzek a… testi dolgokkal kapcsolatban.

Itt volt egy szünet, aztán azt kérdezte:

– A szexszel kapcsolatban?

Gondolhattam volna, hogy szókimondó lesz.

– Nos, igen.

– Oké – bólintott megint. – Igen. Ez jó. A szexuális vonzalom csak annyi, hogy kitalálod, kivel akarsz szexelni. – Szünetet tartott, hogy átgondolhassa, aztán teljesen szembefordult velem. – Jó. Ki fogjuk találni.

– Hogy érted?

– Úgy értem, járjunk az érzéseid végére, és találjuk ki, vajon vonzódsz-e Jasonhöz, vagy sem.

Fogalmam sem volt, hova fog vezetni ez a beszélgetés, de féltem.

– Első kérdés. Maszturbálsz?

Joggal féltem.

– Ó, istenem!

Felemelte a kezét.

– Nem kell válaszolnod, de azt hiszem, ez nagyon jó módja lehet annak, hogy kitaláljuk, tényleg tetszik-e Jason.

– Annyira kellemetlenül érzem magam.

– Én vagyok az. Hallottam, ahogy fingasz az ágyban.

– Nem, *nem* hallottad.

– De. Hangos volt.

– Ó, istenem!

Tudtam, hogy egyszerűen lezárhatnám ezt a beszélgetést, ha igazán akarnám. Egy kicsit durva volt Rooney-tól, hogy ilyen személyes dolgokat kérdezett, amikor igazából csak másfél hónapja ismertük egymást. De beszélni *akartam* valakivel ezekről a dolgokról. És úgy gondoltam, ez talán segít nekem kitalálni néhány dolgot.

– Szóval – folytatta Rooney. – Maszturbálás.

Nem voltam az a fajta ember, aki úgy gondolta, ez egy „pasidolog". Elég sokat lógtam az interneten ahhoz, hogy tudjam, a maszturbálás mindennemű.

– Nem… nem maszturbál mindenki? – motyogtam.

– Hmmm, nem, nem hiszem. – Rooney megkocogtatta az állát. – Volt egy barátom még otthon, aki azt mondta, egyszerűen nem szereti csinálni.

– Ó! Ez érthető.

– Szóval feltételezem, akkor te csinálod.

Igen, csináltam. Nem fogok hazudni erről. Tudtam, hogy ez nem szégyellnivaló dolog, nyilvánvalóan, de még mindig szörnyűnek éreztem, hogy beszéljek róla.

– Igen – mondtam.

– Oké. Szóval, mire gondolsz, amikor maszturbálsz?

– Rooney! Ó, a kibaszott életbe!

– Gyerünk! Tudományos kísérletet végzünk, hogy megállapítsuk, hol rejlik a vonzódásod. Ó, istenem, meg kellene kérnünk Pipet, hogy segítsen! Ő biológiát tanul.

Nem akartam különösebben, hogy Pip belekeveredjen ebbe az amúgy is kínos beszélgetésbe.

– Nem, nem kellene.

– Férfiakra gondolsz? Nőkre? Mindkettő? Valami? Vagy?

Az őszinte válasz az volt, hogy:

Valami.

Szó szerint valamire.

De tudtam, hogy ez csak összezavarná a dolgokat. És itt volt a miért.

A megszokott maszturbációs helyzetem úgy indult, hogy kedvem támadt egy erotikus fanfichez. Biztonságos, szórakoztató módjának éreztem, hogy felizgasson, és jól érezzem magam. Szóval a karakterekre gondoltam, akikről a ficben olvastam. A nemek bármilyen kombinációja jöhetett, nem voltam válogatós, amíg az írás jó volt.

Ez nem a testekről és a nemi szervekről szólt számomra. A kémiáról szólt. De ez nem volt valami szokatlan, gondoltam.

Az emberek *valójában* nem csak ránéznek a mellekre és hasizmokra, és felizgulnak. Igaz?

– Georgia – mondta Rooney. – Gyerünk! Elmondom neked az enyémet, ha te elmondod a tiédet.

– Rendben – mondtam. – Én… Nem igazán számít a nem.

– Ó, istenem! Nekem sem! – Kettőnkre mutatott. – Maszturbálófantázia-nővérek vagyunk!

– Soha többé ne mondd ezt!

– Nem, de klassz tudni, hogy nem vagyok egyedül ezzel – húzta kicsit szorosabbra maga körül a takaróját. – Mármint, tudom, hogy csak srácokkal kavarok, de… tudod. Szórakoztató más dolgokra gondolni.

Akkor talán bi vagy pán vagyok. Talán mindketten azok vagyunk. Ha nem számít nekünk a nem, ennek lenne értelme, igaz?

– De van néhány konkrét forgatókönyv, amit el kell képzelnem – folytatta. – Mármint nem tudom elképzelni, hogy bárkivel csináljak bármit is. Még mindig úgy gondolom, hogy vannak… preferenciáim. De nem korlátozódik a nemre.

Mondott valamit, ami megütött.

– Várjunk… – mondtam. – Ú…úgy értem, én nem képzelem el *magamat* egyik nemmel sem.

Elhallgatott.

– Ó! Mi?

Bekattant, hogy mit próbáltam mondani.

– Nem arra gondolok, hogy *én magam* szexelek – magyaráztam. Rooney összeráncolta a homlokát, aztán felhorkantott. Végül rádöbbent, hogy nem vicceltem, és megint ráncolta a homlokát.

– Mire gondolsz akkor? Más emberekre?

– ...Igen.

– Mármint... emberekre, akiket ismersz?

– Fuj, nem. Ó, istenem! Inkább... kitalált emberekre a fejemben.

– Hm... – Rooney kifújta a levegőt. – Szóval... nem gondolsz arra, hogy Jasonnel szexelsz?

– Nem! – kiáltottam fel. A gondolat, hogy Jasonnel szexeljek, kiborított. – Az emberek... az emberek nem gondolnak tényleg ilyenekre, igaz?

– Mire? Fantáziálnak-e valakiről, akibe bele vannak zúgva?

Amint kimondta, rájöttem, mennyire nyilvánvaló. Természetesen az emberek ezt teszik. Több tucatszor láttam filmekben, a tévében és fanficekben.

– Ez nehezebb lesz, mint gondoltam – mondta Rooney.

– Ó!

– Oké, szóval. Második kérdés. Ki volt az a híresség, akitől utoljára elélveztél?

Pislogtam.

– Az emberek *határozottan* nem csinálhatják ezt.

– Mit?

– Nem élvezhetnek el hírességek képeire.

– Öhm, de, megteszik. A laptopomon van egy mappám félmeztelen képekkel Henry Cavillről.

Nevettem.

Rooney nem.

– Mi az? – kérdezte.

Őszintén azt gondoltam, hogy viccelt.

– Azt hittem, ez csak egy filmes dolog. Te tényleg csak... ránézel a hasizmokra, és ez elég neked?

– Hát... igen. – Rooney egy kicsit feldúltnak tűnt. – Mi az, ez nem normális?

Fogalmam sem volt, mi a normális. Talán semmi sem normális.

– Egyszerűen nem értem a vonzerejét. Mármint... a hasizom csak hullámos has.

Ez Rooney-t hangos nevetésre késztette.

– Oké. Rendben. Harmadik kérdés...

– Hogy lehet még több kérdés...?

– Erotikus álmok. Mi történt a legutóbbi erotikus álmodban?

Rábámultam.

– Ez komoly?

– Igen!

Elkezdtem mondani, hogy még sosem volt erotikus álmom, de ez nem volt pontosan igaz. Néhány évvel ezelőtt volt egy álmom, ahol a vizsgáim sikeres letétele érdekében szexelnem kellett az osztályomból egy sráccal. Az ágyon várt, meztelenül, én pedig folyamatosan ki-be járkáltam a hálószobámba teljesen felöltözve, és nem igazán tudtam összeszedni a bátorságot, hogy végigcsináljam. Nem rémálom volt, de ugyanazt a rémálomszerű érzést keltette bennem, mint amikor megpróbálsz elfutni egy démontól, de a lábad úgy mozog, mintha iszapba ragadt volna, a démon utolér téged, de nem tudsz rendesen mozogni, és mindjárt meghalsz.

Jobban meggondolva, nem voltam biztos benne, hogy ez erotikus álomnak számít.

– Nincsenek erotikus álmaim – mondtam.

Rooney visszabámult rám.

– Mi... soha?

– Mindenkinek vannak erotikus álmai?

– Nos... Most már nem tudom. – Rooney majdnem olyan zavarodottnak tűnt, mint én. – Feltételeztem, hogy ez mindenkire igaz, de... Úgy értem, azt hiszem, nem.

Majdnem megbántam, hogy felhoztam a témát. Ahhoz képest, hogy Rooney egy csomót szexelt, úgy tűnt, nem érti jobban, mint én. Meghoztam egy gyors döntést, és újra megragadtam a telefonomat.

– Írok Pipnek.

– Igen. Kérlek, vonjuk be! Tudni akarom, mit gondol.

Ránéztem Rooney-ra.

– Nagyon érdekel, mit gondol Pip a szexről, mi?

– Uh… nem, igazából nem. Én csak… én csak egy harmadik véleményt akarok, és ő a legmegfelelőbb személy, hogy megosszuk vele – kezdett Rooney összevissza beszélni.

Georgia Warr
elnézést a késő esti üzenet miatt, de van egy kérdésem, kedves barátom

Felipa Quintana
Jobb ha nem a csoportchat nevéről van szó mert halálig fogom védeni a „Szentivánéji Csapás"-t

Georgia Warr
tisztelem a csapást, nem erről van szó
szóóóóóóval
én és rooney a szexről folytatunk beszélgetést épp most

Felipa Quintana
OOOOH
Oké benne vagyok

Georgia Warr
a kérdésem az…
vannak erotikus álmaid?

Felipa Quintana
Lol HŰHA

Georgia Warr
nem kell válaszolnod, ha ez túl személyes haha
de többször is láttalak pisilni
mostanra valószínűleg túl jól ismerjük egymást
félreértés elkerülése végett itt van rooney és tudni akarja a válaszaidat

Felipa Quintana
Hűha szia rooney
Igen vannak erotikus álmaim
Nem olyan sooook
De néhanapján
Úgy gondolom ez teljesen normális igaz??

– Azt mondja, vannak erotikus álmai – mondtam Rooney-nak.
– Kérdezd a maszturbációról – sziszegte Rooney a szoba túloldaláról.
– Rooney!
– A tudomány kedvéért!

Georgia Warr
tulajdonképpen ez az amit próbálunk meghatározni
egy második kérdés: amikor maszturbálsz MAGADRA gondolsz
szex közben?? és ha igen... melyik nemmel?
rooney azt mondta nem számít neki a nem

Felipa Quintana
JÉZUS Georgia mi ez a beszélgetés omg
Várj Rooney arra gondol, hogy lányokkal van??????

Georgia Warr
aha

Felipa Quintana
Oké... oké érdekes
Nos, először is, magamra gondolok? Nemtom, mi másra
gondolnék?? Gondolom, hacsak nem épp szó szerint pornóra
maszturbálsz... de még akkor is olyan, mintha legalább egy
kicsit rólad és a fantáziádról is szólna
És nyilvánvalóan én csak lányokra gondolok haha... a gondolat,
hogy egy sráccal legyek egyszerűen undorít
Úgy értem nagyon leszbikus vagyok. Ezt megállapítottuk
Azért ez érdekes

– Azt mondta, ő magára gondol, ahogy szexel – mondtam.

Rooney bólintott, bár elkezdte igazgatni a haját, szóval nem tudtam leolvasni az érzéseit.

– Igen, mármint ez az, amit a legtöbb ember csinál, azt hiszem.

Georgia Warr
nem mondom el rooney-nak ezt, ez csak egy kérdés tőlem
szoktál fantáziálni más emberekről?? mármint igazi
emberekről?? mármint, ha bele vagy zúgva valakibe, vagy
találkozol valaki igazán dögössel fantáziálsz arról hogy
szexelsz vele????

Felipa Quintana
Georgia hogyhogy tudni akarod mindezt?
Jól vagy??
Jason és te SZEXELTEK?
Ó istenem nem tudom, hogy akarom-e tudni

Georgia Warr
higgadj le nem szexelek
csak próbálok megérteni néhány dolgot

Felipa Quintana
Oké
Igen azt hiszem csinálom néha
Nem miiiinden egyes dögös emberrel akivel találkozom de ha
igazán megtetszik valaki...
Úgy értem néha egyszerűen nem tudom megállni azt hiszem
haha...

– Mit mondasz neki? – kérdezte Rooney.

A telefonom kijelzőjét bámultam.

És aztán áthajítottam az ágyamon.

– Ez csakis egy kibaszott *vicc* lehet! – fakadtam ki.

Rooney megtorpant.

– Mi?

Felültem, lelökdösve a takarót a testemről.

– Mindenki kibaszottul VICCEL!

– Mire…

– Az emberek tényleg csak… a szexre gondolnak mindig, és még csak meg sem tudják állni? – hadartam. – Az emberek erről álmodnak, mert *annyira* akarják? Hogy a… Kezdek megőrülni… Azt gondoltam, az öszszes film eltúlozza, de ti tényleg mindannyian csak nemi szervekre és szégyenérzetre vágytok. Ennek valamiféle hatalmas viccnek kell lennie. Hosszú csend következett.

Rooney megköszörülte a torkát.

– Azt hiszem, nem vagyunk maszturbációsfantázia-nővérek.

– Az isten szerelmére, Rooney!

Nem hiszem, hogy ez a beszélgetés olyan irányba haladt volna, amire bármelyikünk is számított. Sosem fantáziáltam magamról, ahogy szexelek. És ezzel nem hasonlítottam a többiekre. Én más vagyok. Hogy nem jöttem rá erre korábban? Fanfickaraktereket elképzelni, ahogy szexelnek? Nagyszerű. Szép. Szexi. De elképzelni *magam,* ahogy szexelek valakivel, fiúval, lánnyal, bárkivel, nem érdekel. Nem… ez több volt ennél. Kibaszottul hidegen hagyott. Erről beszélt Sunil? Így érzett ő?

– Nem igazán tudom, mit mondjak, vagy hogyan segítsek – vallotta be Rooney. Aztán több őszinteséggel, mint amit tőle megszoktam, folytatta: – Ne csinálj semmit, amit nem akarsz csinálni, oké?

– …Oké.

– Úgy értem, Jasonnel. – Nagyon komolyan nézett hirtelen, én pedig rájöttem, milyen ritkán láttam ilyen kifejezést az arcán. – Csak ne csinálj semmi olyat, ami nem esik jól. Kérlek!

– Igen. Oké.

Felipa Quintana
Hé, biztos vagy benne hogy jól vagy? Ez egy furcsa beszélgetés volt

Georgia Warr
jól vagyok
sajnálom
furcsa volt

Felipa Quintana
Nem bánom!!! Szeretem a furcsaságokat
Remélem segítettem...

Georgia Warr
segítettél

MEGSZÓLAL A VISSZASZÁMLÁLÓ

– Szóval… Azt hiszem, ez akkor egy teljes értékű randi – mondtam Jasonnek a palacsintáink fölött.

A harmadik randinkon egy palacsintázóba mentünk. Fent volt egy dombon, körülbelül tízpercnyi sétára Durham városközpontjától, és annyira apró volt, hogy klausztrofóbiám támadt. Valószínűleg ezért érzem magam ennyire kényelmetlenül.

Úgy tűnt, a kijelentésem megzavarta őt egy pillanatra, de végül elmosolyodott.

– Azt hiszem, az.

Ma kitett magáért, ahogyan én is. A haja extra bolyhos volt, és divatos Adidas pulóvert viselt a szokásos fekete farmerjával.

– A másik két alkalom azért számított? – kérdeztem.

– Hm… Nem tudom. Talán a második…

– Igen. Kirúgtak minket a moziból, aztán migrénem lett, ez úgy hangzik, mint egy igazán jó első randi.

– Amit elmesélhetünk az unokáinknak, feltételezem. – Amint kimondta, nagyon zavarba jött, elbizonytalanodott, vajon ez helyénvaló vicc volt-e. Felnevettem, hogy megnyugtassam.

Ettük a palacsintánkat, és beszélgettünk. A színdarabról, a kurzusainkról, a közelgő Bailey-bálról, amire sikerült Pipnek és Jasonnek vendégjegyet szereznem. Beszéltünk politikáról, a hálószobáink dekorálásáról és az új Pokémon-játékról, ami hamarosan kijön. Istenem, olyan könnyű volt beszélgetni Jasonnel!

Ennyi elég volt ahhoz, hogy eloszlassam a kétségeimet. Hogy abbahagyjam a gondolkodást arról a beszélgetésről Rooney-val és Pippel. Elfelejtsem, amit Sunil mondott nekem. Jason és én nevettünk valami apró viccen. És azt gondoltam: talán. Talán működhet, ha egyszerűen még egyszer megpróbálom.

– Tudod, mit mondott Rooney? – kérdeztem Jasontől, amikor visszaértünk a college-ba. Beültünk a folyosóján a konyhába, és már elkészítette nekem a forró csokoládét.

Jason cukrot tett a teájába.

– Mit?

A visszafelé vezető úton úgy döntöttem, hogy kockáztatni fogok. Annak ellenére, amit Rooney megállapított a beszélgetésünk végén, reálisan kellett kezelnem ezt a helyzetet: erőfeszítéseket kellett tennem, hogy rávegyem magam, hogy Jasont vonzónak találjam. Meg tudom tenni, igaz? Meg tudom csinálni.

– Azt gondolta, furcsa, hogy még nem csókolóztunk.

Oké, ez nem pontosan az volt, amit a nagy szexbeszélgetésünk előtt mondott. De ez volt, amire burkoltan célzott.

Jason abbahagyta a teája kevergetését. Egy pillanatig az arca kiismerhetetlen lett.

Aztán folytatta a kevergetést.

– Ezt mondta? – kérdezte. A szája egy kissé megrándult.

– Amúgy szerintem sokkal több kapcsolata volt, mint nekünk – mondtam kínosan kuncogva.

– Igen? – kérdezte Jason ismét olvashatatlan arccal.

– Igen.

Basszus. Furcsává tettem az egészet? Furcsává tettem az egészet.

– Nos… – kocogtatta Jason a kanalát a bögréje oldalához. – Hát… Gondolom, mindenki más ütemben csinálja ezeket a dolgokat. Nekünk nem kell elkapkodnunk.

Bólintottam.

– Igen. Igaz.

Oké. Rendben van. Nem kellett ma csókolóznunk. Megpróbálhatom újra egy másik napon.

Elöntött a megkönnyebbülés.

Várjunk!

Nem adhatom fel ilyen könnyen, igaz?

Basszus.

Miért ilyen kibaszottul nehéz ez?

Rooney azt mondta, egyszerűen csak megtörténik. De ha nem csinálok semmit, semmi sem fog történni. Ha nem próbálom meg, örökre ilyen leszek. Jason befejezte a teája elkészítését. Úgy döntöttünk, hogy lógunk kicsit a szobájában egy filmmel. Késő vasárnap délután volt, és úgy éreztem, hogy ezt kell tennünk.

De épp, amikor ki akartam nyitni az ajtót, valaki a másik oldalon olyan gyorsan lökte be, hogy hátrabotlottam, és Jasonnek meg a bögre forró teájának estem.

Nem estünk el, de a tea *mindenhová* kiömlött.

Az ember, aki kinyitotta az ajtót, azonnal meghátrált egy bocsánatkéréssel.

– Sajnálom, egy kicsit később visszajövök.

Rám csak egy kevés fröcskölődött, és egyébként is még mindig viseltem a kabátomat. Jasonhöz fordultam, aki leült az egyik közeli székre felmérni a károkat.

A pulóvere elázott. De úgy tűnt, nem ez zavarta, riadtan bámult a bal kezére, amit szintén beborított a tea. A friss, forró tea.

– Ó, basszus! – mondtam.

– Igen – felelte egyszerűen, és a kezét bámulta.

– Fáj?

– Öhm… kissé.

– Hideg víz – mondtam azonnal. Megragadtam a csuklóját, és a mosogató felé húztam őt. Megnyitottam a hideg vizes csapot, és a kezét a sugár alá tartottam.

Jason csak döbbenten bámult. Vártunk, hagytuk, hogy a víz tegye a dolgát.

Egy pillanattal később azt mondta:

– Már alig vártam azt a teát.

Megkönnyebbülten sóhajtottam fel. Ha viccel, akkor valószínűleg nem volt annyira vészes.

– Kijön a tea? – nézett le a foltos szövetre, aztán felkuncogott. – Már várom, hogy kiderüljön.

– Igazán sajnálom – fakadtam ki. Rádöbbentem, hogy ez valószínűleg az én hibám volt.

Jason gyengéden megbökött a könyökével.

Nagyon közel álltunk egymáshoz a mosogató előtt.

– Nem a te hibád volt. Az a srác, aki bejött, itt lakik a folyosón. Esküszöm, soha nem nézi, hová megy. Már vagy ötször ütköztem vele.

– Te… a kezed jól van? Nem kell elmennünk a sürgősségire, vagy valami?

– Azt hiszem, jól van. De valószínűleg néhány percig itt kéne még állnom.

Megint elcsendesedtünk, hallgattuk a csobogó víz hangját.

Aztán Jason azt mondta:

– Öhm, nem kell fognod a kezem, ha nem akarod.

Még mindig fogtam a csuklóját, tartottam a kezét a csap alatt. Gyorsan elengedtem, de aztán rájöttem, hogy talán ez egyfajta flörtölős szöveg volt, és igenis akarta, hogy fogjam a kezét… vagy talán nem, és nem jelentett semmit? Nem voltam biztos. És túl késő volt.

Elfordítottam a fejem, és láttam, hogy bámul. Gyorsan félrenézett, de majdnem azonnal újra visszapillantott, úgyhogy fogva tartottuk egymás tekintetét.

Olyan volt, mintha egy sziréna hirtelen megszólalt volna körülöttem mindenhol.

Mint egy riasztó, ami olyan durván ébreszt fel, hogy nem tudod abbahagyni a remegést fél órán keresztül.

Visszagondolva, szinte mulatságos volt.

Valahányszor valaki megpróbált megcsókolni, fejest ugrottam az „üss vagy fuss" válaszreakcióba.

A tekintete a számra összepontosított, aztán visszasuhant. Nem olyan volt, mint Tommy. Nagyon keményen próbálta kitalálni, ez olyasvalami-e, amit akarok. Kereste a *jeleket*. Adtam ki jeleket? Talán könnyebb lenne neki, ha egyszerűen megkérdezné, de hogyan fogalmazzák meg az emberek ezt nem giccses módon? És hogy őszinte legyek, boldog voltam, hogy nem kérdezett, mert mit mondhatnék?

Nem. Nemet mondtam volna, mert kiderült, hogy egyszerűen nem tudok hazudni senkinek, csak magamnak.

Ahogy felém mozdult, csak egy centiméter töredékét, elképzeltem, ahogy megszólal egy visszaszámláló.

Meg akartam próbálni.

Meg *akartam* csókolni.

De nem akartam ténylegesen megcsókolni.

De talán mindennek ellenére meg kellene tennem.

De nem akartam.

De talán nem tudhatom, míg meg nem próbáltam.

De tudtam, hogy már tudom.

Már tudtam, mit érzek.

És Jason is látta.

Megint visszahúzódott, nyilvánvalóan feszengve.

– Uh… sajnálom. Nem a megfelelő pillanat.

– De. – Azon kaptam magam, hogy azt mondom: – Csináljuk!

Azt akartam, hogy csak megtegye. Azt akartam, hogy letépje a sebtapaszt. Rántsa vissza a csontot a helyére. Javítson meg!

De pontosan tudtam, hogy nincs itt semmi megjavítanivaló.

Mindig is ilyen voltam.

A szemembe nézett, kérdőn. Aztán előredőlt, és a száját az enyémhez nyomta.

AGYMOSOTT

Életemben először Jason Farley-Shaw-val csókolóztam az első egyetemi évem novemberében, a kollégiumi konyha mosogatója előtt állva. Bármennyire is romantikus voltam, nem sokszor képzeltem el, hogy milyen lesz az első csókom. Visszatekintve, ennek valószínűleg jeleznie kellett volna, hogy nem igazán akarok senkivel csókolózni, de hosszú évek filmjei, zenéje, tévéműsorai, a kortárs nyomás és a saját sóvárgásom a nagy szerelmi sztorira átmosta az agyam, hogy elhiggyem, csodálatos lesz, amíg ki nem próbáltam.

Nem volt csodálatos.

Valójában gyűlöltem. Azt hiszem, még akkor is kevésbé kényelmetlenül éreztem volna magam, ha valaki arra biztat, hogy kezdjek el énekelni a tömegközlekedési eszközön.

Nem Jason hibája volt, hogy nem volt csodálatos. Nem volt kihez hasonítanom, nyilvánvalóan, de tárgyilagosan tökéletesen jól csókolózott. Nem csinálta túl mélyen vagy durván. Nem voltak fog-, vagy ne adj isten, nyelvincidensek.

Tudtam, hogy a csókolózásnak milyen érzéseket *kell* kiváltania. Eddig több száz, lehet, hogy *több ezer* fanficet olvastam el. Ha megcsókolsz valakit, akihez vonzódsz, attól megszédülsz, a gyomrod összeszorul, a szívverésed felgyorsul, és élvezned kellett volna.

Semmit sem éreztem ezek közül. Csak mélységes, üres rettenetet éreztem a gyomrom mélyén. Gyűlöltem, hogy közel volt hozzám.

Gyűlöltem, ahogyan az ajka az enyémre tapad. Gyűlöltem a tényt, hogy ezt akarja csinálni.

Csak néhány másodpercig tartott.

De néhány nagyon kellemetlen másodperc volt számomra.

És az arckifejezéséből ítélve, neki is.

– Úgy nézel ki, mintha szörnyű lett volna – mondtam váratlanul. Nem tudtam, ezen a ponton mi mást mondjak, csak az igazságot.

– Te is – mondta Jason.

– Ó!

Jason elfordult elkínzott arckifejezéssel. Kinyitotta a száját, aztán újra becsukta.

– Nos, ezt elbasztam – mondtam.

Azonnal megrázta a fejét.

– Nem, ez az én hibám. Sajnálom. Basszus. Rossz pillanat volt.

Nevetni akartam. Azt kívántam, bárcsak meg tudnám magyarázni, mennyire az én hibám volt.

Talán meg kellene próbálnom megmagyarázni.

De végül Jason szólalt meg először.

– Nem hiszem, hogy szerelmes vagy belém – mondta.

Amikor rám nézett, olyan volt, mintha esedezne. Könyörögve, hogy mondjam az ellenkezőjét.

– Én… én nem tudom, az vagyok-e – mondtam. – Azt gondoltam, ha… ha megpróbálom, meg tudom csinálni… Csak látni akartam, hogy képes vagyok-e szerelembe esni, és te voltál az az ember, akiről azt hittem, bele tudok esni, mármint, ha megpróbálom…

Ahogy kimondtam, rájöttem, milyen súlya van annak, amit tettem.

– Te… akkor csak felhasználtál engem a kísérletezésedhez – mondta Jason félrefordulva. – Miközben tudtad, hogy te tényleg tetszel nekem.

– Nem akartalak megbántani.

– Nos, megtetted – nevetett. – Hogy gondoltad, hogy ezzel *nem* bántasz meg?

– Sajnálom. – Ez volt minden, amit mondani tudtam.

– Basszus. – Aztán szörnyen, szomorúan nevetett. – Miért tetted ezt velem?

– Ne mondd ezt! – mondtam rekedten.

Jason elzárta a csapot, és a kezét tanulmányozta összehasonlítva a másik kezével. Több árnyalattal vörösebbnek látszott, mint lennie kellett volna.

– Oké. Azt hiszem, rendben van.

– Biztos vagy benne?

– Igen. Lehet, hogy megyek és bekötöm valamivel, csak a biztonság kedvéért.

– Ó! Istenem, igen, persze – álltam ott esetlenül. – Akarod, hogy veled jöjjek?

– Nem.

Basszus. Ez az egész elszaródott.

– Igazán sajnálom – mondtam. Nem tudtam, vajon az égésért vagy a csókért kértem bocsánatot. Mindkettőért, valószínűleg.

Jason megrázta a fejét. Csaknem úgy tűnt, mintha magára lenne mérges, pedig ami ezen a délutánon történt, abból semmi sem az ő hibája volt.

– Én… most mennem kell.

Jason az ajtó felé indult.

– Jason – mondtam, de nem állt meg.

– Arra van szükségem, hogy békén hagyj egy ideig, rendben, Georgia? És aztán elment.

Jason nem ezt érdemelte.

Jason volt…

Jasonnek valódi érzései voltak irántam.

Jason megérdemelt valakit, aki valóban képes ezt viszonozni.

FANTÁZIAJÖVŐ

Nem csak az zavart, hogy megbántottam Jasont. És nem is csak az, hogy el kellett fogadnom, valami olyan szexuális irányultságom van, amiről alig hallott valaki, és amit valahogy el kell majd magyaráznom a családomnak és mindenki másnak. Leginkább az zavart, hogy teljes bizonyossággal tudtam, soha, de soha nem fogok beleszeretni senkibe. Az egész életemet azzal töltöttem, hogy őszintén hittem, romantikus szerelem vár rám. Hogy egy nap megtalálom, és teljesen, megmásíthatatlanul *boldog* leszek. De most el kellett fogadnom, hogy ez sosem fog megtörténni. Egyik sem. Nincs romantika. Nincs házasság. Nincs szex.

Annyi dolog van, amit sosem fogok megtenni. Még csak soha nem is *akarnám* csinálni, vagy nem érezném *kellemesnek*. Annyi apróság, amit magától értetődőnek vettem, mint például hogy beköltözöm az első saját otthonba a partneremmel, lesz egy első táncom az esküvőmön, vagy gyereket vállalok valakivel. Együtt leszek valakivel, aki vigyáz rám, amikor megbetegszem, akivel esténként tévét nézünk, és páros nyaralásra megyünk Disneylandbe.

És a legrosszabb része ennek az volt, hogy még vágytam ezekre a dolgokra, de már tudtam, hogy sosem tennének boldoggá. Az elképzelés gyönyörű volt. De a valóságtól rosszul voltam.

Hogy szomoríthat ennyire el az, hogy feladok valamit, amit valójában nem is akarok?

Szánalmasnak éreztem magam, amiért elszomorodom emiatt. Bűnösnek éreztem magam, hiszen vannak olyan emberek, mint én, akik *boldogok.*

Úgy éreztem, mintha gyászolnék. Gyászoltam a hamis életet, a fantáziajövőt, amit sosem fogok élni.

Fogalmam sem volt, milyen lesz így az életem. És ez megrémített. Istenem, ez annyira, annyira megrémített.

TÜKÖRVILÁG

Nem mondtam el Pipnek.

Nem akartam csalódást okozni neki is. A randi utáni napon azon kezdtem tűnődni, vajon Jason elmondta-e neki, és Pip gyűlölni fog-e engem. De aztán küldött egy üzenetet aznap délután egy igazán vicces TikTok-videó linkjével, ami határozottan azt jelentette, hogy Jason nem mondta el.

Másnap Pip üzent nekem, és megkérdezte, akarok-e találkozni vele és együtt tanulni a nagy egyetemi könyvtárban, mert gyűlölte egyedül csinálni az egyetemi feladatokat a szobájában, és én beleegyeztem. Jasonnek, magyarázta, evezős edzése van, szóval nem tud jönni. Nem csevegtünk sokat, amíg oda nem értünk. Nekem egy Lovagság kora beadandóm volt, ő a kémiafeladatát csinálta, ami tízszer nehezebbnek tűnt, mint az „A sors Chrétien de Troyes *Perceval*jában" című esszém. Boldog voltam, hogy nem beszéltünk sokat. Mert ha kérdezett volna Jasonről, nem tudtam volna hazudni.

Közel este kilenc óra volt, mire mindketten befejeztük, szóval úgy döntöttünk, szerzünk némi sült halat krumplival, aztán visszamegyünk a szobámba, hogy felzárkózzunk a *Megszállottak viadalá*val.

Valószínűleg egy átlagos este lett volna. Valószínűleg egy kicsit felvidított volna mindaz után, ami történt.

Ha nem arra léptünk volna be a hálószobámba, hogy Rooney sír.

Összegömbölyödött a takarója alatt, nyilvánvalóan próbálta elrejteni a tényt, hogy zaklatott, de nem sikerült teljesen, mert annyira hangosan szipogott. Az első gondolatom az volt, hogy Rooney az este ezen időszakában *sosincs* a szobánkban. A második gondolatom az volt: *miért sír?* Pip lefagyott. Nem volt menekvés a helyzetből. Láthattuk, hogy Rooney sír. Ő tudta, hogy mi tudjuk. Nem színlelhettük, hogy ez nem történt meg.

– Hé – mondtam, és rendesen beléptem a szobába. Pip az ajtónyílásban habozott, nyilvánvalóan próbálta eldönteni, vajon maradjon vagy menjen, de épp, amikor felé fordultam, hogy megmondjam neki, menjen, bejött, és becsukta maga mögött az ajtót.

– Jól vagyok – jött a könnyes válasz.

Pip felnevetett, de úgy tűnt, azonnal megbánta.

Pip hangjára Rooney kikukucskált a takaró alól. Meglátva Pipet a szeme összeszűkült.

– Elmehetsz – mondta azonnal kevésbé könnyesen, sokkal inkább *rooney-san.*

– Öhm… – Pip megköszörülte a torkát. – Nem rajtad nevettem. Csak azért nevettem, mert azt mondtad, jól vagy, amikor nyilvánvalóan nem. Úgy értem, mármint, szó szerint sírsz. Nem mintha ez vicces lenne. Egyszerűen egy kicsit hülyeség volt…

Rooney arca, ami nagyon nyilvánvalóan könnyfoltos volt, megkeményedett.

– Húzz el!

– Öhm… – Pip beletúrt a halas-krumplis zacskóba, és kivett egy nagy rakás papírszalvétát. Odakocogott Rooney ágyához, és betette őket közvetlenül a paplan alá, aztán visszakocogott az ajtóhoz. – Tessék.

Rooney a szalvétákra nézett. Aztán fel Pipre. És most az egyszer nem mondott semmit.

– Én, öhm… – Pip átfuttatta a kezét a haján, félrefordította a tekintetét. – Remélem, hamarosan jobban érzed majd magad. És ha szükséged van még több zsepire, öhm… elmegyek és szerzek néhányat…

Szünet következett.

– Azt hiszem, van most elég, köszönöm – mondta Rooney.

– Klassz. Akkor most csak megyek.

– Klassz.

– Te… jól vagy?

Rooney rábámult egy hosszú pillanatig.

Pip nem várta meg a választ.

– Ja. Nem. Sajnálom. Megyek. – Megperdült, és gyakorlatilag kirohant a szobából. Amint az ajtó kattanva becsukódott, Rooney lassan felült, felkapott egyet a szalvéták közül, és megtörölte a szemét.

Leültem a saját ágyamra, a táskámat a lepedőre hajítva.

– Jól vagy? – kérdeztem.

Erre felemelte a fejét. A szemfestéke elkenődött, a lófarka szétcsúszott, a szokásos partiruháit viselte, vállpánt nélküli felsőt és feszes szoknyát.

Egy pillanatnyi csend következett.

És aztán megint elsírta magát.

Oké. Kénytelen voltam megbirkózni a helyzettel. Valahogyan.

Felálltam, és odasétáltam a vízforralójához, amit bedugva tartott az asztalán. Feltöltöttem a hálószobai mosdókagylóból, majd odatettem melegedni. Rooney szerette a teát. Az első dolog, amit mindig tett, miután visszatért a szobánkba, hogy csinált egy csésze teát.

Amíg vártuk, hogy felforrjon a víz, óvatosan leültem az ágya szélére.

Egyszer csak észrevettem, hogy van valami a padlón, a lábam alatt: a fotó Rooney-ról és a hableányhajú Bethről. Biztosan leesett a falról. Felvettem és az éjjeliszekrényére tettem.

Miről van szó? Talán a színdarabról? Ez tette ki körülbelül a nyolcvan százalékát annak, amiről beszélt.

Vagy párkapcsolati dolog volt. Talán vitázott egy sráccal. Vagy talán családi ügy. Nem igazán tudtam semmit Rooney családjáról vagy egyáltalán az otthoni életéről.

Én mindig is utáltam, ha megkérdezték, jól vagyok-e. A rendelkezésre álló válaszok, hogy vagy hazudok, és azt mondom, *„jól vagyok"*, vagy masszívan és kínosan megnyílok.

Szóval ahelyett, hogy megkérdeztem volna Rooney-tól ezt újra, azt mondtam:

– Akarod, hogy idehozzam a pizsamádat?

Egy pillanatig azon tűnődtem, hallott-e engem.

De aztán bólintott.

Hátradőltem, és megragadtam a pizsamáját az ágy végéből. Mindig hozzáillő gombos, aranyos mintásakat viselt.

– Itt van – mondtam odatartva neki.

Szipogott. Aztán elvette.

Amíg átöltözött, átmentem a vízforralóhoz, és csináltam neki teát. Mire visszaértem, átalakult Alvós Rooney-vá, és elfogadta a bögrét.

– Köszi – motyogta, és azonnal kortyolt belőle. Istenre esküszöm, aki teát iszik, annak nem maradhat semmilyen érzékelőbimbó a nyelvén. Esetlenül összefűztem az ujjaimat az ölemben.

– Akarsz… akarsz beszélni róla? – kérdeztem.

Felhorkantott, ami legalább valamivel jobb volt a zokogásnál.

– Ez egy… nem? – kérdeztem.

Ismét kortyolt.

Hosszú szünet következett.

Feladni készültem, és visszamenni a saját ágyamba, amikor megszólalt:

– Szexeltem valami sráccal.

– Ó! – mondtam. – Mármint… nemrég?

– Igen. Úgy néhány órával ezelőtt – sóhajtott. – Unatkoztam.

– Ó! Nos… jól hangzik.

Lassan megrázta a fejét.

– Nem. Nem igazán.

– Rossz… rossz volt?

– Csak azért csináltam, hogy megpróbáljak betölteni egy lyukat.

Elgondolkoztam ezen.

– Lehet, hogy szűz vagyok – mondtam –, de azt hittem, hogy általában egy lyuk betömése a lényeg.

Rooney felvihogott.

– Ó, *istenem!* Nem hiszem el, hogy ezzel viccelsz!

Rábámultam. Szélesen vigyorgott.

– Egy másik lyukra utaltál? – kérdeztem. – Nem vaginálisra?

– *Igen,* Georgia! Nem a kibaszott vaginámról beszéltem.

– Oké. Csak tisztáztam. – Szünetet tartottam. – Azt gondoltam, nagyon szexpozitív vagy meg ilyesmi. Nincs semmi baj az alkalmi szexszel.

– Tudom – mondta, aztán megrázta a fejét. – Még hiszek ebben az egészben. Nem mondtam, hogy az alkalmi szexelés rossz emberré tesz, mert nem. És nagyon élvezem. De ma este... ez csak... – Belekortyolt a teájába, a szeme ismét megtelt könnyekkel. – Tudod, amikor túl sok sütit eszel, és ettől rosszul érzed magad, valahogy ilyen volt. Azt hittem, kellemes lesz, de csak... magányosnak éreztem magam tőle.

– Ó! – Nem akartam kíváncsiskodni, szóval egyszerűen csendben maradtam.

Rooney megitta a maradék teáját néhány nagy korttyal.

– Akarsz nézni valamit a YouTube-on? – kérdezte.

Ez összezavart.

– Öhm... persze.

Letette a bögréjét, felállt, felhajtotta a takarót, és bebújt alá. Az egyik oldalra csúszott, és megütögette a helyet maga mellett, jelezve, hogy bújjak be.

– Úgy értem... nem kötelező – mondta érzékelve a tétovázásomat. – Előadásod van reggel, vagy ilyesmi?

Nem volt. Teljesen szabad napom volt, semmi előadás vagy szeminárium.

– Nem. És egyébként is meg kell ennem a krumplimat. – Felkaptam a vacsorámat, és lefeküdtem mellé. Helyesnek és rosszak éreztem egyszerre: egy tükörvilágnak. Ugyanolyan, mint a saját ágyam, de minden ellentétes.

Mosolygott, és ránk húzta a virágos takaróját, hozzám bújt, hogy kényelembe helyezkedjen, aztán felkapta a laptopját az éjjeliszekrényről.

Megnyitotta a YouTube-ot. Nem igazán követtem semmilyen youtubert, a YouTube-on csak trailereket, fanvideókat és TikTok-gyűjtéseket néztem. De úgy tűnt, Rooney tucatnyi és tucatnyi csatornára van feliratkozva. Ez meglepett. Nem tűnt olyasféle embernek, akit érdekel a YouTube.

– Van egy nagyon vicces youtuber, akit egy csomót nézek – mondta.

– Oké – mondtam. – Akarsz chipset?

– Istenem, igen!

Megtalálta a csatornát, és átkutatta a videókat, míg rábukkant arra, amit akart. És aztán együtt ültünk az ágyában, és néztük, miközben megosztoztunk a chipsemen.

Őszintén szólva, elég vicces videó volt. Csak annyi, hogy ez a youtuber és a barátai egy furcsa énekes játékot játszanak. Folyamatosan hangosan vihorásztam, ami Rooney-t is megnevettette, és mire feleszméltem, már meg is néztük a teljes húszperces videót. Azonnal talált egy másikat, amit meg akart mutatni nekem, és örömmel hagytam neki. A felénél a vállamra hajtotta a fejét, és... Nem tudom. Ez volt talán a legnyugodtabb dolog, amit valaha láttam tőle.

Buta videókat néztünk még vagy egy óráig, aztán Rooney lecsukta a laptopját, és letette maga mellé, majd visszabújt az ágyba. Tűnődtem, vajon elaludt-e, és ha igen, egyszerűen vissza kellene-e mennem a saját ágyamba, mert biztosan nem fogok tudni aludni itt, ilyen közel egy másik emberhez, de aztán megszólalt.

– Régebben volt egy barátom – mondta. – Sokáig jártunk. Tizennégy éves koromtól tizenhét éves koromig.

– Hűha! Tényleg?

– Igen. Szakítottunk, amikor végzős lettem.

Azt feltételeztem, hogy Rooney mindig is olyan volt, mint Rooney. Hogy mindig ez a gondtalan, vidám, szenvedélyes ember volt, aki nem törődött az elköteleződéssel.

Egy *hároméves* kapcsolat?

Erre nem számítottam.

– A dolgok vele... nagyon rosszak voltak – mondta. – Ez... egy nagyon rossz kapcsolat volt... sokféle szempontból, és... igazán... elvette a kedvemet a párkapcsolatoktól.

Nem kértem, hogy részletesen fejtse ki. El tudtam képzelni, mire gondolt.

– Nem kedveltem senkit azóta – motyogott ismét. – Megijedtem. De talán... újra kezdek megkedvelni valakit.

– Igen?

– Én igazán... nem akarom ezt érezni.

– Miért?

– Egyszerűen nem lesz jó vége – rázta meg a fejét. – És különben is, az a lány gyűlöl engem.

Azonnal tudtam, hogy a lány Pipet jelenti.

– Nem hiszem, hogy gyűlöl téged – mondtam óvatosan.

Rooney nem mondott semmit.

– Különben is, csak tizennyolc vagy, annyi időd van… – kezdtem, de nem tudtam, hogyan folytassam. Mégis mit értek ezen? Hogy *kétségkívül* megtalálja a tökéletes kapcsolatot? Mert tudtam, hogy ez nem igaz. Számomra nem. Senkinek sem.

Ez olyasvalami, amit a felnőttek mondogatnak állandóan. *Meggondolod magad, amikor idősebb leszel. Sosem tudhatod, mi fog történni. Egy nap másképp fogsz érezni.* Mintha mi, tinédzserek olyan keveset tudnánk magunkról, hogy teljesen más személyként ébredhetnénk fel egy napon. Mintha az ember, aki *épp most* vagyok, egyáltalán nem számítana.

Az egész elképzelés, hogy az emberek majd felnőnek, szerelmesek lesznek és megházasodnak, tökéletes hazugság. Mennyi időbe fog telni, mire ezt elfogadom?

– Tizenkilenc vagyok – mondta.

Összeráncoltam a homlokom.

– Várj, annyi vagy? Kihagytál gimi után egy évet?

– Nem. Múlt héten volt a születésnapom.

Ez még jobban összezavart.

– Mi? Mikor?

– Múlt csütörtökön.

Múlt csütörtök. Alig tudtam visszaemlékezni bármire arról a napról. Az egyetemi napok mind összemosódtak az előadások, étkezések és alvások végtelen áradatában.

– De… nem mondtál semmit.

– Nem – nevetett fel, részben elfojtotta a párnája. – Elkezdtem gondolkozni, mi történne, ha az emberek tudnák, hogy ez a születésnapom. A végén elmentem volna egy újabb buliba egy csomó olyan emberrel, akiket nem igazán ismerek, mindannyian azt színlelték volna, hogy a barátaim, elénekelték volna, hogy boldog születésnapot, hamis boldog szelfiket készítettünk volna az Instagramra, mielőtt elválunk egymástól, és összekavarunk különböző emberekkel, én pedig valami idegen ágyában végzem, és az átlag alatti szex után megint gyűlölöm magam.

– Ha elmondtad volna, akkor… semmi ilyesmit nem csináltunk volna.

Mosolygott.

– Mit csináltunk volna?

– Nemtom. Itt ültünk volna, és pizzát eszünk. Kényszeríthettelek volna, hogy nézzük a *Koszorúslányok*at.

Felhorkant.

– Az egy szar film.

– Nem a legjobb, de a romantika szó szerint tökéletes benne. Ülnek egy kocsin, és *répaszeleteket* esznek együtt.

– Az álom.

Kis ideig csendben feküdtünk.

– Többé… már nem szeretsz alkalmi szexelni – fogtam fel, mit próbált mondani korábban. Nem arról volt szó, hogy fájdalmat okozott neki vagy rossz emberré tette az alkalmi szex, nem. – Akarsz…

Még csak nem is arról volt szó, hogy kapcsolatot akart. Nem igazán. Azt akarta, amit a párkapcsolat *adna* neki.

– Akarsz valakit, akit ismersz – mondtam ki.

Csendben maradt egy pillanatig. Vártam, hogy azt mondja, mekkorát tévedek.

Helyette azt mondta:

– Egyszerűen magányos vagyok. Állandóan annyira magányos vagyok.

Nem tudtam, mit mondjak erre, de nem is volt szükség rá, mert néhány perccel később elaludt. Átnéztem a feje felett, és láttam, hogy Roderick jelentősen hervadozik. Rooney határozottan elfelejtette megöntözni. Felbámultam a plafonra, és hallgattam a légzését magam mellett, de nem akartam elhagyni az ágyat, mert bár nem tudtam aludni, és paranoiásan féltem attól, hogy rányáladzok, vagy véletlenül rágurulok, Rooney-nak valamiért szüksége volt rám. Talán, mert az összes barátja és ismerőse ellenére senki nem ismerte őt úgy, mint én.

DE HA NEM KÉPES SZERETNI

Következő héten Jason szokás szerint felbukkant a Shakespeare Társulat próbáján.

Nem gondoltam, hogy megteszi. Küldtem neki üzenetet, hogy bocsánatot kérjek megint, és megpróbáljam megmagyarázni, még akkor is, ha szar voltam a gondolataim és érzéseim kifejezésében. Elolvasta, de nem válaszolt.

Ezen a héten a legtöbb előadásomat bambulva töltöttem, nem készítettem elég jegyzetet, azon tűnődtem, hogyan fogom kimenteni a barátságunkat a káoszból, amit teremtettem. Jason romantikus értelemben kedvelt. Én meg kihasználtam, hogy kitaláljam a szexuális identitásomat, annak ellenére, hogy tudtam, nem viszonzom az érzéseit. Önző. Annyira önző voltam.

Elcsigázottnak nézett ki, amikor teljes evezősklub-felszerelésben megérkezett a próbára, egy nehéz hátizsák lógott a vállán. A mackókabátja hiányzott. Annyira megszoktam, hogy viseli, hogy valahogy sebezhetőnek tűnt nélküle.

Egyenesen elsétált mellettem anélkül, hogy rám nézett volna, a száját összeszorította, és leült Pip mellé, aki a mai jelenetet vette át.

Sunil pillanatokkal ezután érkezett. Kockás nadrágot viselt fekete hasítottbőr kabáttal és beanie sapkával.

Vetett egy pillantást Jasonre, és azt mondta:

– Kimerültnek nézel ki.

– Evezés – dörmögte Jason.

– Ó, igen. Milyenek a reggel hatórai edzések?

– Fagyasztóak és nedvesek.

– Kiléphetsz – mondta Pip. Mintha kicsit reménykedett volna benne. Jason megrázta a fejét.

– Nem, élvezem. Egy csomó barátot szereztem ott. – Vetett rám egy gyors pillantást. – Egyszerűen csak minden kezd sok lenni. Elfordultam. Nincs mód arra, hogy ezt jóvátegyem.

Jason a hagyományoknak megfelelően egy szigorú, idősebb férfi szerepét kapta. Ezúttal ez Orsino herceg volt a *Vízkereszt, vagy amit akartok*ból, egy újabb Shakespeare-romkomból.

A *Vízkereszt* sztorija egy nagy, mocskos szerelmi háromszög. Viola hajótörést szenved Illyria szigetén, és mivel nincs pénze, fiúnak álcázza magát, akit Cesáriónak hívnak, szóval így munkát kaphat mint Orsino herceg szolgája. A herceg szerelmes egy illyriai nemes hölgybe, Oliviába, így elküldi hozzá Violát, hogy adja át a szerelmes üzenetét. Sajnálatosan ahelyett, hogy elfogadná a herceg érzéseit, Olivia beleszeret a Ceasáriónak öltözött Violába. És duplán sajnálatosan Viola beleszeret a hercegbe. *Technikailag* nem meleg, de nézzük reálisan: ez a színdarab nagyonnagyon meleg.

Sunil már jelentkezett Violának:

– Csak adjátok nekem az összes olyan szerepet, ami a nemekkel szórakozik, kérlek! – mondta.

Pip és én összebújtunk egymás mellett a falnak dőlve, a kabátommal a lábunkon. Fagyasztó hideg volt a hatalmas próbatermünkben ma.

– Ti ketten fussátok át a jelenetet – mondta Rooney. – El kell mennem egy kis teáért, vagy konkrétan meg fogok halni.

Tegnap este megint elment szórakozni.

– Szerezz nekem egy kávét! – kiáltotta Pip, ahogy Rooney indulni készült.

– Komolyan inkább taposnék szögre! – kiáltott vissza Rooney, és érdeklődve láttam, hogy ez Pipet *megnevettette* a szokásos összeszorított fogú bosszankodás helyett.

Jason és Sunil elképesztőek voltak. Jasonnek volt tapasztalata, mivel korábban sok Shakespeare-darabban szerepelt, Sunil pedig felvette vele a versenyt annak ellenére, hogy az egyetlen színészi alakítása egy kisebb szerep volt a *Wicked* iskolai produkciójában. Jason csak annyit mondott:

– *Eredj, Cesárió.*[10]

Sunil pedig csak annyit:

– *És ha nem szerethet?*

És összességében ez egy nagyon sikeres próba volt.

Ültem, néztem, és ez majdnem kiszakított a gondolataim közül, majdnem elfeledtetett mindent, ami az elmúlt néhány hónapban történt. Csak Viola és Orsino világában élhettem egy ideig.

– *Lyányok s fiuk közűl magam vagyok* – mondta Sunil. Ez a jelenet egyik utolsó sora volt. – *Atyám családjából.* – Mosolyogva pillantott fel rám és Pipre futólag kilépve a karakterből. – Ez milyen jó sor! Mehet Twitter-bióba.

Úgy tűnt, Sunil igazán élvezi, hogy benne van a produkcióban. Az igazat megvallva, talán jobban élvezte, mint mi. Jasonnel elmentek külön dolgozni a jeleneten, én pedig bármilyen tennivaló nélkül ott maradtam a fal mellett, a térdemet felhúztam az államig, arra vártam, hogy Rooney visszatérjen a teaszerzésből.

– Georgia?

Felnéztem a hangra, és észrevettem Pipet, ahogy felém szalad, a nyitott *Vízkereszt*-példánnyal az egyik kezében.

– Van egy ötletem – mondta. – Arról, hogy mit csinálhatnál a darabban.

Nagyon-nagyon nem voltam olyan hangulatban, hogy bármit is eljátsszak ma. Egyébként sem voltam biztos benne, hogy olyan jól tudok játszani, mint eddig gondoltam.

– Oké – mondtam.

– Van egy másik karakter a *Vízkereszt*ben, akinek elég nagy tematikus szerepe van: a bohóc.

Felhorkantottam.

– Azt akarod, hogy bohóc legyek?

---

[10] Lévay József fordítása.

– Nos, ez csak egy név. Ő több hízelgő udvari bolondnál. – Pip a szóban forgó részre mutatott. A bohócnak volt néhány sor bevezetője ahhoz a jelenethez, amin Jason és Sunil jelenleg dolgozott. – Úgy gondolom, nagyon jó lenne, ha te csinálnád ezeket a részeket a Viola–Orsino-jelenet előtt.

Kétkedőn olvastam a sorokat.

– Nem tudom – pillantottam rá. – Én... A játékom elég szar volt az utóbbi időben.

Pip összeráncolta a homlokát.

– Csajszi! Ez nem igaz. Csak azok a szerepek... nem voltak számodra megfelelőek. Nem vagy szar semmiben.

Nem feleltem.

– Mi lenne, ha megpróbálnád? Ígérem, csakis támogató dolgokat mondok. És megdobjuk valamivel Rooney-t, ha bármi negatívat mond rólad. – Mintha demonstrálni akarná, Pip lehúzta a bakancsát, és a magasba tartotta.

Ez megnevettetett.

– Oké. Rendben. Megpróbálom.

– Visszatértem! – galoppozott be Rooney a terembe valahogy nem kilöttyentve mindenhová a forró italokat. Lerogyott mellém és Pip mellé, letette a teáját a padlóra, és odaadott egy kávét Pipnek.

Pip a kávéra bámult.

– Várj, te tényleg szereztél nekem egyet?

Rooney megvonta a vállát.

– Igen...

Pip felnézett rá, őszintén meglepődött, majdnem valami gyengédséghez hasonló látszott az arcán.

– Köszi.

Rooney visszabámult, aztán úgy tűnt, kényszerítenie kell magát, hogy elfordítsa a fejét.

– Szóval, hogy megy a jelenet? Csak két hét van a Bailey-bálig, addigra be kell fejeznünk ezt.

– Van egy ötletem – mondta Pip. – Hozzáadhatnánk a bohócot.

Félig vártam, hogy Rooney azonnal tiltakozni kezd, ehelyett leült Pip mellé, és felé hajolt, hogy el tudja olvasni a Vízkereszt-példányát.

Pip mérsékelten riadt arcot vágott, mielőtt ellazult, bár nagyon gyorsan megigazgatta a haját.

– Azt hiszem, ez egy jó ötlet – mondta Rooney.

– Tényleg? – kérdezte Pip.

– Tényleg. Néha vannak jó ötleteid.

Pip elvigyorodott.

– Néha?

– Néha.

– Sokat jelent – bökte oldalba Pip – ezt a te szádból hallani.

És istenre esküszöm, Rooney vörösebb lett, mint amilyennek valaha láttam.

Hosszú idő telt el azóta, hogy egyedül álltam a színpadon. Nos, ez *technikailag* nem volt színpad, de a mód, ahogyan négyen előttem ültek, és figyeltek, miközben előttük álltam, ugyanazt a hatást keltette.

A *Vízkereszt*ben a bohóc, akinek igazából Feste a neve, rendszeresen felbukkan, hogy gondoskodjon a könnyed, tréfás fellélegzésről, vagy elénekeljen egy, a történet témáihoz illő dalt. Közvetlenül Jason és Sunil jelenete előtt Feste a „Jöszte hát halál"-t énekli egy férfiról, aki meghal, valószínűleg szívfájdalom miatt, mert a nő nem szereti őt viszont, és azt akarja, hogy egyedül temessék el, mert annyira szomorú. Ez alapvetően csak egy elegáns módja annak, hogy elmondjuk, a viszonzatlan szerelem elég kegyetlen.

Mind úgy döntöttünk, hogy inkább monológként kéne szavalnom, mint énekelni. Amiért hálás voltam, de még mindig ideges.

Meg tudom csinálni. Be akartam bizonyítani, hogy meg tudom csinálni.

– *Jöszte hát, jöszte hát, halál* – kezdtem, és éreztem, ahogy a lélegzetem elakad a torkomban.

Meg tudom csinálni.

– *S gyász cziprusban adj át a földnek* – maradt lágy a hangom. – *Lelkem, tova szállj, tova szállj: egy szép, kegyetlen lyányka ölt meg.* – És felolvastam a dal többi részét. És éreztem az egészet. Egyszerűen... éreztem az egészet. A gyászt. A sóvárgást. Valami látomását, ami sosem történhet meg.

Sosem tapasztaltam a reménytelen szerelmet. Sosem fogom. És Feste, a bohóc nem is magáról beszélt, valaki más történetét mesélte el. Ám mindennek ellenére átéreztem.

— *Hogy sírom' bús szerető ne lelje fel, hol sirjon.*

Szünet következett, mielőtt becsuktam a könyvemet, és felnéztem a barátaimra.

Mind engem bámultak átszellemülten.

És aztán Pip egyszerűen elkezdett tapsolni.

— Kibaszottul IGEN! Abszolút kibaszottul igen. Zseni vagyok. Zseni vagy. Ez a darab *zseniális* lesz.

Rooney csatlakozott a tapshoz. Sunil is. És láttam, hogy Jason nagyon finoman megtörli a szemét.

— Rendben volt? — kérdeztem, bár nem igazán ezt akartam kérdezni. *Jó voltam? Rendben leszek?*

Az életemben minden a feje tetejére állt, de ez még megvan? Van még valami, ami boldogságot hozhat számomra?

— Több mint rendben — mondta Pip szélesen mosolyogva, és én is tudtam. *Igen, rendben.* Ebben a pillanatban egy csomó okból gyűlöltem magam. De legalább ez még megvolt.

KÉT SZOBATÁRS

A próba és a Bailey-bál közötti két hétben még háromszor próbáltunk, és ez alatt teljesen felülmúltuk Rooney célját, hogy egy jelenet elkészüljön. Mindhármat megcsináltuk: a *Sok hűhó semmiért*-et Pippel és Rooney-val, a *Vízkereszt*et Jasonnel, Sunillal és velem és a *Rómeó és Júliá*t Jasonnel és Rooney-val, miután úgy döntöttünk, hogy nem én vagyok a legjobb választás Júliára. Még a pizzaestre is volt időnk, amit Sunilnak beígértünk. Úgy tűnt, ő és Jason gyorsan összebarátkoztak, belemerültek egy beszélgetésbe a musicalekről, amiket láttak, Rooney-nak és Pipnek pedig sikerült végignéznie egy egész filmet anélkül, hogy egyetlen rosszindulatú megjegyzést tettek volna egymásra. Egy ponton még a vállukat is összepréselték, ahogy ültek, és barátságosan megosztoztak egy csomag tortillachipsen.

Mindannak ellenére, ami a kulisszák mögött történt, összejött. Valóban elkészítettünk egy produkciót.

Istennek hála, ebbe kapaszkodhattam. Enélkül valószínűleg csak az ágyban kucorogtam volna két hétig, mert a szexualitásom egy újfajta önutálatot hozott felszínre, amire nem voltam felkészülve. Azt hittem, büszkeséggel kellene hogy eltöltsön a nagy felfedezés, vagy ilyesmi. Hát, nyilvánvalóan nem.

Rooney-val is történt valami. Valami megváltozott benne az után az éjszaka után, hogy sírva találtunk rá a szobában. Már nem járt el esténként, helyette YouTube-videókat vagy tévéshow-kat nézett, vagy csak aludt. Megszoktam az eszeveszett gépelésének kattogását magam mellett az angol előadásainkon, de ez abbamaradt, és gyakran azon kaptam őt, hogy csak nagyon csendesen ül, elréved, és egyáltalán nem figyel az előadókra.

Néha úgy tűnt, jól van. Néha a „normális" Rooney volt, vasszigorral rendezte a darabot, a legfényesebb emberként a szobában, tizenkét különböző emberrel csevegett ebédidőben a kollégiumi menzán. A legjobb formáját hozta, amikor Pip a közelben volt, évődött és viccelődött vele, úgy ragyogott, ahogy senki mással nem tette. De még az ő társaságában is észrevettem néha, hogy Rooney elfordul, fizikai távolságot tart kettejük között, mintha nem akarná, hogy Pip egyáltalán lássa őt. Mintha félne, hogy mi történne, ha túl közel kerülnének.

Rákérdezhettem volna, hogy jól van-e, de túlságosan el voltam foglalva a saját érzéseimmel, és ő sem kérdezte, hogy én jól vagyok-e, mert ő is túlságosan el volt foglalva a sajátjaival. Nem hibáztattam, és reméltem, hogy ő sem hibáztat engem.

Csak két szobatárs voltunk, akik olyan dolgokkal foglalkoznak, amikről nehéz beszélni.

A BAILEY-BÁL

– Ha elküldöd nekem a fotókat magadról a ruhádban – mondta anya Skype-on a Bailey-bál délutánján –, kinyomtatom őket, és elküldöm mindegyik nagyszülődnek!

Sóhajtottam.

– Ez nem ugyanaz, mint a végzősbál. Nem hiszem, hogy lesz hivatalos fényképezés.

– Nos, csak gondoskodj róla, hogy legalább *egy* teljes alakos kép készüljön rólad a ruhádban. Én vettem, szóval látnom kell használat közben.

Anya vette nekem a Bailey-báli ruhámat, de az én választásom volt. Igazából nem terveztem megvenni, mert túl drága volt, de amikor elküldtem a linkeket neki, miközben Messengeren csevegtünk, felajánlotta, hogy kifizeti. Igazán kedves volt tőle, és őszintén, ettől még erősebb honvágyat éreztem, mint amit eddig az egyetemen tapasztaltam.

– Kérte valamelyik fiú, hogy menj vele a bálba?

– Anya, a brit egyetemeken nem csinálják ezt. Az amerikai középiskolákban csinálják.

– Nos, szép lett volna, nem?

– Mindenki a barátaival megy, anya.

Anya sóhajtott.

– Annyira *gyönyörű* leszel – gügyögte. – Ügyelj rá, hogy szépen csináld meg a hajadat!

– Úgy lesz – mondtam. Rooney már felajánlotta, hogy megcsinálja nekem.

– Sosem tudhatod, talán ma este találkozol a jövendőbeli férjeddel! Felnevettem, mielőtt leállíthattam volna magam. Két hónappal ezelőtt egy tökéletes, varázslatos első találkozásról álmodoztam volna az első egyetemi bálomon. De most? Most magamnak öltöztem ki.

– Igen – mondtam megköszörülve a torkomat. – Sosem tudhatod.

Rooney csendes volt, miközben a hajamat csinálta valami vastag hajsütővassal, összevonta a szemöldökét a koncentrálástól. Tudta, hogyan kell azokat a nagy, laza hullámokat készíteni, amiket mindig látni az amerikai tévéshow-kban. Én teljesen lehetetlennek találtam, hogy magamtól megismételjem.

Már elkészült a saját hajával. Kifésülte a homlokából, és tökéletesen kiegyenesítette. A ruhája vérvörös volt, és szűk, hosszú hasítékkal az egyik lábánál. Úgy nézett ki, mint egy Bond-lány, akiről később kiderül, hogy ő a gonosz.

Ragaszkodott hozzá, hogy ő csinálja a sminkemet is – mindig is rajongott az átalakításokért, magyarázta –, én pedig hagytam neki, mert láttam, hogy ő sokkal jobb a sminkelésben, mint én. Arany és barna színeket vegyített a szememen, tompa rózsaszín rúzst választott, egy apró ecsettel töltötte ki a szemöldökömet, és elegánsabb szárnyas szemvonalat rajzolt, mint amire egyedül valaha is képes lettem volna.

– Íme! – mondta óráknak tűnő idő után, ami valószínűleg inkább csak húsz perc volt. – Minden kész.

Megnéztem magam Rooney talpas tükrében. Tényleg tökéletesen néztem ki.

– Hűha! Ez… hűha!

– Menj, nézd meg a nagy tükörben! Látnod kell a teljes hatást a ruháddal. Úgy nézel ki, mint egy hercegnő!

Úgy tettem, ahogy mondta. A ruha egyenesen egy tündérmeséből származott: földig érő, rózsaszín sifon flitteres derékkal. Nem volt szuperkényelmes, egy *csomó* testszalagot viseltem, de a hullámos hajammal és a csillogó sminkemmel úgy néztem ki és úgy is éreztem magam, mint egy hercegnő.

Talán még élvezhetem ezt az estét. Vadabb dolgok is történtek már. Rooney mellém állt a tükörben.

– Hm... Nem passzolnak a színeink. Vörös és rózsaszín.

– Azt hiszem, ez jó így. Úgy nézek ki, mint egy angyal, te pedig, mint egy démon.

– Igen. Az ellentéted vagyok.

– Vagy talán *én* vagyok a *te* ellentéted.

– Ez az egész barátságunk lényege?

Egymásra néztünk és nevettünk.

A Bailey-bál témája óriási találgatások tárgya volt a St. John's Collegeban hetek óta, és valahogy én voltam az egyetlen ember, aki a bál éjszakája előtt nem találta ki, mi az. Valószínűleg azért, mert Rooney volt az egyetlen barátom a kollégiumban, ő pedig megtagadta, hogy elmondja nekem, amikor kérdeztem, és nem érdekelt eléggé ahhoz, hogy kikényszerítsem belőle.

Úgy tűnt, volt már „Cirkusz"-év, „Alice Csodaországban", „Tündérmese", „Dübörgő 20-as évek", „Hollywood", „Vegas", „Álarcosbál" és „A csillagok alatt". Kíváncsi voltam, vajon kezdenek-e kifogyni az ötletekből.

Végigsétáltunk a kollégiumi folyosókon, ki a recepció felé, és nem derült még ki a téma. Az előcsarnokot virágokkal díszítették fel, a lépcsősor pedig olyan volt, mintha egy várfal lenne kiegészítve tornyocskákkal és erkéllyel. A közös ebédlőben a kör alakú asztalok közepén több virágból álló asztaldíszek voltak, de készítettek méreggel teli üvegeket és fakéseket is.

Csak akkor értettem meg, amikor meghallottam Des'ree *I'm Kissing You* című dalát a fejem felett. Ismertem a dalt, ami kiemelkedően szerepelt egy bizonyos 1996-os Baz Luhrmann-filmben.

A téma a *Rómeó és Júlia* volt.

Pippel és Jasonnel a St. John's ajtaja előtt találkoztunk. Jason esetlenül odabiccentett, de egyébként nem mondott nekem semmit.

Mindketten hihetetlenül néztek ki. Jason klasszikus szmokingot viselt, ami annyira tökéletesen ölelte át a széles vállát, hogy olyan volt, mintha rendelésre készült volna. Pip extrán göndörre csinálta a haját, és fekete, magas derekú vászonnadrágot viselt bársony szmokingkabáttal az erdő zöld színében. Egy vaskos műkígyóbőr Chelsea csizmával párosította öszsze, ami valahogy pontosan passzolt a teknőspáncél szemüvege színéhez. Rooney tekintete fel-le cikázott Pip testén.

– Jól nézel ki – mondta.

Pip igyekezett, hogy ne tegye ugyanezt Rooney-val a Bond-lány ruhájában, helyette határozottan Rooney arcán tartotta a szemét.

– Akárcsak te.

A vacsora mintha egy évig tartott volna annak ellenére, hogy ez csak a kezdete volt életem leghosszabb éjszakájának.

Rooney, Jason, Pip és én négy másik emberrel osztoztunk egy asztalon, de szerencsére mind Rooney barátai és ismerősei voltak. Míg a többiek megismerkedtek egymással, én azt tettem, amit mindig, csendben maradtam, de figyeltem, mosolyogtam, és bólogattam, amikor az emberek beszéltek, azonban nem igazán tudtam, hogyan lehet bekapcsolódni bármelyik beszélgetésbe.

Olyan mélyen éreztem magam, mint még soha.

Ki akartam szakadni ebből, de nem tudtam.

Nem akartam egy olyan partin lenni, ahol Jason gyűlöl engem, Rooney és Pip pedig megélik azt, amit én soha nem fogok.

Sunil, aki babakék szmokingba öltözött, és Jess, aki mentazöld flitterekkel borított ruhát viselt, megállt köszönni nekünk, de főképp Rooney-val beszéltek, mert megivott három pohár bort, és nagyon beszédes volt. Amikor elindultak, Sunil rám kacsintott, amitől körülbelül két percig jobban éreztem magam, de aztán az agykobold visszatért.

Ez vagyok én. Sosem fogom megtapasztalni a romantikus szerelmet, mindez a szexualitásom miatt. A lényem egy alapvető része, amit nem tudok megváltoztatni.

Bort ittam. *Sok* bort. Ingyen volt.

– Már csak nyolc óra van hátra! – kiabálta Pip, amikor kiléptünk az ebédlőből a desszert után. Teljesen tele voltam kajával, és hogy őszinte legyek, már itallal is.

Megráztam a fejem.

– Nem fogom kibírni reggel hatig.

– Ó, *dehogynem!* Dehogynem. Gondoskodni fogok róla.

– Ez hihetetlenül fenyegetőnek hangzott.

– Itt leszek, hogy homlokon pöcköljelek, ha kezdenél elaludni.

– Légyszi, ne pöckölj homlokon!

– Megtehetem, és meg is fogom.

Megkíséreltem szemléltetni, de nevetve kitértem előle. Pip mindig tudta, hogy vidítson fel, még ha nem is tudta, hogy lehangolt vagyok.

A Bailey-bált nem egy teremre korlátozták, a college főépületének földszintjére és a kinti zöldterületen felállított sátorra is kiterjedt. Az ebédlő gyorsan átalakult a fő táncteremmé, természetesen élő zenekarral és egy bárrésszel. Számos tematikus szoba is volt, ahol ételeket és italokat szolgáltak fel a melegszendvicsektől a fagylaltig, teáig és kávéig, és moziterem, amiben a *Rómeó és Júlia* különböző filmadaptációit játszották kronológiai sorrendben. A folyosókat, amiket még nem láttunk, annyira kidekorálták, hogy már nem lehetett látni a falakat. Virágokkal, borostyánnal, szövetekkel, fényfüzérekkel és óriási „Capulet" és „Montague" címerpajzsokkal ragasztották tele. Csupán egyetlen éjszakára egy másik világba kerültünk, tér és idő szabályain kívül.

– Hová menjünk először? – kérdezte Pip. – Moziterem? Nagysátor? – Körbefordult, aztán zavarodottan összeráncolta a homlokát. – Rooney?

Én is megfordultam, és megtaláltam Rooney-t néhány lépésnyire tőlünk a falnak dőlve. Biztosan részeg volt, de úgy nézett Pipre, mintha *félne,* vagy legalábbis ideges lenne. Aztán elrejtette ezt egy széles mosollyal.

– Megyek, és találkozom a többi barátommal egy kicsit! – kiáltotta át a tömegen és a zenén.

És aztán elment.

– Többi barát? – kérdezte Jason összezavarodva.

– Mindenkit ismer – mondtam, de már nem voltam biztos benne, hogy ez mennyire igaz. Egy csomó más embert ismert, de kezdtem rájönni, hogy mi voltunk az *igazi* barátai.

– Nos, akkor elhúzhat a fenébe, ha ilyen lesz – mondta Pip, de nem teljes szívvel.

Jason megforgatta a szemét.

– Pip…

– Mi az?

– Csak… nem kell folyton ezt csinálnod. Mindketten tudjuk, hogy bejön neked.

– Mi van? – kapta fel Pip a fejét. – Nem… nem, én nem jön be… Úgy értem, igen, bejön mint ember… Mármint csodálom mint rendezőt és kreatív embert, de a személyisége nagyon heves, szóval nem mondanám, hogy bejön nekem, egyszerűen *méltányolom* azt, aki és amit csinál…

– De tetszik neked – mondtam ki. – Ez nem bűn.

– *Nem* – fonta össze a karját a kabátja fölött. – Nem, abszolút nem, Georgia, ő… ő tárgyilagosan nézve rendkívül dögös, és igen, bármilyen hétköznapi helyzetben pontosan az esetem lenne, és én tudom, hogy te tudod ezt, de… Úgy értem, ő heteró, és tök komolyan gyűlöl engem, szóval még ha tetszene is, mi értelme lenne…

– Pip! – mondtam dühösen.

Becsukta a száját. Tudta, hogy már nem tud semmit sem mondani, amivel tovább titkolhatja.

– Azt hiszem, meg kéne keresnem őt – folytattam.

– Miért?

– Csak rákérdezni, hogy rendben van-e.

Pip és Jason nem tiltakozott, szóval elmentem, hogy megkeressem Rooney-t.

Volt egy olyan érzésem, hogy ha még jobban berúg, akkor olyasmit fog tenni, amit megbán.

CAPULET VS.
MONTAGUE

Sehol nem találtam Rooney-t. Több száz diák nyüzsgött a college-ban, és még a folyosókon is nehéz volt átjutni, nemhogy kiszúrni bárkit is a tömegben, ahogy ott álldogál beszélgetve, nevetve, énekelve, táncolva. Itt volt valahol, nincs kétség. Úgy tűnt, mintha egy videójáték főszereplője lenne a nem játszható karakterek világában.

Egy ideig a sátorban lógtam, remélve, hogy talán felbukkan, de még ha itt volt is, nem volt arra esély, hogy megtaláljam. Tömeg volt, mert itt volt az összes szórakoztató tevékenység, fotófülke, popcorn- és vattacukorbódék, egy rodeóbika és a fő attrakció: „Capulet vs. Montague", ami úgy nézett ki, mint egy ugrálóvár belül két kiugró emelvénnyel, amelyen két diák küzdhetett meg felfújható kardokkal, míg egyikük le nem esett. Megnéztem néhány kört, és igazán szerettem volna kipróbálni, de nem tudtam, hol van Rooney, és valahogy zavarban lettem volna, ha kérem, hogy játsszunk. Azt hiszem, volt egy olyan érzésem, hogy egyszerűen csak nemet fog mondani.

Szereztem egy újabb italt a bárból, amire nem volt szükségem, mert már részeg voltam, és céltalanul botorkáltam körbe a bálban és az összes különféle szobában. Minél többet ittam, annál jobban el tudtam távolodni, és nem érdekelt, hogy egyedül vagyok, a szó minden értelmében.

De nehéz volt elfelejteni, amikor minden egyes dal, amit a fejem felett játszottak, a szerelemről szólt. Nyilvánvalóan szándékosan, a téma a *Rómeó és Júlia* volt, az isten szerelmére, mégis feldühített. Minden a bál afterpartijára kezdett emlékeztetni. A villogó fények a táncparketten, a szerelmes dalok, a nevetés, az öltönyök és a ruhák. Amikor azon a partin voltam, úgy éreztem, hogy ez az én világom, és egy nap egy leszek ezek közül az emberek közül.

Többé már nem éreztem ezt. Sosem leszek egy közülük. Flörtölni. Szerelembe esni. Boldogan élni, míg meg nem halok.

A teaszobába mentem összekuporodni, csakhogy szembetaláltam magam egy párral, akik a sarokban csókolóztak. Gyűlöltem őket. Próbáltam figyelmen kívül hagyni őket, és a boromat inni, miközben átgörgettem az Instagramot.

– *Georgia!*

Egy hihetetlenül hangos hang zúzta össze a szoba megnyugtató atmoszféráját, megriasztva mindenkit a helyiségben. Az ajtó felé fordultam, és Pipet találtam ott a zöld kabátjában, egyik keze a csípőjén, a másikban egy műanyag pohár kétségtelenül tele alkohollal.

Szégyenlősen vigyorgott a váratlan figyelem miatt.

– Eh, bocsi. Nem tudtam, hogy ez a csendesszoba.

Lábujjhegyen ideosont, és leguggolt mellettem, kiöntve egy cseppet az italából a földre.

– Hol van Rooney? – kérdezte.

Én csak vállat vontam.

– Ó! Nos, azért jöttem, hogy kihívjalak téged egy Capulet vs. Montague-párbajra.

– Az ugrálóvár-dolog?

– Ez sokkal több, mint egy ugrálóvár, barátom. Ez az állóképesség, gyorsaság és a mentális erő végső próbája.

– Nekem pontosan olyannak tűnt, mint egy ugrálóvár.

Megragadta a csuklómat, és felhúzott.

– Csak gyere, és próbáljuk ki! Jason azt mondta, máris szüksége van egy alvásra, szóval visszament a Kastélyba.

– Várj… elment?

– Igen. Jól lesz, tudod, hogy szörnyű a későig ébren maradásban. Azonnal bűnösnek éreztem magam. Az én hibám, hogy Jason rossz hangulatban volt. Feltápászkodtam, de a világ megmozdult körülöttem, és majdnem visszazuhantam a földre.

Pip összeráncolta a homlokát.

– Jézus! Mennyit ittál te?

– Ó! – mondta Pip, ahogy beléptünk a sátorba.

Először azt feltételeztem, hogy a sátor állapotára utalt. Amikor az est kezdetén idejöttem, fényes és izgalmas, színes és új volt. Most úgy nézett ki, mint egy lepusztult vidámpark. A padló ragadt, és megtaposott popcorn szóródott szét mindenfelé. A bódék kevésbé voltak forgalmasak, és az azokat kezelő személyzet fáradtnak tűnt.

De Pip nem ezekre utalt, amire akkor jöttem rá, amikor Rooney a Bond-gonosz ruhájában felénk közeledett.

Lehetetlen módon még mindig viselte a magas sarkúját, és bizonyára épp most igazította meg a sminkjét, mert ragyogóan nézett ki. A highlighter csillogó, a kontúrok olyan élesek, mint a kés, széles, sötét szemmel mosolygott le Pipre.

Ő is nyilvánvalóan elég részeg volt.

– Elnézést – mondta önelégülten vigyorogva. – Téged ki hívott meg? Te nem vagy john'sos diák.

Pip rögtön visszamosolygott, azonnal belement a mókába.

– Besurrantam. A lopakodás mestere vagyok.

– Hol jártál? – kérdeztem Rooney-t.

– Ó, tudod – mondta, olyan hangon, amitől úgy hangzott, mint egy gazdag örökösnő. – Csak itt-ott voltam, kedvesem.

– Éppen egy ugrálóvárcsatára készültünk – mondta Pip. – Csatlakozhatsz hozzánk. Valaki teljesen meg fog semmisülni!

Rooney csipetnyi fenyegetéssel mosolygott rá.

– Nos, szeretek embereket megsemmisíteni.

– Oké – kaptam magam azon, hogy ezt kimondom. Ha józan lettem volna, valószínűleg csak hagytam volna ezt a játékot, de részeg voltam, és fáradt, és torkig voltam mindkettejükkel, és minden alkalommal, amikor egymásra bámultak azzal az égő szenvedéllyel, amely a szerelem és a harag határán mozog, meg akartam halni, mert ez velem sosem fog megtörténni. Pipre néztem, akinek a csokornyakkendője elferdült, a szemüvege túl alacsonyan ült az orrán, és Rooney-ra, akinek az alapozója nem takarta el, hogy izgatottan elpirult.

És aztán kettejük között a „Capulet vs. Montague"-kihívásra néztem.

– Azt hiszem, nektek kettőtöknek kellene először mennetek – mondtam az ugrálóvárra mutatva. – Egymás ellen. Csak hogy kiengedjétek a gőzt. Kérlek!

– Benne vagyok – mondta Rooney éles tekintettel válaszolva Pip bámulására.

– Én... oké – fújtatott Pip. – Rendben. De nem leszek kíméletes veled!

– Olyasféle személynek tűnök, aki szereti, ha az emberek *kíméletesek* vele?

Pip szeme levándorolt Rooney ruháján, aztán gyorsan vissza.

– Nem.

– Nos, akkor...

Ez teljesen elviselhetetlenné vált, szóval odasétáltam a pasihoz, aki a szerkezetet működtette, és azt mondtam:

– Ezek ketten akarnak egy menetet.

Fáradtan bólintott, aztán a két kiugró emelvény felé intett.

– Másszatok fel!

A két lány nem beszélt, miközben felkapaszkodott az ugrálóvárra, Rooney lerúgta a magas sarkúját menet közben, majd felmentek a két emelvényre. Ez egyértelműen nehezebb volt, mint amire bármelyikük számított: Pip szűk nadrágja csak kicsit volt praktikusabb, mint Rooney ruhája. De megcsinálták. És a pasas átadta nekik azt, ami úgy nézett ki, mint egy úszómedencés nudli úszórúd.

– Három percetek van – mondta monoton hangon. A visszaszámláló felé intett a kijelzőn, az ugrálóvár hátsó részében. – A cél leverni a másik személyt a saját emelvényéről, mielőtt az idő letelik. Készen álltok?

Rooney egy wimbledone-i teniszjátékos intenzív összpontosításával bólintott.

– Kibaszottul igen – mondta Pip megmarkolva a nudliját.

A pasi sóhajtott. Aztán megnyomott egy gombot a falon, és háromszor felhangzott egy pittyegés. Egy visszaszámlálás.

Három. Kettő. Egy.

Start.

Rooney azonnal egyenesen torokra ment. Vadul Pip felé lendítette a nudlit, de Pip látta, hogy ez jön, és blokkolta a saját nudlijával, bár nem anélkül, hogy megingott volna az emelvényén. Az emelvény kerek volt, és csak fél méter átmérőjű lehetett. Valószínűleg nem fog sokáig tartani.

Pip nevetett.

– Akkor nem baszakodsz?

Rooney vigyorgott.

– Nem, *győzni* próbálok.

Pip előredöfött a nudlijával, hogy megkísérelje hátralökni Rooney-t, de ő megcsavarta a felsőtestét majdnem kilencven fokos elhajlást csinálva az egyik oldalra.

– Rendben van, *tornász!* – mondta Pip.

– Tánc, igazából – vágott vissza Rooney. – Tizennégy éves koromig.

Még egyszer Pip felé lendítette a nudlit, de Pip blokkolta.

És a harc elkezdődött.

Rooney ide-oda mozgott, ám úgy tűnt, Pip reflexei csak kiélesedtek a megivott alkoholtól, aminek semmi értelme. Rooney erős lendülettel balra ütött, Pip kivédte, Rooney jobbra csapott, Pip félreugrott. Pip előredöfött, megpróbálva hátralökni Rooney-t a vállánál fogva, és egy pillanatra azt gondoltam, vége, de Rooney egy sunyi vigyorral visszanyerte az egyensúlyát, és a csata folytatódott.

– A koncentrálós arcod annyira *vicces* – mondta Rooney nevetve. Pip összeráncolt arckifejezését utánozta.

– Eh, nem annyira vicces, mint a te arcod lesz, amikor nyersz – vágott vissza Pip. De ott volt egy csipetnyi mosoly az ő arcán is.

Még több lendítés és döfés következett, és egy ponton teljes fénykardcsatát vívtak. Pip oldalba taszította Rooney-t, ő pedig majdnem leesett, azzal mentette meg magát az utolsó másodpercben, hogy a nudlit támaszként használta, ami annyira megnevettette Pipet, hogy majdnem magától leesett.

Ez volt a pillanat, amikor rájöttem, *jól érzik magukat.*

Ez volt az a pillanat is, amikor az összes alkohol a fejembe szállt, és úgy éreztem, hogy mindjárt összeesem.

Amilyen óvatosan csak tudtam, odabotorkáltam a sátor oldalához, és leültem az anyagnak dőlve, hogy onnan nézzem a finálét.

Nem segíthettem, de észrevettem, hogy Rooney, amilyen könyörtelennek tűnt vad, nagy lendületeivel, stratégiailag elkerülte Pip arcát, hogy ne üsse meg a szemüvegét. Pip azonban vérszomjas volt.

– Miért vagy ennyire hajlékony? – kiáltotta, amint Rooney kicselezett egy újabb döfést.

– Csak egy a sok bájom közül!

– Sok báj? Többes számban?

– Azt hiszem, mindent tudsz róluk, pipszkálódó!

Pip meglendítette a nudliját Rooney felé, de Rooney blokkolta.

– Egy kibaszott *rémálom* vagy!

Rooney önelégülten visszavigyorgott.

– Az vagyok, és te ezt szereted.

Pip olyan hangot adott ki, amit csak háborús kiáltásként lehetett leírni. Rooney-nak döfte a nudlit, aztán újra, és harmadszor is, minden alkalommal kissé hátraütve a lányt, és a negyedikre Rooney leesett, tökéletesen hanyatt zuhant az emelvényről, le az ugrálóvárra, miközben egy rövid sikolyt hallatott.

– IGEN! – ordította Pip, győztesen a magasba tartva a nudliját.

Az ugrálóvárat kezelő pasi leállította a stoppert, és tétován Pip felé intett.

– A szemüveges a győztes.

Pip leugrott az emelvényről, és ugrálni kezdett Rooney mellett, amivel megnehezítette, hogy feltápászkodjon.

– Van valami gond odalent, csajszi?

Rooney megpróbált talpra állni, de végül csak újra visszazuhant, ahogy Pip mellette pattogott.

– Ó, istenem, állj…

– Azt hittem, táncos voltál! Hol van a koordinációd?

– Nem *ugrálóváron* táncoltunk!

Pip végül lelassított, megállt, és kinyújtotta a kezét, hogy segítsen Rooney-nak felállni. Rooney a kezére nézett, láttam, hogy mérlegeli, de nem fogadta el, helyette saját maga állt fel.

– Kösz a meccset – mondta, felvonva az egyik szemöldökét. Aztán elsétált, vagy inkább keresztülugrált az ugrálóváron, és legurult a szélén a szilárd talajra.

– Nem leszel rossz vesztes, ugye? – szólt utána Pip, szintén lehuppanva és legurulva a szerkezetről.

Rooney olyan hangosan csettintett a nyelvével, hogy még én is hallottam a sátor túloldaláról.

– Ó! – vigyorgott Pip. – Az vagy! Kitalálhattam volna.

Rooney elkezdte visszaszuszakolni a lábát a magas sarkúba. Valószínűleg vissza akarta szerezni jelentős magasságbeli előnyét Pippel szemben.

– Hé! – Pip felemelte a hangját, és utánakiáltott. – Miért gyűlölsz engem annyira?

Rooney megállt.

– Igen, így igaz! – folytatta Pip a magasba emelve a karját. – Kimondtam! Miért gyűlölsz engem? Mindketten részegek vagyunk, szóval akár egyszerűen ki is mondhatjuk! Azért van, mert én voltam először Georgia legjobb barátja, szóval útban vagyok?

Rooney nem mondott semmit, de befejezte a magas sarkúja felvételét, és kiegyenesedett teljes magasságában.

– Vagy csak gyűlölöd azt, aki vagyok?

Rooney megfordult, és azt mondta:

– Te nagyon hülye vagy! És hagynod kellett volna győzni.

Itt szünet következett.

– Néha megkapom, amit akarok – mondta Pip nyugtalanító higgadtsággal. – Néha én vagyok az, aki győz.

Épphogy csak volt időm elgondolkozni a kijelentésen, mert Rooney kitörni készült. Ökölbe szorította a kezét, és éreztem, hogy igazi vita jön, italtól fűtött, és kínos lesz visszatekinteni rá. Meg kellett állítanom. Véget kellett vetnem ennek, mielőtt rosszabb lesz. Csak ez a két barátom maradt.

Szóval talpra ügyeskedtem magam, ami nagy feladat volt a ruhámban. Kinyitottam a számat, hogy beszéljek. Hogy megpróbáljam megállítani. Talán még segíteni is megpróbálok.

De valójában az történt, hogy minden vér a fejembe szállt. Csillagok vibráltak a látómezőm sarkában, és a hallásom elmosódott.

És aztán elájultam.

LEGYŐZÖTT

Arra tértem magamhoz, hogy Pip kissé túl erősen veregeti az arcomat.

– Ó, istenem, ó, istenem, ó, istenem! – habogta.

– Kérlek, hagyd abba a pofozásom! – motyogtam.

Rooney is itt volt, a harag teljesen eltűnt az arcvonásairól, és komoly aggodalom lépett a helyébe.

– Szent ég, Georgia! Mennyit ittál?

– Én… tizennégyet.

– Tizennégy mit?

– Tizennégy italt.

– Nem, azt *nem* tehetted.

– Oké, nem emlékszem, mennyit ittam.

– Akkor miért mondtál tizennégyet?

– Jó számnak hangzott.

Megakasztott minket, hogy néhány másik diák átkémlelt Pip és Rooney válla felett, udvariasan megkérdezve, hogy jól vagyok-e. Rájöttem, hogy még mindig a padlón fekszem, ami kínos volt, szóval felültem, és megnyugtattam mindenkit, hogy jól vagyok, csak egy kicsit túl sokat ittam, amin kuncogtak, és folytatták az estéjüket. Ha nem lettem volna tökrészeg, mélyen zavarba jöttem volna, de szerencsére az voltam, és az egyetlen dolog, ami átfutott az agyamon, hogy mennyire hányni akarok.

Rooney talpra húzott, egyik karja a derekam körül, ami úgy tűnt, valamilyen oknál fogva bosszantja Pipet.

– A moziszobába kéne mennünk lazulni egy kicsit – mondta Rooney.

– Még mindig van hat óránk. Kijózaníthatunk.

Hat óra? A józanság volt az utolsó dolog, amit épp most akartam.

– *Neeee* – motyogtam, de Rooney vagy figyelmen kívül hagyott, vagy nem hallott engem. – Engedj el! Jól vagyok.

– Nyilvánvaló, hogy nem vagy. Megyünk és leülünk egy babzsákra némi vízzel a következő fél órában, akár tetszik, akár nem.

– Nem vagy az anyukám.

– Nos, a valódi anyukád megköszönné nekem.

Rooney megtartotta a súlyom nagy részét, ahogy keresztülsétáltunk a kollégium virágos, csillogó folyosóin, Pip mögöttünk cammogott. Senki sem szólalt meg, míg el nem értük a moziszoba ajtaját, és egy hangos hang fel nem kiáltott a hátunk mögött:

– PIP! Ó, istenem, szia!

Ködös állapotomban magam mögé bámultam a hangra. Egy sráchoz tartozott, aki egy nagy csapat embert vezetett, és akit nem ismertem fel, valószínűleg azért, mert Pip college-ából volt.

– Gyere, lógj velünk! – folytatta a srác. – Megyünk táncolni egy kicsit.

Pip ügyetlenül kibúvót keresett.

– Ó… öhm… – Visszafordult, és rám nézett.

Nem igazán tudtam, mit mondjak, de szerencsére Rooney megszólalt helyettem.

– Menj csak. Jól ellesz velem.

Egyetértően bólintottam, bizonytalanul felmutatva a hüvelykujjamat.

– Oké, nos… öhm… Itt találkozunk úgy egy óra múlva… – mondta Pip.

– Igen – mondta Rooney, aztán elfordultunk, és Pip elment.

– Tessék – mondta Rooney. Átadott nekem egy nagy pohár vizet és egy összehajtott szalvétában egy melegszendvicset, amint lerogyott mellém egy babzsákra.

Engedelmesen elvettem őket.

– Mi van benne? – kérdeztem a szendvicset lengetve.

– Sajt és sörlekvár.

– Rizikós választás – mondtam, és beleharaptam. – Mi van, ha utálom a sörlekvárt?

– Ez volt az egyetlen töltelék, amijük még maradt, szóval megeszed, és kész.

Szerencsére szerettem a sörlekvárt, és még ha nem is így lett volna, valószínűleg mindennek ellenére megettem volna, mert hirtelen *farkaséhes* lettem. Az émelygés elmúlt, és a gyomrom fájdalmasan üresnek érződött, szóval rágcsáltam a melegszendvicset, míg néztük a filmet, amit épp a vászonra vetítettek.

Egyedül voltunk a szobában. Távolról hallhattuk a DJ zenéjének dübörgését a táncteremből, kétségtelenül ott volt a legtöbb ember. Hallatszott némi csevegés a szemközti szobából is, ahol az ingyenteát és szendvicset szolgálták fel, és időnként hangos nevetések és hangok szűrődtek be az ajtón, ahogy élték odakint az életüket, és csinálták azt az akármit, amivel elütötték az idejüket a bál hajnali végéig. Többé már nem bálnak tűnt az egész, olyan volt, mint egy hatalmas ottalvós buli, ahol senki nem akar az első lenni, aki elmegy aludni.

A film a legjobb *Rómeó és Júlia*-adaptáció volt. Baz Luhrmann kilencvenes évekbeli filmje Leonardo DiCaprióval. Nem maradtunk le sokról – Rómeó rosszkedvűen sétált a tengerpart mentén –, szóval letelepedtünk a babzsákba nézni, és nem beszéltünk.

Így maradtunk, belefeledkezve, a következő negyvenöt percben.

Körülbelül ennyi időbe telt, mire kicsit kijózanodtam, és az agyam ismét dolgozni kezdett.

– Hová mentél? – Ez volt az első dolog, amit megkérdeztem.

Rooney nem fordította el a tekintetét a vászonról.

– Épp itt vagyok…

– Nem… korábban. Otthagytál minket, és aztán eltűntél.

Szünet következett.

– Csak lógtam néhány emberrel. Bocsi. Én… igen. Bocsánat – pillantott rám. – De rendben voltál, igaz?

Alig tudtam visszaemlékezni, hogyan töltöttem az időt a vacsora és az ugrálóvárcsata között. Keresztülkóboroltam a tánctermen, leültem a teaszobában, átkutattam a sátrat, de nem próbáltam ki egyik bódét sem.

– Igen, rendben voltam – mondtam.

– Jó. Táncoltál Jasonnel?

Ó! És itt volt ez is.

– Nem – mondtam.

– Ó! Hogyhogy?

El akartam mondani neki mindent.

Mindent el fogok mondani neki.

Az alkohol volt az? A bál légköre? A tény, hogy Rooney kezdett jobban megismerni engem, mint bárki más, csak mert két méterre aludt tőlem minden éjszaka?

– Én és Jason, ez nem fog megtörténni – mondtam.

Bólintott.

– Igen, azt hiszem, volt egy ilyen benyomásom, de… Csak azt feltételeztem, hogy még mindig randiztok.

– Nem. Befejeztem.

– Miért?

– Mert…

A szavak a nyelvem hegyén voltak. *Mert aromantikus és aszexuális vagyok.* De esetlennek hangzott. Az agyamban még mindig hamis szavaknak tűntek, titkos szavaknak, elsuttogott szavaknak, amik nem tartoztak a való világhoz.

Nem mintha azt gondoltam volna, hogy Rooney rosszul reagálna, nem reagálna undorral vagy dühvel. Ő nem ilyen volt.

De azt gondoltam, hogy esetlenül reagálna. Megdöbbenve. Egy „*Öhm, oké, mi a franc az?*"-zal. Udvariasan bólogatna, amint elmagyaráztam, de magában azt gondolná, „*Ó, istenem, Georgia igazán furcsa.*"

Valahogy ez majdnem ugyanolyan rossz érzés volt.

– Mert nem kedvelem a srácokat – mondtam.

Amint kimondtam, rájöttem a hibámra.

– *Ó!* – mondta Rooney. – Ó, istenem! – Bólogatva felült, befogadva ezt az információt. – Ez rendben van. Basszus. Úgy értem, örülök, hogy *rájöttél.* Gratulálok, azt hiszem… – nevetett. – Sokkal jobbnak tűnik, ha nem vonzódsz a pasikhoz. A lányok minden szempontból sokkal kedvesebbek. – És ekkor fájdalmas arckifejezést vágott. – Ó, istenem! Olyan sok időt és energiát töltöttem azzal, hogy próbáltalak összehozni Jasonnel. Miért nem mondtál valamit?

Mielőtt időm lett volna válaszolni, félbeszakította magát.

– Nem, sajnálom, ezt idióta dolog volt mondani. Nyilvánvaló, hogy próbáltál rájönni erre az egész szarságra. Rendben van. Úgy értem, erre való az egyetem, nem igaz? A kísérletezésre, és kitalálni, kit szeretsz valójában. – Határozottan megveregette a lábam. – És tudod, mit jelent ez? Most arra fókuszálhatunk, hogy találjunk neked egy rendes *lányt* randizni. Ó, istenem! Annyi cuki lányt ismerek, akit kedvelnél. Velem kell jönnöd jövő héten bulizni. Bemutathatlak egy *csomó* lánynak.

Egész idő alatt, míg monologizált, éreztem, hogy egyre forróbb és forróbb leszek. Ha nem szólalok meg, el fogom veszíteni a bátorságomat, elkezdem követni ezt az új hazugságot, és akkor újra át kellene mennem az egész „próbáljunk randizni" dolgon.

– Igazán nem akarom, hogy ezt tedd – mondtam a most már üres szalvétát babrálva.

– Ó! Oké, igen. Persze. Rendben van.

Rooney belekortyolt a saját vizespoharába, és néhány pillanatot a vászon nézésével töltött.

Aztán folytatta.

– Nem kell most azonnal belekezdened a randizásba. Olyan sok időd van.

Olyan sok idő. Nevetni akartam.

– Nem hiszem, hogy fogok – mondtam.

– Mit nem fogsz?

– Randizni. Valaha. A lányokat sem szeretem. Senkit sem szeretek.

A szavak visszhangoztak a szobában. Hosszú szünet következett.

És aztán Rooney felnevetett.

– Részeg vagy – mondta.

Az voltam, egy kicsit, de nem ez volt a lényeg.

És nevetett. Ez felbosszantott.

Ez volt az a reakció, amit tőle vártam. Ez volt az a reakció, amit mindenkitől vártam.

Szánakozó, kínos nevetés.

– Nem szeretem a fiúkat – mondtam. – És nem szeretem a lányokat. Nem szeretek senkit. Szóval sosem fogok randizni senkivel.

Rooney néhány pillanatig nem mondott semmit.

Aztán azt mondta:

– Hallgass ide, Georgia! Lehet, hogy most épp így érzed, de... ne add fel a reményt. Talán pillanatnyilag nehéz időszakon mész keresztül, mármint, nem tudom, az egyetemkezdés stressze vagy akármi, de... egy nap találkozni fogsz valakivel, akit kedvelsz. Mindenkivel így van.

Nem, nincs, ezt akartam mondani.

Nem mindenkivel.

Nem velem.

– Ez egy valós dolog – mondtam. – Egy... egy igazi szexuális irányultság. Amikor nem szeretsz senkit.

De nem tudtam kimondani a tényleges szót.

Valószínűleg nem segítene, ha megtenném.

– Oké – mondta Rooney. – Nos, honnan tudod, hogy te... ez vagy? Honnan tudod, hogy nem fogsz találkozni valakivel egy nap, akit igazán kedvelsz?

Rábámultam.

Persze hogy nem érti.

Rooney nem az a romantika-szakértő volt, akinek gondoltam. Egész biztos, hogy többet tudok nála ezen a ponton.

– Életemben még sosem voltam belezúgva senkibe – mondtam, de a hangom halk volt, és még csak nem is hangzottam magabiztosnak, nemhogy magabiztosan érezzem, ki vagyok. – Nekem... nekem tetszik a gondolat, de... a valóság... – Elhallgattam, egy csomót éreztem a torkomban. Ha megpróbálnám elmagyarázni, tudtam, hogy csak elkezdenék sírni. Ez még mindig annyira új volt. Ezelőtt még sosem próbáltam ezt elmagyarázni senkinek.

– Akkor megcsókoltál már egy lányt?

Ránéztem. Higgadtan nézett rám. Majdnem *kihívásként.*

– Nem – mondtam.

– Szóval honnan tudod, hogy nem tetszene?

A lelkem mélyén tudtam, hogy ez egy tisztességtelen kérdés. Nem *kell* kipróbálnod valamit, hogy biztosan tudd, nem szereted. Tudtam, hogy nem szeretek ejtőernyőzni, és határozottan nem volt szükségem arra, hogy kipróbáljam, hogy bebizonyítsam.

De részeg voltam. És ő is az volt.

– Nemtom – mondtam.

– Talán ki kéne próbálnod, mielőtt… tudod. Mielőtt teljesen elutasítanád a gondolatot, hogy esetleg találhatsz valakit. – Rooney ismét nevetett. Nem akart gonoszul nevetni. Mégis annak éreztem.

Tudtam, hogy csak segíteni akar.

És ez csak rontott a helyzeten.

Próbált jó barát lenni, de egyszerűen rossz dolgokat mondott, mert halvány lila gőze sem volt róla, milyen a helyemben lenni.

– Talán – motyogtam hátradőlve a babzsákban.

– Miért nem próbálod ki velem?

Várjunk csak…

Mi?

– Mi? – kérdeztem, elfordítva a fejem, hogy szembenézzek vele.

Az egyik oldalára gördült, így az egész teste szemben volt az enyémmel, aztán mindkét kezét felemelte a megadás gesztusával.

– Én tökre csak segíteni akarok. Abszolút nem kedvellek téged így, *ne vedd sértésnek,* de talán képes leszel rájönni, hogy ez vajon olyasmi-e, ami tetszhet. Segíteni akarok.

– De… nem kedvellek téged úgy – mondtam. – Még ha *meleg* is vagyok, nem feltétlenül éreznék valamit, csak mert lány vagy.

– Oké, talán nem – mondta egy sóhajjal. – Én csak nem akarom, hogy próbálkozás nélkül feladd.

Bosszantott, és rájöttem, ez azért van, mert amit csinálok, az nem „feladás".

Elfogadás volt.

És talán, csak talán, ez lehetne egy jó dolog.

– Nem akarom, hogy azt érezd, szomorú és magányos leszel örökre – mondta, és ez volt a pillanat, amikor egy kicsit összetörtem.

Csak ennyi lettem volna? Szomorú és magányos? Örökre?

Vajon halálra ítéltem magam azzal, hogy gondolni mertem erre a részemre?

Egyszerűen elfogadtam a magányos életet?

Amint ezek a kérdések felötlöttek bennem, kinyitották a zsilipet minden kétség előtt, amiről azt hittem, leküzdöttem.

Talán ez az egész csak egy időszak volt.

Talán feladás volt.

Talán tovább kellene próbálkoznom.

Talán, talán, talán.

– Hát jó – mondtam.

– Ki akarod próbálni?

Sóhajtottam, legyőzötten, *fáradtan.* Annyira fáradt voltam ettől az egésztől.

– Igen. Csináljuk akkor.

Nem igazán lehet rosszabb, mint Jasonnel, nem igaz?

Így hát odahajolt.

Más volt. Rooney egészen más típusú, mélyebb, hosszabb csókokhoz volt szokva.

Ő irányított. Én próbáltam utánozni őt.

Utáltam.

Épp annyira utáltam, mint amikor Jasonnel csókolóztam. Utáltam, hogy az arca ilyen közel van az enyémhez. Utáltam az érzést, ahogy az ajka az enyémen mozog. Utáltam a lélegzetét a bőrömön. A szemem folyamatosan meg-megrebbenve kinyílt, próbáltam megérteni, hogy mikor lesz ennek vége, míg ő a fejem hátuljára tette a kezét, hogy közelebb húzzon magához.

Próbáltam elképzelni, hogy olyan emberrel csinálom, aki tetszik, de ez csak káprázat volt. Minél erősebben próbáltam erre a forgatókönyvre gondolni, annál gyorsabban hullott darabjaira.

Sohasem fogom élvezni. Senkivel.

Ez nem csak a csókolózástól való idegenkedés volt. Nem csak félelem, vagy idegesség, vagy „nem találkoztál még a megfelelő személlyel". Ez egy rész volt belőlem. Nem volt meg bennem a vonzalom, a romantika, a szexuális vágy érzése, ami más emberekben megvolt.

És soha nem is lesz.

Igazán nem szükséges senkit megcsókolnom ahhoz, hogy rájöjjek erre.

Másrészről Rooney kezdett rápörögni, feltételeztem, hogy mindenkivel ezt csinálta. A mód, ahogyan csókolt, olyan érzést keltett, mintha igazán bejönnék neki, de hirtelen rájöttem, hogy jobban ismerem őt ennél. Ez sosem a másik emberről szólt. Csak arra használta, hogy jól érezze magát.

Nem volt erőm, hogy elkezdjem értelmezni, mit jelent mindez.

– Ó! – szólalt meg egy hang a hátunk mögött.

Rooney azonnal elfordult tőlem, én pedig zavarodottan és egy kicsit furcsállva ezt az egész helyzetet, megfordultam megnézni, ki volt az.

Igazán kitalálhattam volna.

Mert úgy tűnt, hogy az univerzum már így is rám szállt.

Pip a kabátját az egyik karjára tette, a másik kezében pedig egy melegszendvics volt.

– Én… – kezdte, majd elhallgatott. Rám nézett, tágra nyílt szemmel, aztán Rooney-ra, aztán újra vissza rám. – Hoztam neked szendvicset, de… – A melegszendvicsre pillantott. – Ez… kibaszott élet! – Visszanézett mindkettőnkre. – Fú! Basszátok meg mindketten!

PAPÍRVIRÁGOK

Rooney talpra ugrott.

– *Várj,* tökre nem érted, mi történt éppen.

Pip pillantása megkeményedett.

– Azt hiszem, meglehetősen félreérthetetlenül nyilvánvaló, mi történt éppen – mondta. – Szóval ne sérts meg azzal, hogy hazudsz róla.

– Én nem, de...

– Ha ez a helyzet, akkor legalább szólhattatok volna róla. – A tekintetét rám villantotta, az arca ijesztően érzelemmentes volt. – Legalább te szólhattál volna róla.

És aztán kisétált a szobából.

Rooney nem vesztegette az időt, és utánafutott, én pedig gyorsan követtem. Rooney-nak meg kellett magyaráznia.

Mindenkinek egyszerűen abba kellett hagynia az állandó hazudozást, színészkedést és színlelést.

Rooney megragadta Pip vállát, amint utolérte a folyosó végén, és magához húzta, hogy szemben legyen vele.

– Pip, csak hallgass me...

– MINEK? – kiáltotta Pip, aztán lehalkította a hangját, amikor néhány arra haladó diák kíváncsian megfordult. – Ha jártok egymással, rendben, csak menjetek, és basszatok egymással, és élvezzétek, de legalább azt a szívességet megtehetted volna, hogy tájékoztatsz erről, így megpróbálhattam volna elfojtani az érzéseimet, és nem lennék most kibaszottul teljesen összetörve. – A hangja elcsuklott, és könnyek voltak a szemében.

Meg akartam magyarázni, de nem tudtam megszólalni.

Tönkretettem a barátságomat Jasonnel, és most romba döntöttem a barátságomat Pippel is.

– Én nem... mi nem... vagyunk együtt! – Rooney vadul mutogatott felém. – Esküszöm! Az én kibaszott ötletem volt, mert egy idióta vagyok! Georgia csak próbált megérteni valami szarságot, én pedig csak rosszabbá tettem a dolgokat, rávettem, hogy randizzon Jasonnel kísérletképpen, amikor ő sosem akarta igazán, és most ez...

Olyan érzés volt, mintha a falak összeomlottak volna körülöttünk.

Pip ökölbe szorította a kezét.

– Várjunk! – fordult felém. – Te... Jason csak egy *kísérlet* volt?

– Én... – Azt akartam mondani, nem, nem az volt, azt hittem, kedvelem őt, őszintén bele akartam zúgni, de... ez hazugság volt?

Pip arca eltorzult. Tett egy lépést felém, és most már *ordított.*

– Hogy tehetted ezt? *Hogy tehetted ezt vele?*

Hátraléptem, éreztem, ahogy könnyek gyűlnek a szemembe. Ne sírj! Ne sírj!

– Ne hibáztasd őt! – ordított vissza Rooney. – A szexuális irányultságát próbálta kitalálni!

– Nos, akkor sem kellett volna ezt csinálnia a legjobb barátunkkal, aki épphogy csak kiszabadult egy kapcsolatból, amiben úgy érezte magát, mint egy igazi darab SZAR!

Igaza volt. Elbasztam. Nagyon elbasztam.

Rooney közém és Pip közé tette a karját.

– Hagyd abba, ne próbáld elterelni a dolgot, mindketten tudjuk, miről szól igazából!

– Ó, igen? – Pip hangja elhalkult. Könnyfoltok voltak az arcán. – Miről szól igazából?

– Arról, hogy *gyűlölsz engem.* Azt hiszed, elveszem Georgiát tőled, mert ő a pusztán két barátod egyike. Megvetsz engem, mert azt hiszed, helyettesítelek téged az életében.

Csend következett. Pip szeme elkerekedett.

– Nem tudsz te semmit! – mondta rekedten, és megfordult. – Elmegyek.

– Várj! – mondtam. Az első kibaszott dolog, amit mondtam.

Pip visszafordult, kínlódva, hogy mondjon valamit a könnyein keresztül.

– Mi van? Van valami mondanivalód?

Nem volt. Nem tudtam megformálni a szavakat.

– Én is így gondoltam – mondta. – Sosincs mit mondanod.

És aztán elment.

Rooney azonnal utánarohant, de én ott maradtam, ahol voltam, a folyosón. A falak körülöttem papírvirágokból készültek. Felettem ragyogó fényfüzérek. A diákok nevetve, kézen fogva, stílusos öltönyt és csillogó ruhákat viselve mentek el mellettem. A zene, ami a fejem felett ment, Candi Statontől a *Young Hearts Run Free* volt.

Gyűlöltem az egészet.

TÚLÉLŐ

Átvágtam a gyengén kivilágított folyosókon és hangos tömegen. Megálltam a táncterem szélén, ahol a banda épp befejezte a játékot. Egy lassú dallal zártak, így az összes pár átölelhette egymást, és ringatózhatott. Hányingerem lett. Rooney és Pip nem volt sehol, így visszamentem a szobámba. Ez volt az egyetlen dolog, ami eszembe jutott. Hosszú ideig néztem magam a tükörben azon tűnődve, vajon ez lesz-e az a pillanat, amikor egyszerűen összeomlok. Csak kiengedhetném magamból, és elkezdhetnék zokogni, mert elbasztam az egészet. *Mindent* elcsesztem, amíg próbáltam megérteni, hogy ki vagyok. Pipnek és Jasonnek annyi mindennel kellett megbirkóznia, én meg igazából csak magamra gondoltam.

De nem sírtam. Csöndben voltam. Többé nem akartam felébredni.

Néhány órára aludni mentem, és amikor felébredtem, a fölöttem lévő szobából hallottam a szexelő emberek dübörgését.

Ez volt talán az utolsó csepp.

Mindig mindenki csak szexel és szerelmes? Miért? Hogy lehetne igazságos, hogy mindenki ezt érzi, kivéve engem?

Azt kívántam, bárcsak mindenki abbahagyná! Azt kívántam, a szex és a szerelem ne is létezzen!

Kiviharzottam a szobából, még a telefonomat sem vittem magammal. Kettesével szedtem a fokokat, felfutottam a lépcsőn a fenti folyosóra. Nem igazán tudtam, mit fogok csinálni, amikor odaértem, de legalább láthatom, kinek a szobája, és talán egy későbbi időpontban megkereshetem őket, és megmondhatom nekik, hogy ne legyenek anynyira hangosak…

Amikor elértem a folyosón arra a pontra, ami a szobám fölött volt, megtorpantam, és nagyon mozdulatlanul álltam.

Egy mosókonyha volt. Benne: hat mosógép és hat szárító. Az egyik mosógép bekapcsolva. Ritmikusan dübörgő hanggal koppant a falnak.

Visszatérve a szobámba rájöttem, hogy tíz perc múlva hajnali hat, a legendás „Túlélők Fotó" ideje. Egyszerűen mehetnék és megnézhetném. Látnám, hogy milyen sok ember csinálta meg.

A válasz: nem túl sok. Abból a több száz diákból, aki korábban az egyetem körül nyüzsgött, már csak körülbelül nyolcvanan maradhattak, és mindannyian a táncparketten gyűltek össze. Egy fáradt kinézetű fotós várta, hogy a részeg, kialvatlan diákok sorokba rendezzék magukat. Nem tudtam, vajon csatlakozzak hozzájuk, vagy sem. Egy kicsit úgy éreztem, mintha csalás lenne, mivel alapvetően átszundítottam az elmúlt öt órát.

– Georgia!

Megfordultam, féltem, hogy Jasonnel, Rooney-val vagy Pippel találom magam szemközt, de egyikük sem volt.

Sunil közeledett felém a táncterem ajtajából. A nyakkendője ki volt bontva, babakék kabátját átvetette az egyik karján, és természetellenesen ébernek tűnt hajnali hat órakor.

A kezét a felkaromra csapta, és egy kicsit megrázott.

– Megcsináltad! Kibírtad reggel hatig! Igazán le vagyok nyűgözve! Én éjfélkor feladtam, amikor gólya voltam.

– Én… aludtam egyet – mondtam.

Sunil vigyorgott.

– Jó ötlet! Stratégiai gondolkodás. Jess elment szunyókálni egypár órával ezelőtt, de nem került elő újra, szóval azt hiszem, idén is elbukta.

Pislogtam. Nem tudtam mit mondani neki.

– Szóval senki másnak nem sikerült? Rooney? Pip? Jason?

– Uh… – körbenéztem. Sem Rooney-t, sem Pipet, sem Jasont nem láttam sehol. Fogalmam sem volt, ki hol van. – Nem. Csak nekem.

Sunil bólintott.

– Á, hát jó. Holnap majd dicsekedni fogsz. – Az egyik karját a vállam köré fonta, és elindultunk a diákok sokasága felé. – Egy *túlélő* vagy! Próbáltam mosolyogni, de csak remegett az ajkam. Sunil nem látta, túlságosan lefoglalta, hogy továbbvezessen minket.

Megint pislogtam.

És aztán azt mondtam:

– Azt hiszem, talán… aszexuális vagyok. És aromantikus is. Mindkettő.

Sunil megállt.

– Igen? – kérdezte.

– Öhm… igen – mondtam a padlóra bámulva. – Hát… Nem igazán tudom, mit kezdjek ezzel.

Sunil nagyon mozdulatlan maradt egy pillanatig. Aztán megmozdult, levette rólam a karját, és megfordult, úgyhogy közvetlenül velem szemben állt. Két kezét a vállamra tette, és egy kicsit lehajolt, így az arcunk egy szintbe került.

– Nincs mit kezdeni vele, Georgia – mondta lágyan. – Egyáltalán nincs mit kezdeni.

És akkor a fotós kezdett türelmetlen lenni, kiabált mindenkinek, hogy rendeződjenek, szóval Sunil átvezetett minket a tülekedő tömegen, befurakodtunk a harmadik sorba egypár barátja mellé, és amikor elfordult beszélgetni velük, csak akkor jöttem rá, hogy amit mondtam, kétségtelenül igaz volt. Most már tudtam.

Sunil visszafordult, megszorította a vállam, és azt mondta:

– Rendben leszel. Nincs semmi, amit tenned kéne, csak *létezni.*

– De… mi van, ha csak egy… *semmi* vagyok? – Kilélegeztem, és pislogtam, ahogy a fotós elkészítette az első felvételt. – Mi van, ha semmi vagyok?

– Nem vagy semmi – mondta Sunil. – Ezt el kell hinned!

Talán megtehetném.

Talán el tudom hinni.

NEGYEDIK RÉSZ

NAGYON
ELLENTÉTES EMBEREK

A Bailey-bál utáni reggelen Rooney közel délben jött vissza a szobánkba. Még mindig aludtam, de olyan hangosan rúgta be az ajtót, hogy a falnak csapódott, aztán mondott valamit arról, hogy valami srác lakásában aludt, mielőtt lerúgta a cipőjét, áthúzta a ruháját a fején, és megállt a szoba közepén Rodericket, a szobanövényt bámulva, aki tulajdonképpen közel állt a halálhoz. És aztán befeküdt az ágyba.

Semmit sem mondott arról, ami velem vagy Pippel történt. Én sem akartam vele beszélni, így amint felkeltem és felöltöztem, a könyvtárba mentem. Egyenesen felsétáltam a legfelső emeletre, ahol a pénzügyi és üzleti témájú könyvekkel teli hosszú polcok mögött asztalok álltak. Itt maradtam ebédidőig, befejeztem ennek a félévnek az egyik beadandóját, nem gondoltam semmire, ami történt. Határozottan nem gondoltam semmire, ami történt.

Amikor visszamentem, Rooney felébredt, épp időben, hogy a college menzáján vacsorázzunk.

Együtt sétáltunk le, nem mondtunk semmit, és együtt ettünk egy csapat diák mellett, akiket Rooney ismerőseiként azonosítottam be, de ő még mindig nem mondott semmit.

Amikor visszamentünk a szobánkba, átvette a pizsamáját, azonnal visszabújt az ágyba, és megint elaludt. Én ébren maradtam, és Pip kabátját bámultam a szoba sarkában, amit még a Gólyahéten hagyott itt. Amit mindig elfelejtettem visszaadni neki.

Amikor felébredtem a szobánkban vasárnap, undorítónak éreztem magam, és rájöttem, hogy a Bailey-bál előtt zuhanyoztam utoljára. Szóval lezuhanyoztam. Felvettem egy frissen mosott pólót és egy meleg kardigánt, és kiléptem a szobából. Rooney-t egyedül hagytam az ágyban, csak a lófarka lógott ki a paplan tetejénél. Megint a könyvtárba mentem, azzal a szándékkal, hogy megírok egy másik esszét. Az egyetemi életem első beadandói mind jövő héten voltak esedékesek, a téli szünet előtt, és még egy csomó dolgom volt. De amint belopóztam a könyvtárba az egyetemi kártyámmal, és találtam egy szabad asztalt, csak ültem ott a laptopommal, és bámultam a régi beszélgetésfolyamomat Pippel és Jasonnel.

Külön üzenetet írtam mindegyikőjüknek. Két óráig tartott. Jasonnek ezt küldtem:

Georgia Warr
Annyira, annyira sajnálok mindent. Nem gondoltam át rendesen, hogy ez hogyan hat majd rád. Csak magamra gondoltam. Egyike vagy a legfontosabb embereknek az életemben, és ezt kihasználtam anélkül, hogy átgondoltam volna. Olyasvalakit érdemelsz, aki imád téged. Őszintén kívántam, hogy így érezzek, de nem tudok. Szó szerint nem vonzódom senkihez, nem számít a nemük. Igazán keményen igyekeztem, hogy vonzódjak, de nem megy. Nagyon sajnálok mindent.

Pipnek ezt küldtem:

Georgia Warr
Hahó, tudom, hogy nem beszélsz velem, és megértem, miért, de csak azt akarom, hogy ismerd a tényeket: Rooney azért csókolt meg engem, mert nagyon össze voltam zavarodva a szexualitásommal kapcsolatban, és segíteni akart nekem,

hogy lássam, szeretem-e a lányokat. Nagyon ostoba dolog volt mindkettőnktől, semmilyen módon nem segített nekem, igazából nem is azt akartam megtenni, és mindketten részegek voltunk. Valójában nem vagyunk egymásba zúgva, és mindketten komolyan megbántuk. Szóval én igazán, igazán sajnálom.

Mindketten egy órán belül elolvasták az üzenetet. Egyikük sem válaszolt.

Annak ellenére, hogy szó szerint ugyanabban a hálószobában éltünk, az első valódi beszélgetésem Rooney-val a Bailey-bál után következő hétfőn történt, a félév vége előtt a Bevezetés a drámába előadáson. Egyedül ültem majdnem hátul, a szokásos helyemen, amikor feltűnt a periférikus látásomban, és leült mellém.

A nappali öltözékében volt, sztreccsnadrág, egy St. John's pólóing, a haja lófarokban, de a szeme vad volt, ahogy rám bámult, és várta, hogy mondjak valamit.

Nem akartam beszélni vele. Mérges voltam rá. Tudtam, hogy ami történt, az én hibám is volt, de mérges voltam azért, ahogy reagált, amikor megpróbáltam elmagyarázni az érzéseimet.

Meg sem próbálta megérteni.

– Helló! – mondtam határozottan.

– Szia! – köszönt vissza. – Beszélnem kell veled.

– Én… nem igazán akarok beszélni veled – mondtam.

– Tudom. Nem kell mondanod semmit, ha nem akarsz.

De aztán egyikünk sem mondhatott semmit, mert mindkettőnket félbeszakított a professzor, aki elkezdte az előadását Pinter *A születésnap* című drámájáról.

Ahelyett, hogy elengedte volna a dolgot, Rooney előhúzta az iPadjét a táskájából, megnyitotta a jegyzetappot, és elénk fektette az asztalon a gépet, elég közel hozzám, így láthattam a kijelzőt. Elkezdett gépelni, én pedig azt feltételeztem, hogy csak jegyzeteket készít az előadáson, de akkor abbahagyta, és felém tolta a kijelzőt.

Annyira, annyira sajnálom, ami a Bailey-bálon történt. Teljesen az én hibám volt, és egy kibaszott gyökér voltam veled, amikor megpróbáltál elmondani nekem valami fontosat.

Ó! Oké.

Ez váratlan volt.

Rooney-ra néztem. Felvonta a szemöldökét, és az iPad felé biccentett, intve, hogy válaszoljak.

Mit kellett volna mondanom?

Óvatosan felemeltem a kezem, és gépelni kezdtem.

oké

Rooney várt egy kicsit, aztán vadul kopogott a billentyűzeten.

Tudom, hogy részegek voltunk, de ez tökre nem kifogás arra, ahogyan viselkedtem. Tudod, mint mikor a heteró srácok megtudják, hogy egy lány meleg, és mind azt mondják, „haha, de még nem csókoltál meg engem, szóval honnan tudod, hogy meleg vagy?". Tulajdonképpen ez volt, amit veled tettem. Egész idő alatt nyaggattalak téged, hogy keress egy kapcsolatot, csókolj meg embereket, és járj társaságba... Állandóan azt mondogattam, hogy próbáld meg Jasonnel, és amikor próbáltad elmondani nekem, hogy te valójában nem akarsz ezek közül semmit, még csak meg sem hallgattam. És aztán azt gondoltam, jó ötlet lenne megcsókolni, mert mindig azt gondolom, a csók mindent megold!!!!
Hónapok óta rájöttél a szexualitásodra, én pedig mindent elrontottam. MINDENT!
Annyi elképzelésem volt róla, hogyan kellene érezniük az embereknek a romantikával, szexszel és ezzel az egésszel kapcsolatban, de... ez mind csak marhaság és én annyira sajnálom
Komolyan tök buta vagyok és egy seggfej

AZT AKAROM, HOGY MONDD MEG NEKEM, HOGY EGY SEGGFEJ VAGYOK

Felvontam a szemöldökömet, aztán gépeltem:

oké egy seggfej vagy

Rooney konkrétan vigyorgott ezen.

R – Köszönöm.

G – nincs mit

Nem is számítottam rá, hogy bocsánatot kér, nem beszélve arról, hogy megérti, miért volt rossz, amit tett. De megértette. Úgy döntöttem, hogy bátor leszek, és leírom:

szóval mint kiderült aromantikus aszexuális vagyok

Rooney rám nézett. Ez nem az „az meg mi a franc?"-pillantás volt, amire számítottam. Kíváncsi pillantás volt. Kíváncsi. Talán egy kicsit aggodalmas, de nem a rossz értelemben. Csak őszintén tudni akarta, mi a helyzet velem.

igen én is össze voltam zavarodva ezzel kapcsolatban haha
ez azt jelenti, hogy nem vonzódom senkihez romantikusan vagy szexuálisan
nem számít a neme
nemrég jöttem rá erre

Rooney nézte, ahogy gépelek. Aztán egy pillanatra elgondolkozott, mielőtt válaszolt.

R – Hűha… Még csak nem is tudtam, hogy van ilyen!!! Mindig azt feltételeztem, ez olyan, hogy… a fiúkat kedveled, a lányokat, vagy valamiféle kombinációt.

G – haha igen dettó
ebből származik minden zavarodottság

R – Igazán nehéznek hangzik rájönni… Büszke vagyok rád!!!!!!

Messze volt a tökéletes választól valaki coming outjára. De ez annyira tisztán Rooney volt, hogy mosolyt varázsolt az arcomra.

R – Jól érzed magad ezzel kapcsolatban?

G – őszintén szólva nem igazán
de
azt hiszem jól leszek
idővel…
mármint… rájönni és elfogadni, hogy ez az aki vagyok az első pár lépés és azt hiszem most megtettem??

Mielőtt visszaírt volna, Rooney egyszerűen a vállamnak döntötte a fejét, és néhány másodpercig ott pihentette egy igazi ölelés helyett, ami egy kicsit nehéz lett volna egy előadás közepén.

R – Azt hiszem nem érthetem igazán de itt vagyok neked.
Mármint, ha valaha is hangosan akarsz gondolkozni erről vagy csak átbeszélni a dolgokat!!

G – igazán??

R – Georgia! Barátok vagyunk.

G – ó

R – Úgy értem, CSÓKOLÓZTUNK. Olyasmi. Plátói csókolózva.

G – tudok róla

R – Bocsánat érte. Megint. Tényleg szörnyű volt számodra????

G – gondolom. egy kicsit gusztustalannak éreztem igen

R – Ó!!

G – nem sértés

R – Nem, ez tetszik. Te határozottan antién vagy

G – nagyon ellentétes személyiségek vagyunk, igen

R – Nagyon üdítő

G – szeretem ezt bennünk

R – Fincsi

G – fincsi összetétel

R – 10/10

Mindketten kuncogni kezdtünk, aztán nem tudtuk abbahagyni, míg a professzor ránk nem szólt, mi pedig vigyorogva néztünk egymásra. Talán még mindig szar volt minden, bántottam a két legjobb barátomat, és tudtam, még hosszú utat kell megtennem, mielőtt egyáltalán elkezdhetem megkedvelni azt, aki vagyok, de legalább Rooney mellettem ült sírás helyett nevetve.

AROMANTIKUS ASZEXUÁLIS

Az internet áldás és átok egyszerre. Rágugliztam az „aromantikus aszexuális"-ra, és olyan információk tömegét engedtem szabadon, amire nem voltam mentálisan vagy érzelmileg felkészülve. Első alkalommal, amikor rákerestem, gyorsan kiléptem az ablakból, és egész nap nem kerestem rá újra.

Az első ösztönös reakcióm az volt, *ez hülyeség.*

Ez kamu.

Ez egy kitalált internetes dolog, ami hülyeség, hamis, és abszolút nem én vagyok.

És mégis én voltam. Sunil és Jess nem az egyetlenek. Több ezer ember volt az interneten, aki ilyen módon azonosította önmagát, és közben boldog volt. Valójában az emberek már 1907 óta használták az *aszexuális* szót szexuális identitásként. Szóval ez egyáltalán nem egy „internetes dolog" volt.

Őszintén szólva, Sunil igazán velősen magyarázta meg. Az internet hozta a tudomásomra, hogy az aszexualitás egyszerűen azt jelenti, hogy valaki az „aligtól az egyáltalán nemig" érez *szexuális* vonzalmat, az aromantikusság pedig, hogy az „aligtól az egyáltalán nemig" érez *romantikus* vonzalmat.

Egy hosszabb internetes alámerülés során felfedeztem, hogy igazából volt egy csomó vita ezekről a definíciókról, mert az emberek tapasztalatai és érzései annyira mérhetetlenül különbözőek lehettek, de ezen a ponton úgy döntöttem, megint becsukom az oldalt, a pokolba is. Túl sok volt. Túl zavaros. Túl új.

Azon tűnődtem, vajon Sunil érzett-e valaha így a saját aszexualitásával kapcsolatban, és miután legörgettem az Instagramját egy ideig, rájöttem, hogy van egy blogja. „Egy durhami csellista naplója" volt a neve, és mindenféle dologról voltak posztok rajta: zenetanulás, durhami ténykedések, a napi rutinja, a szerepe a Pride Egyesületben és a diákzenekarban. Néhány alkalommal az aszexualitásáról is írt. Feltűnt nekem egy bejegyzés, amiben arról írt, hogy eleinte nehéznek találta elfogadni az aszexualitását. A szexualitás általában súlyos tabu az indiai kultúrában, magyarázta, és amikor támogatást keresett, úgy találta, hogy az aszexuális közösség, még online is, hihetetlenül fehér. De miután online rátalált az indiai aszexuálisok csoportjára, kezdett büszke lenni az identitására.

Sunil kétségtelenül egész más utat járt be, mint én, és egy csomó dologtól, amivel meg kellett küzdenie, engem megvéd az, hogy fehér vagyok, és cisz. De megnyugtató volt tudni, hogy ő is érzett némi aggodalmat amiatt, hogy aszexuális. Az emberek nem mindig szeretik rögtön azt, akik.

Hamarosan összeszedtem a bátorságomat, hogy folytassam a keresgélést.

Kiderült, hogy rengeteg aszexuális ember mindenféle különböző okból még mindig akar szexelni, ám néhányan teljesen semlegesen éreznek ezzel kapcsolatban, mások pedig, ahogyan eredetileg gondoltam, szó szerint utálják. Néhány aszexuális ennek ellenére maszturbál, másoknak egyáltalán nincs libidójuk.

Az is kiderült, hogy egy csomó aromantikus ember romantikus kapcsolatban akar lenni annak ellenére, hogy nem érzik ezeket az érzéseket. Mások sosem akartak romantikus partnert.

És az emberek a romantika és a szexualitás mindenféle kombinációjaként azonosították magukat: voltak meleg aszexuálisok, mint Sunil, vagy biszexuális aromantikusok, mint Jess, vagy heteró aszexuálisok, pánszexuális aromantikusok, és még sok egyéb. Néhány aszexuális és aromantikus embernek még az sem tetszik, hogy a vonzalmukat két címkére osztották fel. És néhányan csak a *queer* szót használják, hogy mindent összefoglaljanak. Voltak szavak, amikre rá kellett keresnem, mint például *demiszexuális, szürke aszexuális,* de még a keresés után sem voltam pontosan biztos benne, mit jelentenek.

Az aromantikus és aszexuális spektrum nem csak egy egyenes vonal. Inkább egy pókhálódiagram, legalább egy tucat különböző tengellyel. Mindez nagyon sok volt.

Mármint *nagyon-nagyon.*

A legnehezebb az volt, hogy én nem éreztem szexuális vagy romantikus érzéseket senki iránt. Egyetlen istenverte személy iránt sem, akivel valaha találkoztam, vagy valaha találkozni fogok.

Szóval tényleg ez voltam én.

Aromantikus.

Aszexuális.

Visszatértem a szavakhoz, míg legalább az elmémben valóságosnak nem éreztem őket. A legtöbb ember elméjében talán nem lennének azok, de én valóságossá tehettem őket az enyémben. Akármilyen marhaságot csinálhattam, amit csak akartam.

Néha elsuttogtam őket, míg mágikus bűbájnak nem tűntek. Elképzeltem őket, amíg elaludtam.

Nem voltam biztos, mikor jöttem rá, hogy többé nem érzem a melankolikus fájdalmat a szexualitásom miatt. A *„jaj nekem, szeretet nélküli vagyok"*-hangulat egyszerűen eltűnt.

Most a harag következett.

Annyira dühös voltam...

Mindenre.

Dühös a sorsra, hogy ezeket a kártyákat osztotta nekem. Annak ellenére, hogy tudtam, nincs semmi baj velem – egy csomó ember ilyen, nem vagyok egyedül, szeresd magad, bármi legyen –, nem tudtam, hogy jussak el arra a pontra, ahol ez már nem tűnne tehernek, hanem úgy érezném, hogy valami *jó,* valami, amit *ünnepelhetnék,* valami, amit *megoszthatnék a világgal.*

Dühös voltam minden egyes párra, aki elment mellettem az utcán. Minden egyes párra, akit kézen fogva láttam, minden egyes alkalommal, amikor láttam azt a párt a folyosó végén a konyhában flörtölni. Minden alkalommal, amikor két embert meghitt hangulatban láttam a könyvtárban vagy a menzán. Minden alkalommal, amikor az egyik író, akit kedveltem, kiposztolt egy új fanfictiont.

Mérges voltam a világra, amiért megutáltatta velem, aki voltam. Mérges voltam magamra, amiért hagytam, hogy ezek az érzések tönkretegyék a barátságomat a legjobb emberekkel a világon. Dühös voltam minden egyes romantikus filmre, minden egyes fanfictionre, minden egyes hülye könyves párosra, akiket eddig kedveltem, akik miatt vágytam arra, hogy megtaláljam a tökéletes románcot. Kétségtelenül mindezek miatt éreztem veszteségnek ezt az új identitást, amikor a valóságban gyönyörű felfedezésnek kellett volna lennie.

Végül a tény, hogy dühös voltam mindenre, csak még dühösebbé tett, mert tudtam, hogy nem *kellene* dühösnek lennem. De az voltam, és őszinte próbálok lenni ezzel kapcsolatban, oké?

Oké.

IGAZ SZERELEM

Az, hogy mennyire komoly ez a helyzet Pippel és Jasonnel, csak akkor tudatosult bennem, amikor ugyanazon a napon léptek ki a Shakespeare Társulatból. A szemeszter utolsó napján. Még csak nem is személyesen csinálták.

Nem nagyon reménykedtem benne, hogy részt fognak venni a karácsony előtti, pénteki próbánkon, mindenesetre Rooney és én odamentünk, nyitva volt a terem, a hősugárzó be volt kapcsolva, és az egyik oldalra tolták az asztalokat. Sunil sem bizonyult beavatottnak, kabátot viselt, ami tulajdonképpen pokróc volt, és mosoly ült az arcán. Nem tudtuk, mit mondjunk neki.

Tíz perccel azután, hogy meg kellett volna érkezniük, Pip üzenetet küldött a csoportchatbe.

Felipa Quintana
Hahó szóval én és Jason úgy döntöttünk többé nem leszünk benne a színdarabban, túl sok egyéb munkánk és dolgunk van.
Találjatok más embereket helyettünk.
Bocs

Én néztem meg először, aztán továbbadtam a telefonomat Rooney-nak.

Elolvasta. Láttam, hogy beszívja az arca belsejét. Egy pillanatig dühösnek tűnt. Aztán visszaadta a telefonomat, és elfordult, szóval sem én, sem Sunil nem láthattuk, mennyire feldúlt.

Sunil nézte meg utoljára az üzenetet. Zavarodott arckifejezéssel nézett fel ránk, és azt kérdezte:

– Mi... történt?

– Mi... összevesztünk – mondtam, mert nem tudtam, hogyan magyarázzam meg, hogy ez a kis csapat mennyire elcsesződött, miközben Sunil pusztán ártatlan szemlélőként csak részese akart lenni egy szórakoztató színházi társulatnak.

És mindez miattam volt.

Azt hiszem, mindig is magányosnak éreztem magam.

Azt hiszem, rengeteg ember magányosnak érzi magát. Rooney. Pip. Talán még Jason is, bár ő nem mondta ezt.

Azzal töltöttem a tinédzseréveimet, hogy magányosnak éreztem magam valahányszor láttam egy párt egy partin, vagy két embert csókolózni kint, az iskolakapunál. Magányosnak éreztem magam valahányszor olvastam valami cuki lánykérésztorit a Twitteren, vagy láttam valaki ötéves évfordulós Facebook-posztját, vagy ha csak láttam valakit együtt lógni a párjával az Instagram-sztorijukban, a kanapén ülni és a kutyájukkal tévét nézni. Először azért éreztem magányosnak magam, mert ezt még nem éltem át. És még magányosabbnak éreztem magam, amikor kezdtem elhinni, hogy sosem fogom.

Ez a magány, Jason és Pip nélkül lenni, rosszabb volt.

A barátok automatikusan „kevésbé fontosnak" vannak titulálva, mint a romantikus partnerek. Sosem kérdőjeleztem ezt meg. Ilyen volt a világ. Azt hiszem, mindig úgy éreztem, hogy a barátság egyszerűen nem tud versenyezni azzal, amit egy partner nyújt, és hogy soha nem fogom megtapasztalni az *igazi szeretetet,* amíg nem találom meg a románcot.

De ha ez igaz lett volna, valószínűleg nem éreztem volna így.

Szerettem Jasont és Pipet. Szerettem őket, mert nem kellett gondolkodnom mellettük. Szerettem, hogy együtt ülhetünk csendben. Szerettem, hogy ismerik az összes kedvenc kajámat, és azonnal észreveszik, amikor rossz hangulatban vagyok. Szerettem Pip őrült humorérzékét, és hogy azonnal boldog helyet csinált minden szobából, ahová belépett. Szerettem, hogy Jason pontosan tudta, mit mondjon, amikor zaklatott vagy, és mindig meg tud nyugtatni.

Szerettem Jasont és Pipet. És most elmentek.

Annyira kétségbeesetten kerestem az elképzelésemet az igaz szeretetről, hogy még akkor sem voltam képes észrevenni, amikor közvetlenül a szemem előtt volt.

OTTHON

Hideg kezemet a kocsimra szorítottam, ami olyan messze volt a házunk felhajtójától, amennyire csak lehetett. Hiányzott a kocsim.

Három másik kocsi volt a kocsifelhajtón, és további négy parkolt odakint a járdán, ami egy dolgot jelentett: az egész Warr család összesereglett a házunkban. Ez nem volt szokatlan esemény karácsony körül, de egy családi parti december huszonegyedikén egy kicsit korainak tűnt, és nem pontosan ez volt az, ahová vissza akartam térni a pokolban töltött egyetemi félévem után.

– Georgia, mit csinálsz?

Apa nyitva tartotta a bejárati ajtót nekem. A pályaudvaron vett fel.

– Semmit – mondtam, leejtve a kezemet a kocsimról.

Volt némi ujjongás a nappaliban cseverésző családom huszon-egynéhány tagjától, amint beléptem. Azt hiszem, ez kedves volt. Elfelejtettem, milyen ennyi olyan ember közelében lenni, akik tudják, ki vagyok.

Anya adott egy nagy ölelést. A bátyám, Jonathan és a felesége, Rachel is odajött egy ölelésre. Aztán anya nem vesztegette tovább az időt, közölte, hogy kérdezzem meg, ki mit inna, valamint tájékoztatott a következő hét órákra lebontott ütemtervéről, beleértve azt is, hogy a nagynéném, a nagybátyám és Ellis unokatestvérem itt marad karácsony másnapjáig. Mint egy nagy családi ottalvós buli.

– Nem bánod, hogy meg kell osztanod a szobádat Ellisszel, igaz? – kérdezte anya.

Nem voltam felvillanyozva az események ezen fordulatától, de kedveltem Ellist, szóval nem lesz túl kellemetlen.

A hálószobám pontosan ugyanolyan volt, mint mikor elhagytam: könyvek, tévé, csíkos ágynemű, eltekintve egy felfújható matractól Ellisnek. Egyenesen az ágyamra roskadtam. Jó illata volt. Még a félév végére sem éreztem az egyetemet az otthonomnak.

– Gyerünk akkor! – rikácsolta nekem nagyi, amint mellé furakodtam a kanapén. – Mondj el mindent!

„Minden" alatt határozottan nem azt értette, hogy hogyan döntöttem végleg romba azt a nagyon kevés barátságot, amivel rendelkeztem, hogy nagy nehezen rájöttem, nem vagyok heteró, és valójában olyan szexuális beállítottságom van, amiről nagyon kevés ember hallott a való életben, és hogy rájöttem, hogy a világ annyira megszállott a romantikus szerelemmel kapcsolatban, hogy egy órát sem bírtam ki anélkül, hogy ne gyűlöltem volna magam, mert én nem ezt éreztem.

Szóval helyette meséltem neki, és a másik tizenkét családtagnak, aki hallgatta, az előadásaimról („érdekesek"), a szobámról a kollégiumban („tágas") és a szobatársamról („nagyon kedves").

Sajnos nagyi szeretett kíváncsiskodni.

– És mi van a barátokkal? Szereztél kedves barátokat? – felém hajolt, ravaszul megveregetve a lábamat. – Vagy találkoztál kedves *fiatalemberekkel?* Lefogadom, hogy egy csomó csinos fiú van Durhamben.

Nem utáltam nagyit, mert ilyen. Nem az ő hibája. Úgy nevelték, hogy azt higgye, a lányok elsődleges célja az életben férjhez menni és családot alapítani. Ő pontosan ezt tette, amikor az én koromban volt, és azt hiszem, nagyon elégedettnek érezte magát emiatt. Érthető. Járd a saját utadat.

De ez nem akadályozott meg abban, hogy mélységesen, mélységesen bosszús legyek.

– Igazából – mondtam, és próbáltam elfojtani az ingerültséget a hangomból, ahogy csak tudtam – nem igazán érdekel, hogy pasit szerezzek.

– Ó, nos – mondta ismét megveregetve a lábamat –, bőven van idő, kedvesem. Bőven van idő.

De az én időm most van, akartam sikítani. Az életem épp most történik.

A családom aztán belebocsátkozott egy beszélgetésbe arról, hogy milyen könnyű kapcsolatot létesíteni az egyetemen. A sarokban kiszúrtam Ellis unokatestvéremet, csendben ült egy pohár borral, és az egyik lábát a másikon keresztezte. Elkapta a pillantásomat, halványan rám mosolygott, és megforgatta a szemét a körülöttünk lévő csoportra. Visszamosolyogtam. Talán legalább egy szövetségesem lesz.

Ellis harmincnégy éves volt, és régebben modellkedett. Lenyűgöző *divatmodell* volt, aki kifutóshow-kat és magazinhirdetéseket csinált. A húszas évei közepén hagyta abba, és a megtakarított pénzét arra költötte, hogy néhány évig fessen, amiben, mint kiderült, nagyon tehetséges volt. Azóta hivatásos művész.

Csak pár alkalommal láttam egy évben, de mindig igyekezett képbe kerülni, amikor találkoztunk, megkérdezte, milyen az iskola, milyenek a barátaim, történt-e bármi új fejlemény az életemben. Mindig kedveltem őt.

Nem tudom, mikor kezdtem el észrevenni, hogy Ellis valamiféle gúny tárgya a családunkban. Minden alkalommal, amikor ő és nagyi ugyanabban a szobában volt, nagyinak sikerült arra terelnie a beszélgetést, hogy Ellis még nem házas, és nem adott a családnak egyetlen aranyos kisbabát sem, akinek gügyöghetnének. Anya mindig úgy beszélt róla, mintha valamiféle tragikus élete lenne, csak mert egyedül élt, és sosem volt hosszú távú kapcsolata.

Én úgy gondoltam, szuperkirály élete van. De azt hiszem, mindig kíváncsi voltam, vajon boldog-e. Vagy szomorú, magányos, és reménytelenül vágyik a románcra, ahogyan én tettem.

– Akkor nincs pasid? – kérdezte tőlem Ellis, amint lerogytam mellé a télikertben ezen az estén.

– Tragikus módon nincs – feleltem.

– Ez egy kicsit szarkasztikusan hangzott.

– Talán tényleg.

Ellis mosolygott és megrázta a fejét.

– Ne aggódj nagyi miatt. Ugyanezeket a dolgokat mondta nekem az elmúlt tizenöt évben. Csak fél, hogy dédunoka nélkül fog meghalni. Kuncogtam, annak ellenére, hogy erre a gondolatra egy kicsit rosszul éreztem magam. Nem akartam, hogy nagyi boldogtalanul haljon meg.

– Szóval… – folytatta Ellis. – Nincsenek… esetleg inkább barátnők? Eltartott egy pillanatig, míg rájöttem, hogy nem a szó plátói értelmében vett „barátnőre" gondolt. Azt kérdezte tőlem, meleg vagyok-e. Amiért, tudjátok, hatalmas elismerés Ellisnek. Ha meleg lennék, ez egy átkozottul csodálatos pillanat lett volna számomra.

– Öhm, nem – mondtam. – Nem igazán érdekelnek a barátnők sem.

Ellis bólintott. Egy pillanatig úgy tűnt, hogy kérdezni fog valami mást, de aztán csak azt mondta:

– Jólesne egy kis *Cuphead?*

Szóval bekapcsoltuk az Xboxot, és *Cuphead*et játszottunk, míg mindenki el nem ment haza vagy lefeküdni.

ELLIS

A Warrok egyike azoknak a szörnyű családoknak, akiknél késő délutánig tilos a karácsonyi ajándékbontás, de ebben az évben nem bántam túlságosan, mert más dolgok jártak az eszemben. Nem kértem semmi különöset, szóval végül egy nagy halom könyvvel végeztem, meg egy fürdőtermékkészlettel, amit valószínűleg sosem fogok használni, és egy anyától kapott melegítőfelsővel, amin az „Inkább a sült krumpli, mint a srácok" mondás szerepelt. A család ezen jót nevetett.

Az ajándékbontás után a nagyszülők mind elaludtak a télikertben, anya beszállt egy intenzív sakkpartiba Jonathan ellen, míg apa és Rachel előkészítette a teát. Ellis és én játszottunk egy kis *Mario Kart*ot, mielőtt eloldalogtam a szobámba pihenni és megnézni a telefonomat.

Megnyitottam a Pippel közös Facebook-chatemet.

Georgia Warr
boldog karácsonyt!! szeretlek, remélem jó napod volt tegnap
xxxxx

Ez még mindig olvasatlan volt. Részegen küldtem a karácsonyi vacsora felénél. Talán egyszerűen még nem látta.

Ellenőriztem az Instagramját. Pip családja elsősorban szenteste ünnepelte a karácsonyt, ő pedig posztolt egy csomó Instagram-sztorit.

Posztolt egy fotót a kora hajnali órákban: a családja az utcán sétált az éjféli miséről hazafelé menet.

elaludtam a templomban lol

És posztolt egy másik képet fél órával ezelőtt a családja konyhájában önmagáról, amint egy tésztagolyót tesz a szájába.

a maradék buñuelos kibaszottul bekerül a hasamba

Elgondolkoztam rajta, hogy reagáljak, de nem jutott eszembe semmi vicces, amit mondhatnék.

Mivel fél órával ezelőtt posztolta, valószínűleg látta az üzenetemet a telefonján. Csak ignorált.

Akkor még mindig gyűlöl.

Este tízig ágyba bújva maradtam. Összességében nem egy rossz karácsony annak ellenére, hogy elvesztettem a legjobb barátaimat, és hogy a szingliségem állandó családi vicc lett.

Egy nap valószínűleg egyszerűen elmondom nekik.

Nem szeretem a srácokat. Ó, szóval a lányokat szereted? *Nem, nem szeretem a lányokat sem.* Mi? Ennek nincs semmi értelme. *De igen, van. Ez egy valós dolog.* Csak még nem találtad meg a megfelelő személyt. Idővel majd megtörténik. *Nem, nem fog. Ez vagyok én.* Jól érzed magad? Talán kérnünk kéne egy időpontot a háziorvoshoz. *Aromantikus aszexualitásnak hívják.* Nos, ez nem hangzik valódinak, nemde? Az interneten hallottál róla?

Uh! Oké. Nem igazán akartam egyhamar belevágni ebbe a beszélgetésbe.

Lefelé tartottam, hogy szerezzek némi vizet, amikor meghallottam az emelt hangokat. Először azt gondoltam, talán csak anya és apa civódik egymással, de aztán rájöttem, hogy a hangok valójában Sal nénihez és Gavin bácsihoz tartoztak. Ellis szülei. Hátráltam a lépcsőn, nem akartam félbeszakítani a vitát.

– Nézz Jonathanre – mondta Sal néni. – Ő *megértette* a dolgot. Nős, saját háza van, saját vállalkozása. Készen áll az életre.

– És egy évtizeddel fiatalabb, mint te – tette hozzá Gavin bácsi.

Ó! Ellis is ott volt.

Nem álltam szuperközel Sal nénihez és Gavin bácsihoz. Igazából Ellishez sem. Nem éltek a közelben, így csak évente néhányszor láttuk őket a családi összejöveteleken.

De mindig egy kicsit aggodalmaskodóbbnak tűntek, mint az én szüleim. Egy kicsit tradicionálisabbnak.

– Tisztában vagyok vele – mondta Ellis. A hangja meglepett. Annyira fáradtnak tűnt.

– Ez az egész egyáltalán nem zavar téged? – kérdezte Sal néni.

– Mi az, ami nem zavar?

– Hogy Jonathan felnő, családot alapít, terveket készít, míg te még mindig...

– Még mindig, mi? – csattant fel Ellis. – Amit csinálok, az annyira rossz?

– Nem szükséges kiabálni – mondta Gavin bácsi.

– Nem kiabálok.

– *Öregszel* – folytatta Sal néni. – A harmincas éveid közepén jársz. Túl vagy a randizás csúcspontján. Hamarosan egyre nehezebb és nehezebb lesz gyerekeket vállalnod.

– Nem akarok randizni, és nem akarok gyerekeket – mondta Ellis.

– Ó, ne már! Ne kezdd ezt megint!

– Az *egyetlen* gyermekünk vagy – mondta Gavin bácsi. – Tudod, milyen ez nekünk? Te vagy az *egyetlen* továbbvivője a vezetéknevemnek.

– Nem az én hibám, hogy nincs több gyereketek – mondta Ellis.

– És akkor most mi van, ennyi volt nekünk? Nincs több gyerek a családban? Nem leszünk nagyszülők? Ez a köszönet, amiért felneveltünk?

Ellis hangosan sóhajtott.

– Nem próbáljuk *kritizálni...* életed döntéseit – mondta Sal néni. – Tudjuk, hogy ez nem rólunk szól, de... csak azt akarjuk, hogy boldog legyél. Tudom, hogy azt hiszed, most boldog vagy, de mi lesz tíz év múlva? Húsz? Negyven? Milyen lesz az életed, amikor nagyi korában leszel, partner nélkül, gyerek nélkül? Ki lesz ott, hogy támogasson téged? Nem lesz *senkid.*

– Talán boldog lehetnék – vágott vissza Ellis –, ha nem azzal töltöttétek volna az egész életemet, hogy átmossátok az agyamat, hogy azt higygyem, férjet találni és gyereket vállalni az egyetlen út, ha azt akarom, hogy az életem bármit is érjen. Talán akkor boldog lehetnék.

Sal néni közbe akart szólni, de Ellis félbeszakította.

– Nem mintha aktívan elutasítanám az embereket, oké? – Úgy hangzott, Ellis most már a sírás határán áll. – Senkit sem kedvelek úgy. Sosem tettem. Ez vagyok én, és így vagy úgy, mindannyiunknak bele kell nyugodnunk. Csinálhatok még csodálatos dolgokat az életemmel. Vannak barátaim. És lesznek új barátaim. Sikeres modell voltam. Most művész vagyok, és a festményeim nagyon jól fogynak. Arra gondoltam, hogy művészeti egyetemre megyek, mivel első alkalommal nem sikerült. Van egy igazán szép házam, ha valaha is érdekelne titeket, hogy meglátogassatok. Ha megpróbálnátok, és úgy értem, tényleg *megpróbálnátok,* igazán büszkék lehetnétek mindarra, amit életemben tettem, és mindarra, amit még tenni fogok.

Egy hosszú, szörnyű csend következett.

– Mit szólnál ahhoz – kezdte Sal néni lassan, mintha megválogatná a szavait –, ha elgondolkoznánk azon, hogy újra megpróbáld a terápiát? Még mindig nem vagyok biztos, hogy utolsó alkalommal megfelelő terapeutát találtunk. Ha tovább keresnénk, találnánk valakit, aki igazán segíthet.

Csend.

És aztán Ellis azt mondta:

– Nem kell megjavítani. Nem teheted még egyszer ezt velem.

Padlót karcoló székek hangja hallatszott, ahogy valaki felállt.

– Ell, ne csináld ezt! – mondta Gavin bácsi. – Ne legyél olyan dühös, mint a múltkor.

– Felnőtt vagyok – mondta Ellis. Fojtott düh volt a hangjában, ami megerősítette a kijelentést. – És ha ti nem fogtok tisztelni engem, akkor nem leszek a közeletekben.

A lépcső tetején, a sötétségben rejtőzve néztem végig, amint Ellis leült az alsó lépcsőre felvenni a cipőjét. Aztán felhúzta a kabátját, nyugodtan kinyitotta a bejárati ajtót, és kilépett a házból.

Mielőtt kétszer meggondolhattam volna, a szobámba rohantam, megragadtam a pongyolámat és a papucsomat, és utánafutottam.

A kocsijában ülve találtam, elektromos cigarettával a szájában, de látszólag nem állt szándékában semmit sem elszívni.

Bekopogtam az ablakon, amitől olyan erősen megugrott, hogy az elektromos cigi kirepült a szájából.

– Kibaszott élet! – kiáltotta, miután bekapcsolta a gyújtást, és letekerte az ablakot. – A szart is kiijesztetted belőlem!

– Bocsi.

– Mit csinálsz idekint?

– Én… – Talán ez kicsit kínos volt. – Hallottam, ahogy a szüleid szemétkedtek veled.

Ellis csak nézett rám.

– Azt gondoltam, jól jönne egy kis társaság – mondtam. – Nemtom. Visszamehetek, ha akarod.

Ellis megrázta a fejét.

– Nem. Szállj be!

Kinyitottam az ajtót, és bepattantam. Igazából nagyon szép autója volt. Modern. Sokkal drágább, mint az én idős Fiat Puntóm.

Csend volt, vártam, hogy mondjon valamit. Megkereste az elektromos cigarettáját, szépen betette a sebességváltó előtti rekeszbe, aztán azt mondta:

– Mcdonald'sos hangulatom van.

– Karácsonykor?

– Igen. Csak akarok egy McFlurryt most azonnal.

Jobban belegondolva, igazából nagyon vágytam egy kis sült krumplira. Azt hiszem, ez egy „Inkább a sült krumpli, mint a srácok"-nap volt.

És beszélni is akartam Ellisszel mindenről, amit csak hallottam. Különösen a „nem kedvel senkit"-ről.

– Elmehetünk a McDonald'sba – mondtam.

– Igen?

– Igen.

Szóval Ellis beindította a kocsit, és elmentünk.

PLÁTÓI VARÁZSLAT

– Ó, istenem, *igen!* – mondta Ellis a McFlurrybe mártogatva a műanyag kanalát. – Ez az, ami karácsonykor mindig hiányzik.

– Egyetértek – mondtam. Már a krumplim felénél tartottam.

– McDonald's: sosem hagy cserben.

– Nem vagyok biztos benne, hogy ez a szlogen.

– Ennek kéne lennie.

Az étterem parkolójában álltunk meg, ami majdnem teljesen üres volt. Megüzentem anyának és apának, hol vagyok, apa pedig visszaküldött egy feltartott hüvelykujj emojit, szóval valószínűleg nem zavarta őket. De a kocsiban lenni pizsamában és köntösben egy kicsit helytelennek tűnt.

Ellis egész úton csevegett velem a leghétköznapibb témákról. Csak tizenöt perces út volt, de ez alatt a teljes tizenöt perc alatt nem voltam képes többet mondani, mint pár egyetértő „igen"-t vagy „mmhm"-t. Nem voltam képes semmit megkérdezni, amit igazán meg akartam.

Olyan vagy, mint én? Ugyanolyanok vagyunk?

– Szóval – végre képes voltam megszólalni, miközben ő éppen egy kanálnyi jégkrémet evett – a szüleid.

Mordult egyet.

– Ó, igen. Jézus, bocsánat, hogy hallanod kellett *bármit* abból. Nagyon kínos, hogy még mindig úgy bánnak velem, mintha tizenöt lennék. Nem sértés a tizenöt éveseknek. Még a tizenöt évesek sem érdemlik meg, hogy így beszéljenek velük.

– Ők... – a szót kerestem – észszerűtlennek hangzottak.

Ellis nevetett.

– Igen. Igen, azok voltak.

– Sokszor piszkálnak ezek miatt a dolgok miatt?

– Igen, amikor csak látom őket – mondta Ellis. – Ami az igazat megvallva, manapság egyre ritkább.

Nem tudtam elképzelni, hogy anyát és apát egyre ritkábban lássam. De talán ez fog történni velem, ha sosem házasodom meg, vagy lesznek gyerekeim. Egyszerűen kitaszítanak a családomból. Egy szellem leszek. Csak időnként a családi összejöveteleken fogok feltűnni.

Ha előbújok nekik, terápiára kényszerítenének, mint Ellis szülei tették?

– Hittél nekik valaha? – kérdeztem.

Ellist nyilvánvalóan nem lepte meg ez a kérdés. Vett egy mély levegőt, a fagylaltjára bámult.

– Úgy érted, éreztem-e valaha, hogy az életem értéktelen, mert sosem lesz partnerem vagy gyerekem? – kérdezte.

Rosszabbnak hangzott, amikor így fogalmazott. De tudni akartam.

Tudnom kellett, vajon mindig kényelmetlennek fogom-e érezni ezt a részemet.

– Igen – mondtam.

– Nos, először is, akkor lehet gyerekem, amikor csak akarom. Létezik adoptálás.

– De mi a helyzet a partnerrel?

Szünetet tartott.

És aztán azt mondta:

– Igen, időnként így érzek.

Ó!

Szóval talán mindig így fogok érezni.

Talán soha nem érzem majd magam komfortosan ezzel kapcsolatban.

Talán...

– De ez csak egy érzés – folytatta. – És *tudom*, hogy nem igaz.

Felhunyorogtam rá.

– Van, aki akar partnert. Mások nem. Hosszú-hosszú ideig tartott kitalálnom, hogy ez nem olyasmi, amit akarok. Valójában… – habozott, de csak egy pillanatig. – Hosszú időbe telt, míg rájöttem, hogy ez még csak nem is valami, amit akarhatok. Számomra ez nem egy választás. Ez egy részem, amit nem tudok megváltoztatni.

Visszatartottam a lélegzetemet.

– Hogy jöttél rá? – kérdeztem végül, a szívem a torkomban.

Nevetett.

– Ez… nos, van kedved ahhoz, hogy az egész életemet egyetlen beszélgetésbe sűrítsem egy karácsonyi mekizés közben?

– Igen!

– Ó! Oké – vett egy kanálnyi fagylaltot. – Szóval… én sosem voltam belezúgva senkibe, amikor gyerek voltam. Legalábbis nem igazán. Néha összetévesztettem ezzel a barátságot, vagy csak azt gondoltam, hogy egy srác igazán klassz. De sosem tetszett igazán senki. Még a hírességek, zenészek vagy hasonlók sem.

Felvonta a szemöldökét, és felsóhajtott, mintha ez az egész csak egy apró kellemetlenség lenne.

– De a helyzet az volt – mondta –, hogy mindenki másnak, akit ismertem, volt szerelme. Randiztak. Az összes barátom dögös fiúkról beszélt. Mindegyiküknek volt pasija. A családunk mindig nagy volt, és szeretetteljes. Tudod, a szüleid, az én szüleim, a nagyszüleink és mindenki más. Szóval mindig ezt láttam *normálisnak*. Ez volt minden, amit ismertem. A szememben a randizás és a párkapcsolat olyasmi volt… amit az emberek normális esetben tesznek. Emberi volt. Szóval ezért próbáltam meg én is csinálni.

Próbálta.

Ő is próbálta.

– És ez folytatódott késő tinédzserkoromban és aztán a húszas éveimben. Különösen, amikor belevágtam a modellkedésbe, mert *mindenki* összejött egymással a modellszakmában. Szóval én is rákényszerítettem magam, hogy ezt tegyem, csak hogy részt vegyek benne, és ne maradjak ki – pislogott. – De… gyűlöltem. Gyűlöltem minden kibaszott másodpercét.

Szünetet tartott. Nem tudtam, mit mondjak.

– Nem tudom, mikor kezdtem rájönni, hogy gyűlölöm. Hosszú ideig csak randiztam és szexeltem, mert ezt csinálják az emberek. És úgy *akartam* érezni, mint ők. Akartam a romantika és a szex szórakoztató, izgalmas szépségét. De mindig ott volt a háttérben lappangó helytelenség érzése. Majdnem *undor.* Egyszerűen alapvetően rossznak éreztem. A megkönnyebbülés hullámát éreztem, hogy soha nem hagytam, hogy ilyen messzire elmenjek. Talán egy kicsit erősebb vagyok, mint gondoltam.

– És mégis tovább próbálkoztam, hogy megkedveljem. Továbbra is azt gondoltam, talán csak válogatós vagyok. Talán nem a megfelelő sráccal találkoztam. Talán helyette a lányokat szeretem. Talán, talán, talán. – Megrázta a fejét. – Egyik talán sem jött be. Soha nem vált valóra.

Hátradőlt a vezetőülésben, előrebámulva a McDonald's lágy fényére.

– Ott volt a félelem is. Nem tudtam, hogyan fogok boldogulni ebben a világban egyedül. Nemcsak most egyedül, hanem *végleg* egyedül. Partner nélküliség halálig. Tudod, hogy az emberek miért alkotnak párokat? Mert embernek lenni kibaszottul ijesztő. De ez a pokol sokkal könnyebb, ha nem magadban csinálod.

Úgy véltem, ez a legnehezebb az egészben.

Alapszinten el tudtam fogadni, hogy ilyen vagyok. De nem tudtam, hogyan fogom ezt kezelni életem hátralévő részében. Húsz év múlva. Negyven. Hatvan.

Akkor Ellis azt mondta:

– De most idősebb vagyok. Tanultam néhány dolgot.

– Mint például? – kérdeztem.

– Mint hogy a barátság is lehet épp olyan intenzív, gyönyörű és végtelen, mint a szerelem. Mint hogy a szeretet ott van mindenhol körülöttem: ott van a szeretet a barátaim iránt, ott van a szeretet a festményeimben, ott van a szeretet önmagam iránt. Még a szüleim iránti szeretet is ott van valahol. Mélyen – nevetett, és nem tehettem róla, de én is mosolyogtam. – Sokkal több szeretetem van, mint néhány embernek a világon. Még ha soha nem is lesz esküvőm – vett egy nagy kanálnyi fagylaltot. – És határozottan ott van a szeretet a fagylalt iránt, hadd mondjam el neked *ezt.*

Nevettem, ő pedig rám vigyorgott.

– Hosszú ideig reménytelennek éreztem magam, mert ilyen vagyok – mondta, és megrázta a fejét. – De többé már nem. Végre! *Végre* többé már nem vagyok reménytelen.

– Azt kívánom, bár ilyen lehetnék! – mondtam. A szavak kicsúsztak a számon, mielőtt megállíthattam volna őket.

Ellis kíváncsian felvonta a szemöldökét.

– Igen?

Mély levegőt vettem. Oké. Most vagy soha.

– Azt hiszem, olyan vagyok… mint te – mondtam. – Én sem kedveltem senkit. Romantikus értelemben, úgy értem. A randizás és ilyenek, ez… én csak nem érzek semmit belőle. Régebben akartam őket… Úgy értem, még mindig úgy gondolom, hogy néha ezt akarom. De sosem tudom *igazán* akarni. Nem érzek így senki iránt. Ha ennek van értelme.

Éreztem, hogy egyre vörösebb és vörösebb leszek, minél többet beszélek.

Ellis egy pillanatig semmit sem mondott. Aztán evett egy újabb kanálnyi fagylaltot.

– Ezért szálltál be a kocsiba, nem igaz? – kérdezte.

Bólintottam.

– Nos… – mondta. Úgy tűnt, leesett neki, mekkora horderejű, amit bevallottam. – Nos…

– Ez egy valós szexuális irányultság – mondtam. Még azt sem tudtam, Ellis tudja-e, hogy ez egy szexuális irányultság. – Épp, mint melegnek, heterónak vagy binek lenni.

Ellis kuncogott.

– A *semmi* szexuális irányultsága.

– Ez nem semmi. Ez… hát, két különböző dolog. Az aromantika az, amikor nem érzel romantikus vonzalmat, az aszexualitás az, amikor nem érzel szexuális vonzalmat. Néhány ember csak az egyik vagy a másik, de én mindkettő vagyok, szóval én… aromantikus aszexuális vagyok.

Nem ez volt az első alkalom, hogy kimondtam ezeket a szavakat. De minden alkalommal, amikor kimondtam őket, egy kicsit otthonosabban érezték magukat a körülöttem lévő levegőben.

Ellis elgondolkozott erről.

– Két dolog. Hm… Kettő az egyben. Egyet fizet, kettőt kap. Imádom!

Felhorkantottam, ami őszintén megnevettette, és az a sok idegesség, ami összeszorította a mellkasomat, enyhült.

– Tehát, ki beszélt neked ezekről? – kérdezte.

– Valaki az egyetemen – mondtam. De Sunil nem csak valaki volt, igaz? – A barátaim egyike.

– Ő is…?

– Ő is aszexuális.

– Hűha! – vigyorgott Ellis. – Nos, így hárman vagyunk.

– Többen is vannak – mondtam. – Sokkal többen. Odakint. A világban.

– Igazán?

– Igen.

Ellis mosolyogva bámult ki az ablakon.

– Az jó lenne. Ha sokan lennének odakint.

Csendben ültünk egy pillanatig. Befejeztem a krumplimat.

Többen voltunk odakint.

Egyikünk sem volt ebben egyedül.

– Nagyon… szerencsés vagy, hogy tudod mindezt – mondta Ellis hirtelen. – Én… – rázta meg a fejét. – Hú! Azt hiszem, egy kicsit irigy vagyok.

– Miért? – kérdeztem összezavarodva.

Rám nézett.

– Egyszerűen egy csomó időt elpazaroltam. Ez minden.

Az üres mcflurrys pohárkát a hátsó ülésre hajította, és bekapcsolta a gyújtást.

– Nem érzem magam szerencsésnek – mondtam.

– Mit érzel?

– Nem tudom. Elveszettséget. – Sunilra gondoltam. – A barátom azt mondta, nem kell tennem semmit. Azt mondta, csak annyit kell tennem, hogy *vagyok*.

– A barátod megfontolt, idős bölcsnek hangzik.

– Ez nagyjából összefoglalja őt.

Ellis elkezdett kihajtani a parkolóból.

– Nem szeretek nem tenni semmit – mondta. – Az unalmas.

– Szóval mit gondolsz *te*, mit kellene tennem?

Egy pillanatig elgondolkodott ezen.

Aztán azt mondta:

– Add a barátságaidnak a varázslatot, amit egy románcnak adnál. Mert ők éppolyan fontosak. Igazából nekünk *sokkal* fontosabbak – pillantott rám oldalról. – Nesze. Elég bölcs volt ez neked?

Vigyorogtam.

– Nagyon bölcs.

– Tudok mély lenni. Művész vagyok.

– Ezt meg kéne jelenítened egy festményen.

– Tudod mit? Talán meg fogom – emelte fel a kezét, és megmozgatta az ujjait. – *Plátói varázslat*nak fogom hívni. És senki, aki nem olyan, mint mi… várj, mi volt az? Aro…?

– Aromantikus aszexuális…

– Igen. Senki, aki nem aromantikus aszexuális, nem fogja megérteni.

– Megkaphatom?

– Van kétezer fontod?

– A festményeid *kétezer fontért* kelnek el?

– Bizony ám! Nagyon jó vagyok a munkámban.

– Kaphatok diákkedvezményt?

– Talán. Csak mert az unokatesóm vagy. Unokatesó-diákkedvezmény.

És aztán nevettünk, ahogy elértük az autópályát, és a varázslatra gondoltam, amit talán megtalálhatok, ha egy kicsit jobban keresem.

EMLÉKEK

Semmi varázslatot nem találtam, amikor január tizenegyedikén délután visszatértem a kollégiumi szobámba. Helyette Rooney cuccainak a nagy részét találtam szétszórva a padlón, a ruhásszekrénye szélesre tárva, az ágyneműje néhány méternyire az ágyától, Roderick a barna egy aggasztó árnyalatában, és a vízszín szőnyeg megmagyarázhatatlan módon betömve a mosdókagylóba.

Épp kicipzáraztam a bőröndömet, amikor Rooney pizsamában belépett, rám nézett, aztán a mosdókagylóban lévő szőnyegre, és azt mondta:
– Leöntöttem teával.

Az ágyán ült, míg elrendeztem a cuccait, kicsavartam a vizet a szőnyegből, és még Roderickről is lenyisszantottam a legtöbb elhalt részt. A hableányhajú Beth fotója ismét a földre hullott, szóval csak visszaszúrtam a falra, anélkül, hogy bármit mondtam volna róla, míg Rooney kifejezéstelen arccal nézett.

Megkérdeztem a karácsonyról, de az egyetlen dolog, amit mondott, hogy gyűlölte a szülővárosában tölteni az időt.

Aztán hét órakor elment aludni.

Szóval, igen. Rooney nyilvánvalóan nem volt jól.

Őszintén szólva, megértettem, miért. A színdarab nem fog összejönni. A kimondatlan dolga Pippel nem fog összejönni. Az egyetlen dolog, amije tényleg volt… nos, én voltam, azt hiszem.

Nem egy nagy vigaszdíj véleményem szerint.

– Ki kéne mozdulnunk – mondtam neki az első hetünk végén.

Kora este volt. Rám bámult a laptopképernyője felett, aztán folytatta, amit csinált – YouTube-videókat nézett.

– Miért?

Az íróasztalomnál ültem.

– Mert szeretsz szórakozni.

– Nem vagyok olyan hangulatban.

Rooney ezen a héten hat előadásunkból kettőre jött el. És amikor eljött, egyszerűen csak bámult maga elé, még arra sem vette a fáradságot, hogy kivegye az iPadjét a táskájából és jegyzeteket készítsen. Olyan volt, mintha többé egyszerűen nem törődne semmivel.

– Csak… Csak elmehetnénk egy pubba, vagy valami… – javasoltam, bár egy kicsit kétségbeesettnek hangoztam. – Csak egy italra. Szerezhetnénk koktélokat. Vagy krumplit. Szerezhetnénk krumplit.

Erre felvonta a szemöldökét

– Krumpli?

– Krumpli.

– Szeretnék… szeretnék egy kis krumplit.

– Na ugye. Elmehetünk a pubba, szerezhetünk némi krumplit, szívhatunk némi friss levegőt, aztán visszajöhetünk.

Egy hosszú pillanatig nézett rám.

És aztán azt mondta:

– Oké.

A legközelebbi pub tömve volt, nyilvánvalóan, mert péntek este volt egy egyetemvárosban. Szerencsére találtunk egy apró, sörfoltos asztalt egy hátsó helyiségben, otthagytam Rooney-t őrizni, míg szereztem magunknak egy tál sült krumplit, amit megoszthatunk, és egy kancsó epres Daiquirit két papír szívószállal.

Leültünk, és csendben ettük a krumplinkat. Valójában nagyon nyugodtnak éreztem magam figyelembe véve a tényt, hogy technikailag szórakozni voltam. Körülöttünk mindenhol kiköltözött diákok, készen arra, hogy pár órát egy pubban töltsenek, mielőtt később bulizni mennek. Rooney leggingset és kapucnis pulóvert viselt, míg én joggingnadrágot és kötött pulóvert. Valószínűleg eléggé kilógtunk, de a Gólyahét poklához hasonlítva rendkívül nyugodt voltam.

– Szóval – mondtam, miután csendben ültünk több mint tíz percig –, feltűnt nekem, hogy nem vagy túl jól jelenleg.

Rooney kifejezéstelenül nézett rám.

– A krumpli ízlett.

– Úgy értem, általánosan.

Nagyot kortyolt a kancsóból.

– Nem – mondta. – Minden szar.

Vártam, hogy megnyíljon ezzel kapcsolatban, de nem tette. Rájöttem, hogy kénytelen leszek kíváncsiskodni.

– A színdarab? – kérdeztem.

– Nem csak az – sóhajtott Rooney, és egyik kezével az asztalra támaszkodott. – A karácsony *pokoli* volt. Én... A nagy részét azzal töltöttem, hogy az iskolai barátaimmal találkoztam, és... *az a srác* mindig ott volt.

Beletelt egy pillanatba, míg rájöttem, kit ért „az a srác" alatt.

– Az expasid – mondtam.

– Olyan sok dolgot tönkretett számomra. – Rooney döfködni kezdte a szívószálával a gyümölcsöt a koktéloskancsónkban. – Minden alkalommal, amikor látom az arcát, sikítani akarok. És még csak nem is gondolja, hogy bármi rosszat tett volna. Én miatta... Istenem! Sokkal jobb ember lehetnék, ha sosem találkozom vele. Ő az oka, hogy ilyen vagyok.

Nem tudtam, mit mondjak erre. Meg akartam kérdezni, mi történt, mit csinált a srác, de nem akartam őt kényszeríteni, hogy újraélje a rossz dolgokat, ha nem akarja.

A kijelentés után hosszú csend következett. Mire újra megszólalt, sikeresen nyársra tűzte a kancsóban lévő összes gyümölcsöt.

– Pip igazán tetszik – mondta nagyon halk hangon.

Lassan bólintottam.

– Tudtad? – kérdezte.

Ismét bólintottam.

Rooney kuncogott, és ivott egy újabb kortyot.

– Hogyhogy jobban ismersz engem, mint bárki más? – kérdezte.

– Együtt élünk... – mondtam.

Csak mosolygott. Mindketten tudtuk, hogy ez több ennél.

– Szóval… mit fogsz tenni?

– Uh, semmit? – gúnyolódott Rooney. – Gyűlöl engem.

– Hát… igen, de félreértette a helyzetet.

– Csókolóztunk. Nem sok mindent lehet félreérteni.

– Azt gondolja, hogy randizunk. Ez az oka, hogy mérges.

Rooney bólintott.

– Mert azt gondolja, elveszlek téged tőle.

Majdnem felnyögtem ettől a hülyeségtől.

– Nem, mert te is tetszel neki.

Az arckifejezése olyan volt, mintha fogtam volna egy poharat, és széttörtem volna a fején.

– Ez… ez csak… tévedsz ezzel kapcsolatban – dadogta, kicsit vörös lett az arca.

– Csak azt mondom, amit látok.

– Most már nem akarok Pipről beszélni.

Néhány pillanatra ismét csendbe zuhantunk. Tudtam, hogy Rooney okos az ilyen dolgokban. Néztem, ahogy könnyedén eligazodik mindenféle kapcsolatban, mióta első nap találkoztam vele. De amikor Pipről volt szó, egy szőlőszem érzelmi intelligenciájával rendelkezett.

– Szóval, kedveled a lányokat? – kérdeztem.

A komorság leolvadt az arcáról.

– Igen. Talán. Nemtom.

– Három totálisan különböző válasz erre a kérdésre.

– Akkor nemtom. Azt hiszem… Úgy értem, amikor fiatalabb voltam, felmerült bennem, hogy vajon szeretem-e a lányokat egy kicsit. Tizenhárom évesen bele voltam zúgva a barátaim egyikébe. Egy lányba. De… – tett vállrándító mozdulatot – …minden lány ezt teszi, igaz? Mármint ez gyakori, egy kicsit belezúgni a barátnőidbe.

– Nem – mondtam. Próbáltam nem nevetni. – Nem. Nem minden lány csinálja ezt. Egyes számú példa – mutogattam magamra.

– Nos… Akkor oké – nézett oldalra. – Akkor azt hiszem, kedvelem a lányokat.

Olyan közömbösen mondta, mintha tíz másodperc alatt rájött volna a szexualitására és előbújt volna. De jobban ismertem őt ennél. Valószínűleg már kitalálta egy ideje. Pont, mint én.

– Ettől bi leszek? – kérdezte. – Vagy... pán? Vagy mi?

– Bármi, ami akarsz. Gondolkozhatsz rajta.

– Igen. Azt hiszem, fogok – bámult mereven az asztalra. – Tudod, amikor csókolóztunk... Azt hiszem, azért csináltam, mert mindig is ott volt ez a részem, aki akarta ezt... öhm, tudod. Lányokkal lenni. És egyszerűen biztonságos lehetőségnek tűnt veled kipróbálni, mert tudtam, hogy sosem gyűlölnél örökre. Ez nagyon *szar* dolog volt tőlem, nyilvánvalóan. Istenem, annyira sajnálom!

– Szar dolog volt – értettem egyet. – De ismerem az érzést, hogy milyen, amikor valaki össze van zavarodva a szexualitása miatt, és véletlenül kihasznál emiatt másokat.

Mindketten elcsesztük egy csomó módon. És bár a szexuális zavarodottságunk nem volt mentség, jó, hogy mindketten rájöttünk a hibáinkra. Talán ez azt jelentette, hogy a továbbiakban kevesebbet hibázunk.

– Sosem volt meleg vagy bi barátom az iskolában – mondta Rooney.

– Valójában nem igazán ismertem senkit, aki nyíltan meleg. Talán hamarabb kitaláltam volna, ha ismerek.

– A legjobb barátom tizenöt éves kora óta vállalja fel az identitását, és mégis évekbe telt, mire rájöttem a sajátomra – mondtam.

– Igaz. Hűha. Bonyolult szarság.

– Ja.

Felhorkantott.

– Három hónapja vagyok az egyetemen, és egyszer csak nem vagyok heteró többé.

– Átérzem – mondtam.

– Csodás, mi? – kérdezte.

– Csodás – értettem egyet.

Szereztem magunknak egy második koktéloskancsót Cosmopolitannal és nachost.

A kancsó felénél tartottunk, amikor elmondtam Rooney-nak a tervemet.

– Rá fogom venni Jasont és Pipet, hogy jöjjenek vissza a Shakespeare Társulathoz – mondtam.

Rooney betömött egy különösen sajtos nachót a szájába.

– Sok szerencsét hozzá.

– Örömmel veszem a segítséget.

– Mi a terved?

– Úgy gondolom… odáig még nem jutottam el. Valószínűleg magába fog foglalni egy csomó bocsánatkérést.

– Ez szörnyű terv – ropogtatta Rooney a nachost.

– Ez minden, amim van.

– És ha nem működik?

Ha nem működik?

Nem tudtam, mi fog történni akkor.

Talán akkor nekem, Jasonnek és Pipnek annyi. Örökre.

Kivégeztük a nachost – nem tartott sokáig – és a koktéloskancsót, majd elindultunk a kocsmaajtó felé. Mindketten egy kicsit spiccesnek éreztük magunkat. Őszintén, kész voltam aludni, de Rooney csevegős hangulatba került. Boldog voltam. Az alkohol és a gyorskaja határozottan nem a legegészségesebb megoldás a problémájára, de legalább úgy tűnt, egy kicsit boldogabb. Munka elvégezve.

Ez a hangulat harminc másodpercig tartott, míg elértünk az ajtóig, aztán véget is ért. Mert épp odakint állt, barátokkal körülvéve maga Pip Quintana.

Egy rövid pillanatig nem látott minket. Levágatta a haját, göndör frufruja épphogy találkozott a szemöldökével, és bulihoz volt felöltözve: csíkos ing, szűk farmer és egy barna pilótadzseki, amitől úgy nézett ki, mint az egyik srác a *Top Gun*ból. Egy üveg ciderrel az egyik kezében határozottan volt egy megjelenése.

Gyakorlatilag éreztem, ahogy a rémület hulláma kiáramlik Rooneyból, amint Pip megfordult, és meglátott minket.

– Ó! – mondta Pip.

– Szia! – mondtam, ötletem sem volt, mi mást mondjak.

Pip rám bámult. Aztán a szeme átrebbent Rooney-ra, a rendetlen lófarkától le az össze nem illő otthoni zoknijáig.

– Mi az, randin vagytok, vagy valami? – kérdezte Pip.

Ez azonnal felbosszantott.

– Nyilvánvalóan nem randin vagyunk – csattantam fel. – Joggingnadrágot viselek.

– Tök mindegy. Nem akarok beszélni veled.

Vissza akart fordulni, de megfagyott, amikor Rooney megszólalt.

– Rám lehetsz dühös, de ne légy dühös Georgiára. Ő nem csinált semmi rosszat.

Ez abszolút nem volt igaz. Pip erősen célzott rá, hogy kedveli Rooney-t, én pedig mindennek ellenére megcsókoltam őt. Nem beszélve mindarról, amit Jasonnel tettem. De méltányoltam a támogatást.

– Ó, *menj a fenébe* ezzel a hibáztatás szarsággal! – köpte Pip. – Mióta próbálsz hirtelen *jó ember* lenni? – Megfordult, így közvetlenül Rooney arcába mondhatta. – Önző vagy, szemérmetlen vagy, és szart sem foglalkozol más emberek érzéseivel. Szóval ne gyere hozzám, és próbálj úgy tenni, mintha jó ember lennél.

Pip barátai mind kíváncsian kezdtek mormogni, hogy vajon mi folyik itt. Rooney előrelépett, fogcsikorgatva, az orrcimpája úgy kitágult, mintha kiabálni készülne, de nem tette.

Csak megfordult, és elsétált az utcán.

Mozdulatlan maradtam, azon tűnődtem, vajon Pip nekem fog-e bármit mondani. Egy hosszú pillanatig rám nézett, én pedig úgy éreztem, mintha az agyam végigrohant volna a teljes barátságunk elmúlt hét évén, minden egyes alkalmon, amikor egymás mellett ültünk az órákon, minden ottalvós bulin, testnevelésórán és mozilátogatáson, minden alkalmon, amikor elmondott egy viccet, vagy küldött nekem egy hülye mémet, minden egyes alkalmon, amikor majdnem sírtam előtte – nem tettem, *nem tudtam,* de *majdnem* megtettem.

– Egyszerűen nem tudom elhinni – mondta egyetlen lélegzettel. – Azt gondoltam… azt gondoltam, törődsz az érzéseimmel.

Aztán ő is elfordult, újra csatlakozott a beszélgetéshez az új barátaival, és mindezek az emlékek apró darabokra törtek körülöttem.

A SZERELEM MINDENT TÖNKRETESZ

Rooney azzal töltötte az egész utat vissza a college-ba, hogy a telefonján gépelt. Nem tudtam, kinek üzent, de amikor a szobánkba értünk, gyorsan átöltözött csinosabb ruhába, én pedig tudtam, hogy elmegy szórakozni.

– Ne tedd! – mondtam épp, amint elérte az ajtót. Megállt, és szembefordult velem.

– Tudod, mi az, amit megtanultam? – kérdezte. – A szerelem mindent tönkretesz.

Nem értettem egyet, de nem tudtam, hogyan vitatkozzak egy olyan állítással, mint ez. Szóval elment, én pedig egyszerűen nem mondtam semmit. És amikor az ágyam felé sétáltam, megint a padlón találtam a hableányhajú Beth fotóját, részben gyűrötten, mintha Rooney tépte volna le a falról.

MEGÉRDEMLED
A BOLDOGSÁGOT

Egyedül mentem el a Pride Egyesület januári összejövetelére a Diákszövetségbe. Ez volt a félévünk harmadik hete, és próbáltam elcsalogatni Rooney-t, hogy jöjjön velem, de a legtöbb éjszakát kint töltötte a városi klubokban, hajnali három körül ért vissza koszos cipővel és összekuszált hajjal. Rajtam múlt, hogy megtaláljam Pipet, és volt rá esély, hogy itt lesz a Pride Egyesület eseményén. Arra jutottam, hogy ha beszélhetnék vele, megértené. Ha csak rá tudnám venni, hogy elég ideig figyeljen rám, míg elmagyarázom, akkor minden újra rendben lenne.

Az azonnali megbánás, amit éreztem, amikor megjelentem az összejövetelen, majdnem elég volt, hogy rögtön visszarohanjak a kollégiumba. A Diákszövetség legnagyobb termében voltunk. A helyiség elején felállítottak egy projektorvásznat, amire kivetítették a Pride Egyesület összes elkövetkező eseményét a félévben. Zene szólt, az emberek ki voltak öltözve, csoportokba gyülekeztek, vagy az asztaloknál ültek, beszélgettek, és meséltek egymásnak egy kis harapnivaló mellett.

Ez egy összejövetel volt. Amiben a *szocializáció* volt a lényeg. Egy öszszejövetelen voltam, aminek a konkrét célja a szocializálás volt. Egyedül.

Mi a fészkes fenéért csináltam ezt?

Nem. Oké. Bátor vagyok. És volt cupcake.

Mentem, hogy szerezzek egy cupcake-et. Érzelmi támogatásként. Sunil, Jess és remélhetőleg Pip itt volt, szóval *voltak* itt emberek, akiket ismertem. Körbekutattam, és gyorsan megtaláltam Sunilt és Jesst egy embercsoport középpontjában hangosan beszélgetve, de nem akartam zavarni őket, amikor valószínűleg egy csomó dolguk volt, és rengeteg emberrel kellett beszélniük, szóval hagytam őket, és folytattam Pip felkutatását.

Háromszor sétáltam körbe a teremben, mielőtt arra a következtetésre jutottam, hogy nincs itt.

Nagyszerű...

Elővettem a telefonomat, és ellenőriztem az Instagramját, csak hogy felfedezzem, a sztorijában posztolt egy moziestről a barátaival a Kastélyban. Még csak nem is tervezte, hogy jelen lesz ezen az eseményen.

Nagyszerű!

– Georgia!

Megugrottam – Sunil hangjára. Megfordultam, és megláttam, ahogy felém lépked, dzsörzé anyagból készült bő nadrágszoknyát viselt, ami egyszerre tűnt nagyon menőnek és nagyon kényelmesnek.

– Bocsánat, megijesztettelek?

– N...nem, nem! – dadogtam. – Semmi baj.

– Csak tudni akartam: történt-e valami a Shakespeare Társulattal? – kérdezte olyan reménykedő arckifejezéssel, hogy tényiegesen belesajdult a szívem. – Tudom, hogy összevesztetek, de... nos, csak reméltem, hogy talán... rendeztétek, vagy ilyesmi – mosolygott szelíden. – Tudom, hogy csak egy kis szórakozás volt, de... én igazán élveztem.

Az arckifejezésem valószínűleg elég válasz volt, mindenesetre elmondtam neki.

– Nem – mondtam. – Még... még mindig minden... – Tettem egy mozdulatot a kezemmel. – Nem fog összejönni.

– Ó! – Sunil bólintott, mintha számított volna erre, de a nyilvánvaló csalódottságától egy kicsit sírni akartam. – Ez igazán szomorú.

– Próbálom helyrehozni a dolgokat – mondtam azonnal. – Igazából azért vagyok itt, mert meg akartam találni Pipet, megnézni, hátha meggondolja magát.

Sunil körbepillantott a helyiségen.

– Nem hiszem, hogy láttam őt.

– Nem, nem hiszem, hogy itt van.

Szünet következett. Nem tudtam, mit mondjak neki. Nem tudtam, hogyan tegyek bármit jobbá.

– Nos... ha van bármi, amit tehetnék – mondta Sunil –, én... én szívesen segítek. Igazán kellemes volt egyszerűen valami *szórakoztatót* csinálni, ami nem volt stresszes. Pillanatnyilag minden egy kicsit stresszes számomra a harmadév és a Pride Egyesület miatt, és Lloyd elhatározta, hogy állandó bosszúság lesz az életemben. – Gyorsan arrafelé pillantott, ahol az exelnök, Lloyd ült egy asztalnál egy embercsapattal.

– Mit csinált?

– Csak megpróbálja visszasumákolni magát az egyesület vezetésébe – forgatta meg Sunil a szemét. – Úgy gondolja, a véleménye létfontosságú az egyesület számára, mert az én perspektívám *túl inkluzív*. El tudod hinni ezt? *Túl inkluzív*. Ez egy egyesület a queer és érdeklődő diákok számára, az isten szerelmére! Nem kell kiállni egy próbát, hogy bekerülj.

– Tökre seggfej! – mondtam.

– Az. Nagyon is.

– Van valami, amiben segíthetek?

Sunil nevetett.

– Ó, nem tudom. Ráborítani egy italt? Nem, viccelek. De édes vagy – rázta meg a fejét. – Egyébként... Shakespeare Társulat. Segíthetek valahogyan megoldani a helyzetet? – Majdnem kétségbeesetten nézett. – Én... Tényleg ez volt a legszórakoztatóbb dolog, amit már jó ideje csináltam.

– Nos... Hacsak nem tudod valahogy rávenni Jasont és Pipet, hogy újra beszéljenek velem és Rooney-val, nem hiszem, hogy ez tényleg valahogyan megtörténik.

– Beszélhetek Jasonnel – mondta azonnal. – Néha chatelünk WhatsAppon. Rá tudnám venni, hogy jöjjön el egy próbára.

Éreztem, hogy a szívem reménykedve felpörög.

– Igazán? Biztos vagy benne?

– Tényleg nem akarom, hogy ez a színdarab szétessen. – Sunil megrázta a fejét. – Ezelőtt tényleg nem volt semmilyen *szórakoztató* hobbim.

A zenekar stresszes, a Pride Egyesület nem számít hobbinak, ezek szórakoztató dolgok, de *dolgoznom kell* velük. Ez a színdarab... ez csak *élvezet* volt, tudod? – mosolygott lefelé bámulva. – Amikor elkezdtünk próbálni, én... őszintén egy kicsit aggódtam, hogy ez időpazarlás. Idő, amit tanulással és a többi egyesületem dolgainak elvégzésével kéne töltenem. De összebarátkozni mindannyiótokkal, eljátszani mókás jeleneteket, pizzaestéket tartani, és mindenki bolond üzenetei a csoportos chatben, ez egyszerűen élvezet volt. Tiszta élvezet. És olyan sokáig tartott, mire úgy éreztem, hogy megérdemlem az élvezetet. De megérdemlem! És ez az! – Derűsen, gondtalanul felnevetett. – És most túlságosan megnyíltam.

Eltűnődtem, vajon kicsit be van-e csípve, mielőtt eszembe jutott, hogy nem iszik alkoholt. Egyszerűen őszinte volt.

Ez arra késztetett, hogy én is őszinte akarjak lenni.

– Megérdemled – mondtam. – Te... olyan sokat segítettél nekem. Nem tudom, hol lennék, vagy hogy éreznék, ha nem találkoztam volna veled. És... Úgy érzem, sok emberért megtetted ezt. És ez néha kemény. És az emberek nem mindig figyelnek oda *rád*. – Zavarba jöttem amiatt, amit mondtam, de akartam, hogy tudja. – És még ha nem is tettél volna semmi ilyet... a barátom vagy. És a legjobb emberek egyike, akit ismerek. Szóval megérdemled. Megérdemled az örömöt. – Nem tudtam megállni, hogy ne mosolyogjak. – És szeretem, amikor túlságosan megnyílsz.

Megint nevetett.

– Miért vagyunk mindannyian érzelmesek?

– Nem tudom, te kezdted.

Jess és Sunil másik alelnöke, akik azért jöttek, hogy a terem elejére hívják, félbeszakítottak minket. Sunilnak beszédet kellett tartania.

– Írni fogok Jasonnek – mondta, ahogy elsétált.

És ekkor rájöttem, hogy nem nyugodhatok, míg újra össze nem hozom a Shakespeare Társulatot. Nemcsak azért, mert azt akartam, hogy Pip és Jason újra a barátaim legyenek, hanem Sunil miatt is. Mert a mozgalmas élete és az összes fontos dolog ellenére, amivel foglalkozott, megtalálta az örömöt a mi buta kis színdarabunkban. És hónapokkal ezelőtt, a Pride Egyesület őszi vacsoráján Sunil ott volt nekem, amikor válságban voltam, még akkor is, amikor stresszes volt, és seggfejekkel foglalkozott. Ez most az én köröm volt, hogy itt legyek neki.

Oldalt ácsorogtam Sunil beszédére várva egy cupcake-kel és egy teli pohár borral.

Sunil felment a színpadra, megütögette a mikrofont, és ez elég volt a jelenlévőknek, hogy elkezdjenek tapsolni és ujjongani. Bemutatkozott, megköszönte mindenkinek, hogy eljött, majd néhány percet azzal töltött, hogy áttekintse a félév összes közelgő eseményét. Az e havi filmesten a *Holdfényt* vetítik, a Pride Klubestek január 27-én, február 16-án és március 7-én lesznek, a Transz Könyvklubra a Bill Bryson Könyvtárban kerül sor január 19-én, a Nagy Queer Dungeons and Dragons csoport új tagokat keres, és valaki, akit Mickey-nek hívtak, volt a soros házigazdája a Queer, Transznemű és Interszex Színes Emberek Társasága vacsorájának február 20-án a saját lakásán, Gilesgate-ben.

És volt még sok más. Ahogy ezekről a dolgokról hallottam, és az embereket néztem, akik izgatottan várják mindezt, furcsa módon én is izgatott lettem. Még ha nem is fogok elmenni a legtöbbre. Majdnem úgy éreztem, tartozom valamihez, csak mert itt vagyok.

– Azt hiszem, ez lefedte ennek a félévnek az összes eseményét – fejezte be Sunil. – Szóval most, mielőtt hagylak titeket tovább enni és beszélgetni, köszönetet akarok mondani mindannyiótoknak azért a nagyszerű néhány hónapért, ami a múlt félévben volt.

Újabb kör taps és éljenzés következett. Sunil is vigyorgott és tapsolt.

– Boldog vagyok, hogy ti is csatlakoztatok! Eléggé izgultam, hogy az elnökötök leszek. Tudom, hogy végrehajtottam néhány nagy változást, mint például a kocsmatúrák fogadásokká alakítása, és több nappali tevékenység bevezetése az egyesület számára, szóval igazán hálás vagyok a támogatásotokért.

Hirtelen hosszasan a távolba nézett, mintha gondolkozna valamin.

– Amikor gólya voltam, nem éreztem úgy, hogy a Durhamhez tartozom. Reménnyel telve érkeztem, hogy végre találkozom néhány olyan emberrel, mint én, ehelyett még mindig egy csomó cisz, heteró, fehér ember között találtam magam. A kamaszkorom nagy részét nagyon egyedül töltöttem. És addigra már *hozzászoktam*. Sokáig úgy gondoltam, a dolgoknak így kell lenniük. Egyedül kell túlélnem, egyedül kell csinálnom mindent, mert soha senki nem segítene nekem. Az első év nagy részében nagyon magam alatt voltam... míg nem találkoztam a legjobb barátommal, Jess-szel. – Sunil Jess felé mutatott, aki gyorsan az arca elé tette a kezét bátortalanul megpróbálva elbújni. Újabb éljenzés következett.

– Jess azonnal megvett engem a számtalan kutyás ruhadarabjával. – A tömeg kuncogott, Jess pedig a fejét rázta, a mosolya épp kilátszott a keze mögül. – Ő a legviccesebb és legpezsgőbb ember, akivel valaha találkoztam. Bátorított, hogy csatlakozzak a Pride Egyesülethez. Elvitt az egyik eredeti QTIPOC[11]-vacsorára. És annyi eszmecserénk volt arról, hogyan lehetne az egyesület jobb. Aztán arra bátorított, hogy pályázzam meg az elnöki posztot vele az oldalamon – vigyorgott. – Én azt gondoltam, *neki* kéne az elnöknek lennie. De egymilliárdszor elmondta, mennyire gyűlöli a nyilvános beszédet.

Sunil lemosolygott Jessre, Jess pedig visszamosolygott rá, és olyan őszinte szeretet volt ebben a nézésben.

Úgy éreztem, elkápráztatott.

– A Pride Egyesület nem csak arról szól, hogy queer dolgokat csinálunk – folytatta Sunil, és kapott némi nevetést. – Még csak nem is arról, hogy potenciális párkapcsolatokat találjunk. – Valaki a tömegben a barátja nevét kiáltozta, ami még több nevetést váltott ki. Sunil velük nevetett.

– Nem. Ez a kapcsolódásokról szól, amiket itt kialakítunk. Barátság, szeretet és támogatás, mialatt mind próbálunk túlélni, és boldogulni a világban, ami gyakran úgy tűnik, hogy nem a miénk. Akár melegek, leszbikusok, bik, pánok, transzok, interszexek, nembinárisok, aszexuálisok, aromantikusok, queerek vagytok, vagy bárhogy azonosítjátok magatokat, a legtöbben éreztük már a hovatartozás hiányát, miközben felnőttünk. – Sunil még egyszer Jessre nézett, aztán vissza a tömegre. – De mi mind itt vagyunk egymásnak. És ezek a kapcsolatok, amik olyan fontossá és olyan különlegessé teszik a Pride Egyesületet. Ezek a kapcsolatok, amik minden nehézség ellenére az életünkben, továbbra is

---

[11] Queer, Transgender and Intersex People of Colour (Queer, Trasznemű és Interszex Színes Emberek).

minden egyes nap örömet hoznak számunkra. – Felemelte a poharát. – És mi mind megérdemeljük az örömöt.

Talán egy kicsit giccses volt. De az egyik legkedvesebb beszéd is, amit egész életemben hallottam.

Mindenki felemelte az italát, aztán éljenzett, miközben Sunil lelépett a színpadról, és Jess ölelésébe temetkezett.

Ez volt az. Erről szólt minden.

A szeretet ebben az ölelésben. A megértő pillantás köztük.

Megvolt a saját szerelmi történetük.

Ez volt, amit akartam. Ez az, amim *lesz,* egyszer, talán.

Régebben lenyűgöző, végtelen, örökké tartó románcról álmodoztam. Egy emberrel való találkozás gyönyörű sztorija, aki megváltoztatja az egész világodat.

De most rájöttem, a barátság is lehet ilyen.

Kifelé menet a teremből Lloyd asztalának közelében találtam magam. Egy pár másik sráccal ült, egy üveg boron itták keresztül magukat savanyú kifejezéssel az arcukon.

– Annyira szánalmas, hogy úgy érzi, fel kell hoznia az aszexualitását szó szerint minden alkalommal, amikor ilyesmit csinál. – Lloyd beszélt.

– A következő dolog, amire felkészülhettek, hogy bármelyik cisz heteró csatlakozhat, aki úgy gondolja, hogy kicsit elnyomott.

A mód, ahogy ezt mondta, hideg gyűlöletet fecskendezett a gyomromba.

De bátornak éreztem magam, azt hiszem.

Ahogy elsétáltam mellette, hagytam, hogy az immár félig teli pohár borom kecsesen megbillenjen a kezemben, és Lloyd nyakába boruljon.

– M… Mi a FASZ?!

Mire megfordult, hogy megnézze, ki öntötte le épp borral, már félúton voltam az ajtóhoz egy hatalmas mosollyal az arcomon.

JASON

Sunil Jha
JASON BENNE VAN

Georgia Warr
KOMOLYAN?

Sunil Jha
JA. Beleegyezett hogy eljön személyes szívességként nekem.
De azt mondta még nem biztos hogy újra csatlakozik ☹

Georgia Warr
oké
szóval
van egy ötletem hogyan nyerjük vissza őt

— Nem — mondta Rooney, amint elmagyaráztam az ötletemet neki. Az ágyán feküdt. Megöntöztem Rodericket, aki már feleakkora volt, mint egykor, annak köszönhetően, hogy lenyestem az elhalt részeit, de nem volt teljesen halott, mint ahogy korábban gondoltam.
— *Működni fog.*
— Hülyeség.

– Nem az. Jó humorérzéke van.

Rooney elterpeszkedett a bulizós ruhájában, ropit rágcsált egyenesen a zacskóból, ami nemrég vált a buli előtti rutinjává.

– A Shakespeare Társulat bevégeztetett – mondta, én pedig tudtam, hogy ezt hiszi. Nem járna el szórakozni állandóan, ha nem adta volna fel teljesen.

– Csak bízz bennem! Vissza tudom szerezni.

Rooney hosszan rám nézett. Hangosan ropogtatott.

– Oké – mondta. – De én leszek Diána.

Kihagytam az előadásaimat következő nap, hogy jelmezvadászatra menjek. Igénybe vette a délelőtt nagyját és a délután jelentős részét is. Durhamnek egy jelmezboltja volt egy apró sikátorban, és nem volt náluk pontosan az, amit kerestem, így végül a ruha- és jótékonysági boltokban kutakodtam bármiért, amiből rögtönzött jelmezeket készíthetnék. Még Rooney is csatlakozott hozzám ebéd után. Napszemüveget viselt, hogy elrejtse a táskákat a szeme alatt. Mostanában a legtöbb nap délig aludt.

Feláldoztam a havi zsebpénzem nagy részét, hogy megszerezzek mindent, ami azt jelentette, hogy a következő pár hétben csak menzakaján fogok élni, de ez méltó áldozat volt, mert amint Rooney és én idő előtt odaértünk a próbatermünkhöz, és átvettük a jelmezeinket, tudtam, hogy ez volt a legjobb ötlet, amit valaha életemben kitaláltam.

– Ó, ez *álmaim* cosplay-e – mondta Sunil, amikor odaadtam neki az élénknarancs pulcsit, a piros szoknyát és azt a bizonyos narancs zoknit.

Befejeztük az átöltözést, aztán vártunk.

Én pedig elkezdtem azon gondolkozni, hogy talán ez egy szörnyű ötlet volt.

Talán nem fogja viccesnek találni. Talán vet rám egy pillantást, aztán elmegy.

Csak egy módon lehetett megtudni.

– Mi folyik itt? – kérdezte Jason, amikor belépett a terembe. A homlokát ráncolta a furcsa öltözékünk láttán. Hiányzott. Istenem, *annyira* hiányzott ő és a bolyhos kabátja meg a lágy mosolya. – Miért vagytok…? Mit csináltok…?

A szeme hirtelen elkerekedett. Észrevette Sunil szoknyáját. A túlméretes zöld pólómat és a barna nadrágomat. Rooney kis zöld sálját és lila harisnyáját.

– Ó, te jó isten! – mondta.

A földre hajította a táskáját.

– Ó. Te. Jó. Isten! – ismételte meg.

– Meglepetés! – kiáltottam, és kinyújtottam a kezem és a plüsskutyát, amit az egyik főutcai jótékonysági boltban találtam. Rooney hátradobta a haját, és úgy pózolt, mint Diána, miközben Sunil azt kiáltotta „JINKIES!", és feltolta a Vilma-szemüvegét.

Jason a szívére tette a kezét. Egy másodpercre megrémültem, hogy mérges vagy feldúlt. De aztán elmosolyodott. Egy nagy, széles mosolylyal.

– Mi a POKOLÉRT… komolyan, mi a FRANC? KIBASZOTTUL MIÉRT ÖLTÖZTETEK A SCOOBY-CSAPATNAK?

– Ma este jelmezes klubest van – mondtam vigyorogva. – Én… Azt gondoltam, vicces lenne.

Jason közelebb jött hozzánk. És aztán elnevette magát. Először habozva, majd hangosabban. Kivette a plüsskutyát a kezemből, ránézett, és majdnem hisztérikussá vált.

– Scooby… – zihálta a nevetésen keresztül. – Scooby… hivatalosan… egy dán dog… és ez… egy mopszli!

Elkezdtem vele nevetni.

– Ez volt a legjobb, amit találtam! Ne nevess!

– Te castingoltad Scoobyt? – kezdett szó szerint fújtatni. – Te castingoltad Scoobyt *mopszliként?* Ez… határozottan becsületsértés!

Rákontrázott, és aztán csak sírva nevettünk, míg ő az apró plüssmopszlit tartotta.

Beletelt néhány percbe, hogy lehiggadjunk. Jason a könnyeit törölgette az arcáról. Ekkor Rooney kivette a bevásárlószatyorból az utolsó ruhadarabokat, amiket ma vásároltunk, és felmutatta Jasonnek. Egy fehér matrózblúz, narancssárga nyaksál és szőke paróka.

Rájuk nézett.

– Eljött az én időm! – mondta.

– Szóval te komolyan szereted a Scooby Doot? – kérdezte Sunil aznap később Jasontől, amint eljutottunk a klubba. Tele volt diákokkal, akik a szuperhősöktől kezdve az óriási habverőkig mindenfélének beöltöztek.

– Jobban, mint a legtöbb dolgot a világon – mondta Jason.

Táncoltunk. Egy *csomót* táncoltunk. És most először, mióta erre az egyetemre kerültem, igazán élveztem. *Mindent.* A hangos zenét, a ragadós padlót, az italokat apró műanyag poharakban felszolgálva. A régi klasszikusokat, amiket itt játszottak, a részeg lányokat, akikkel öszszebarátkoztunk a mosdóban a plüssmopszli miatt, amit magammal cipeltem. Rooney átkarolta a vállamat, és részegen ringatóztunk a The Turtlestől a *Happy Together*re és a Katrina and the Wavestől a *Walking on Sunshine*-ra, Sunil pedig megragadta Jason kezét, és rákényszerítette a macarénázásra, még ha ő cikinek is gondolta azt.

Minden jobb volt a barátaim miatt. Ha ők nem lennének itt, gyűlölném az egészet. Haza akarnék menni.

Az egyik szememet Rooney-n tartottam. Volt az éjszakában egy pont, amikor elkezdett részegen csevegni és nevetgélni egy másik társasággal, diákokkal, akiket sosem láttam még ezelőtt, kíváncsi voltam, hogy elmegy-e a szokásos körére, és cserben hagy-e minket.

De amikor megfogtam a kezét, elfordult tőlük, rám nézett, az arca különböző színekben villogott a fények alatt, és úgy tűnt, emlékszik, miért van itt. Emlékszik, hogy mi itt vagyunk neki.

Visszahúztam oda, ahol Jason és Sunil fel-le ugrált a House of Paintől a *Jump Around*ra, és ugrálni kezdtünk, ő pedig egyenesen az arcomba mosolygott.

Tudtam, hogy még mindig sebzett. Én is az voltam. De egy pillanatra boldognak tűnt. Annyira, annyira boldognak.

Összességében egyetemi életem egyik legjobb éjszakája volt.

– Sikítok! – mondta Rooney pizzával teli szájjal, amint keresztülsétáltunk Durhamen, vissza a kollégiumhoz. – Ez a legjobb dolog, ami valaha a számban volt.

– Szólt a jó nő – mondta Jason. Ettől Rooney röhögőgörcsöt kapott, ami gyorsan átfordult köhögőrohamba.

Beleharaptam a saját pizzaszeletembe, és egyetértettem Rooney-val. Őszintén szólva, van valami mennyei a forró, elviteles pizzában az éjszaka közepén, a fagyos északi télben.

Jason és én egymás mellett sétáltunk, Rooney és Sunil pedig egy kicsivel előrébb beszélgetésbe bonyolódtak a legjobb pizzázóhelyről Durhamben.

Még nem volt esélyem négyszemközt beszélni Jasonnel. Mostanáig. Nem igazán tudtam, hogy kezdjem. Hogyan kérjek bocsánatot mindenért. Hogyan kérdezzem meg, van-e esély, hogy újra barátok legyünk.

Szerencsére ő szólalt meg először.

– Azt kívánom, bár Pip itt lenne! – mondta. – Szeretné ezt az éjszakát.

Nem arra számítottam, hogy ezt mondja, de amint megtette, rájöttem, mennyire igaza van.

Jason felhorkantott.

– Olyan tiszta látomásom van róla Scooby Doonak öltözve, Scooby Doo-hangot adva.

– Ó, istenem! Igen!

– Tökre hallom. És szörnyű!

– Szörnyű lenne.

Mindketten nevettünk. Mintha minden visszatért volna a normális kerékvágásba.

De nem így volt.

Nem, míg nem beszéltük meg.

– Én… – kezdtem, de leállítottam magam, mert nem éreztem elégnek. Semmit nem mondhattam, ami elégnek érződött.

Jason szembefordult velem. Épp most értünk a sok híd közül az egyikhez, ami a Wear-folyó felett húzódott.

– Fázol? – kérdezte. – Kölcsönveheted a dzsekimet.

Elkezdte levenni. Istenem! Nem érdemlem meg őt.

– Nem, nem. Azt akartam mondani… Azt akartam mondani, hogy sajnálom – mondtam.

Jason visszavette a kabátját.

– Ó!

– Annyira sajnálok… mindent. Én csak… sajnálok mindent. – Megálltam, mert éreztem, hogy könnyezni kezdek, és nem akartam sírni előtte. Igazán, igazán nem akartam sírni. – Annyira szeretlek, és… a lehető legrosszabb dolog volt, amit valaha tettem, hogy megpróbáltam randizni veled.

Jason is megállt.

– Nagyon rossz volt, nem igaz? – kérdezte egy kis szünet után. – Nagyon szarok voltunk benne.

Ez mindennek ellenére megnevettetett.

– Nem érdemelted, hogy így bánjak veled – folytattam, próbáltam mindent kiadni magamból most, míg volt esélyem.

Jason bólintott.

– Ez igaz.

– És tudnod kell, semmi köze nem volt hozzád… te… te tökéletes vagy.

Jason mosolygott, és megpróbálta felborzolni a parókáját.

– Ez is igaz.

– Én csak… más vagyok. Én egyszerűen nem érzem ezeket a dolgokat.

– Igen – bólintott Jason ismét. – Te… aszexuális vagy? Vagy aromantikus?

Lefagytam.

– Várj… várj, te tudod, mik ezek?

– Nos… hallottam róluk. És amikor azt az üzenetet írtad, összekapcsoltam a dolgokat, aztán mentem és utánanéztem ezeknek, és igen. Úgy hangzott, mint ahogy leírtad. – Hirtelen aggódva nézett. – Tévedek? Sajnálom, ha rosszul értelmeztem…

– Nem, nem… Igazad van – engedtem ki a levegőt. – Az… az vagyok. Uh, mindkettő. Aro-ace.

– Aro-ace – ismételte el Jason. – Nos…

– Igen.

Megfogta a kezem, és folytattuk a sétát.

– De nem válaszoltál az üzenetemre – mutattam rá.

– Nos… igazán feldúlt voltam – bámult a talajra. – És… Nem igazán tudtam beszélni veled, amíg… még mindig szerelmes voltam beléd.

Hosszú szünet következett. Ötletem sem volt, mit mondjak erre.

Végül ő szólalt meg.

– Tudod, mikor jöttem rá először, hogy tetszel?

Felnéztem rá, nem voltam biztos benne, hová fogunk kilyukadni.

– Mikor?

– Amikor visszaszóltál Mr. Cole-nak *A nyomorultak* próbái alatt. Visszaszóltam? Nem emlékeztem olyan alkalomra, amikor *visszaszóltam* egy tanárnak, nemhogy Mr. Cole-nak, az iskolai színdarabjaink tekintélyelvű rendezőjének.

– Nem emlékszem erre – mondtam.

– Tényleg? – kuncogott Jason. – Kiabált velem, mert megmondtam neki, hogy ki kell hagynom egy próbát azon a délutánon, hogy elmenjek egy fogorvosi időpontra. És te ott voltál, ő hozzád fordult, és azt mondta, hogy „*Georgia, egyetértesz velem, igaz? Jason játssza Javert, ő egy kulcsszereplő, át kellene szerveznie az időpontját egy másik alkalomra*". És tudod, milyen volt Mr. Cole, bárki, aki nem értett egyet vele, hivatalosan az ellensége volt. De te belenéztél a szemébe, és azt mondtad, „*Nos, most már túl késő változtatni, szóval nincs értelme Jasonnel kiabálni emiatt*". Ez egyszerűen elhallgattatta, és elviharzott az irodájába.

Emlékeztem erre az incidensre. De nem gondoltam, hogy különösebben erős vagy bátor voltam. Csak próbáltam kiállni a legjobb barátom mellett, akinek egyértelműen igaza volt.

– Ez elgondolkoztatott… Georgia talán csendes és szégyenlős fajta, de kiáll egy ijesztő tanárral szemben, ha az egyik barátjával kiabál. *Ilyen* ember vagy. Úgy éreztem, biztos, hogy őszintén törődsz velem. És azt hiszem, ekkor kezdtem… tudod, beléd esni.

– Még mindig ugyanannyira törődöm veled – mondtam azonnal annak ellenére, hogy nem gondoltam, hogy amit Mr. Cole-nak mondtam, különösen rendkívüli vagy bátor lett volna. Mégis azt akartam, hogy Jason tudja, pontosan annyira törődöm vele, mint ahogy abban a pillanatban gondolta.

– Tudom – mondta mosolyogva. – Részben ez az, amiért szükségem volt némi térre, távol tőled. Hogy túl legyek rajtad.

– És túl lettél rajtam?

– Én… próbálkozom. Időbe fog telni. De próbálkozom.

Ösztönösen kihúztam a kezem az övéből. Rosszabbá tettem a dolgokat azzal, hogy a közelében voltam?

Észrevette, mi történt, és csend következett, mielőtt újra megszólalt.

– Amikor elmondtad nekem, miért randizol velem, én... úgy értem, nyilvánvalóan beléd voltam zúgva – folytatta. – Úgy éreztem, mintha... egyáltalán nem törődnél velem. De miután megkaptam az üzenetedet, gondolom, elkezdtem rájönni, hogy te csak... nagyon össze vagy zavarodva a dolog miatt. Igazán azt gondoltad, együtt lehetnénk, mert *szeretsz* engem. Nem romantikus módon, de épp olyan erősen. Még mindig az az ember vagy, aki kiállt értem Mr. Cole előtt. Még mindig a legjobb barátom vagy – pillantott rám. – Hogy te és én nem vagyunk egy pár, egyáltalán nem változtat mindezen. Nem vesztettem el mindent, csak mert nem randizunk.

Zavartan hallgattam, egy pillanatig eltartott, hogy rájöjjek, mire gondolt.

– Neked oké, ha... ha csak barátok vagyunk? – kérdeztem.

Mosolygott, és újra megfogta a kezem.

– A „csak barátok" úgy hangzik, mintha barátoknak lenni rosszabb lenne. Személy szerint úgy gondolom, ez jobb, tekintettel arra, milyen szörnyű volt az a csók.

Megszorítottam a kezét.

– Egyetértek.

A híd végére értünk, vissza egy macskaköves sikátorba. Jason arca eltűnt a sötétségben, és előbukkant belőle, ahogy elhaladtunk az utcai lámpák mellett. Amikor az arca ismét a fénybe került, mosolygott, én pedig azt gondoltam, lehetséges, hogy megbocsátott nekem.

BOCSÁNAT

Sunil néhány másodpercig merőn bámult Jason bekeretezett fotójára Sarah Michelle Gellarről és Freddie Prinze Jr.-ról, mielőtt megkocogtatta, és megkérdezte:

– Valaki elmagyarázná ezt, kérlek?

– Ez egy igazán hosszú sztori – mondta Jason, aki az ágyán ült.

– De jó sztori – tettem hozzá. Én és Rooney a padlón voltunk Jason párnáinak dőlve, de Rooney éppen egy kicsit szundikált.

– Nos, most még kíváncsibb vagyok.

Jason sóhajtott.

– Mit szólnál, ha elmagyaráznám, mihelyt végre eldöntöttük, mit kezdünk Pippel?

Ez egy héttel a Scooby Doo-kiruccanásunk után történt. Miután Jason visszatért a Shakespeare Társulatba, a dolgok kezdtek jobbra fordulni, és tudtunk volna egy rendes próbát tartani.

De nem csinálhattuk meg a darabot Pip nélkül.

És egyébként sem csak erről volt szó. A társulat fontos volt mindanynyiunknak, de a barátságunk Pippel fontosabb volt. *Ez* volt, amit meg kellett mentenünk.

Csak nem tudtam pontosan, hogyan fogom megtenni.

– Pipről beszélünk? – kérdezte Rooney, aki úgy tűnt, épp felébredt.

Még most is elment szórakozni a legtöbb éjszaka, és a hajnali órákban tért vissza. Nem tudtam, vajon megállíthatnám-e őt, vagy hogy meg kell-e állítanom. Technikailag nem csinált semmi rosszat.

Csak volt egy megérzésem, hogy egyszerűen azért csinálta, hogy eltompítson minden mást.

– Azt hittem, próbálunk – mondtam.

– Nincs értelme folytatni a próbákat, ha Pip nem jön vissza – jelentette ki Jason. És aztán csend volt, mintha mind rájöttünk volna, hogy igaza van.

Sunil ráült Jason íróasztalára, és összefonta a karját.

– Szóval... van bármilyen ötletetek?

– Nos, beszéltem vele, és...

– Várj, te beszéltél vele? – kérdezte Rooney felülve.

– Nem *én* vagyok, akivel vitája van. Még mindig barátok vagyunk. Ugyanabban a college-ban lakunk.

– Akkor rávehesd, hogy jöjjön vissza. Meg fog hallgatni téged.

– Megpróbáltam – rázta meg Jason a fejét. – *Dühös*. És Pip nem bocsát meg könnyen – nézett rám és Rooney-ra. – Úgy értem... Valahogy megértem, miért. Amit ti ketten csináltatok, az hihetetlenül ostoba volt.

Jason tudott a csókról. Persze hogy tudott, Pip valószínűleg mindent elmondott neki. Éreztem, hogy elpirulok a puszta szégyenkezéstől.

– Mit csináltatok? – kérdezte Sunil kíváncsian.

– Csókolóztak, Pip pedig meglátta – mondta Jason.

– *Ó!*

– Öhm... elmagyarázhatjuk a mi szempontunkból a történetet? – kérdezte Rooney.

– Hát, arra tippelek, hogy részegek voltatok, és Rooney ötlete volt – mondta Jason. – És mindketten azonnal megbántátok.

– Oké, ez... teljesen pontos.

– Szóval, mit kellene tennünk? – kérdezte Sunil.

– Azt hiszem, Georgiának és Rooney-nak egyszerűen tovább kell próbálkozniuk, hogy beszéljenek vele, míg hajlandó nem lesz meghallgatni őket. Talán egyenként, így nem érzi úgy, mintha összefognának ellene.

– Mikor? – kérdeztem. – Hogyan?

– Most – mondta Jason. – Azt hiszem, egyikőtöknek a szobájához kéne menni, és csak a szemébe mondani, hogy bocsánat. Nem igazán próbáltatok még személyesen bocsánatot kérni, igaz?

Sem Rooney, sem én nem mondtunk semmit.

– Gondoltam.

Egy ötlet villant át az agyamon.

– Pip dzsekije. Egyikünknek el kéne menni, és visszaadni a dzsekijét.

Rooney felém kapta a fejét.

– Igen. Már hónapok óta a szobánkban van.

– Akarod, hogy visszaszaladjak, és elhozzam?

De Rooney már talpon volt.

Amint visszatért a St. John'sból Pip farmerdzsekijével a kezében, Rooney kikövetelte, hogy ő lehessen az, aki elmegy beszélni Pippel. Még vitatkozni sem hagyott, csak kicsapta az ajtót, kilépett, és azt kérdezte:

– Merre van a szobája?

Látszott, hogy Rooney még mindig magát hibáztatja az egész dologért. Annak ellenére, hogy Pipnek sokkal több oka volt, hogy mérges legyen rám.

Az út egy részén vele tartottam, de néhány méterrel arrébb megálltam egy sarkon, így hallhattam a beszélgetést. Este volt, és a vacsora már véget ért, szóval reméltem, hogy Pip itt lesz.

Rooney bekopogott az ajtaján. Azon tűnődtem, mit fog mondani.

Szörnyű ötlet volt?

Túl késő.

Az ajtó kinyílt.

– Szia! – mondta Rooney. És aztán észlelhető csend következett.

– Mit csinálsz itt? – kérdezte Pip. A hangja halk volt. Furcsa volt hallani, mennyire őszintén szomorú. Nem nagyon hallottam őt ilyennek… mindezek előtt.

– Én…

Arra számítottam, hogy Rooney belekezd valamiféle nagy beszédbe. Őszinte és erőteljes bocsánatkérést tartva.

Helyette azt mondta:

– Öhm… itt a… kabátod.

Újabb csend következett.

– Oké – mondta Pip. – Köszi.

Az ajtó megnyikordult, én pedig kikukucskáltam a sarokról, épp, amikor Rooney kinyújtotta a karját, hogy nyitva tartsa az ajtót.

– Várj! – kiáltotta.

– Mi az? Mit akarsz? – Nem láthattam Pipet, túlságosan bent volt a szobájában, de hallhattam, hogy kezdett mérges lenni.

Rooney bepánikolt.

– Miért olyan rendetlen a szobád?

Határozottan rossz dolog volt ezt mondani.

– Te tökre nem tudod megállni, hogy ne tégy valami rosszindulatú megjegyzést, igaz? – csattant fel Pip.

– Várj, bocsánat, nem ezt akartam…

– Csak békén tudnál hagyni? Úgy érzem, mintha üldöznél engem, vagy valami.

Rooney nyelt egyet.

– Csak azt akartam mondani, hogy bocsánat. Mármint… tisztességesen. Az arcodba.

– Ó!

– Georgia is itt van.

Éreztem, ahogy a gyomrom összeszorul, ahogy Rooney arra mutatott, ahol elbújtam a sarkon. Nem ez volt a terv.

Ahhoz képest, hogy Rooney állítólag sokat tudott a romantikáról, pokolian biztos, hogy nem tudta, hogyan kell egy nagy gesztust véghez vinni.

Pip egy kicsit kijjebb lépett a szobájából megnézni, az arckifejezése sötét volt.

– Egyikőtökkel sem akarok beszélni – mondta, a hangja rekedtes volt, aztán megfordult, és bement.

– Várj! – Meglepett a saját hangom, és hogy egyébiránt Pip szobája felé vánszorgok.

És ott volt. A haja bolyhos volt, és nem volt belőve, és egy kapucnis pulcsit meg jersey sortot viselt. A hálószobája extrém rendetlen volt, még tőle is. Nyilvánvalóan feldúlt volt.

De nem volt olyan mérges, mint a múltkor a pub előtt.

Ez haladás?

– Úgy gondoltuk, talán jobb lenne, ha csak egyikünk beszélne veled
– fecsegtem ki. – De... öhm, igen. Mindketten itt vagyunk. És mindketten igazán sajnáljuk, hogy... tudod. Mindent, ami történt.

Pip nem mondott semmit. Várta, hogy folytassuk, de nem tudtam, mi mást mondjak.

– Akkor ennyi? – mondta végül. – Most csak úgy... meg kellene bocsátanom nektek?

– Mi csak azt akarjuk, hogy gyere vissza a Shakespeare Társulatba –
mondta Rooney, de ez megint, *határozottan* a legrosszabb irány volt.

Pip felnevetett.

– Ó, istenem! Tudhattam volna! Az egész még csak nem is rólam
szól... csak szükséged van egy ötödik tagra a kibaszott *Shakespeare Társulathoz*. Istenem!

– Nem, én nem ezt...

– Ötletem sincs, miért érdekel annyira az a hülye darab, de mi a francért tenném ki magam ennek olyasvalakivel, aki elhitette velem, hogy a
legcsekélyebb esély is van arra, hogy viszontszeressen, aztán úgy döntött,
hogy lelép a legjobb barátommal? – Pip megrázta a fejét. – Igazam volt
mindvégig. Te egyszerűen gyűlölsz engem.

Vártam Rooney elkerülhetetlen visszavágását, de nem érkezett el.

Többször pislogott. Megfordultam, hogy rendesen ránézzek, és rájöttem, hogy mindjárt elsírja magát.

– *Tényleg* tetszettél – kezdte, de elhallgatott, és egyszerűen *eltorzult* az
arca. Könnyek peregtek a szeméből, és mielőtt bármi mást mondhatott
volna, hirtelen megfordult, és elsétált.

Pip és én néztük, ahogy eltűnik a sarkon.

– Baszki, én... nem gondoltam, hogy megríkatom – motyogta Pip.

Ötletem sem volt, most mit mondjak. Nekem is majdnem kedvem
támadt sírni.

– Mi igazán sajnáljuk – mondtam. – Mi... *Én* sajnálom. Mindent
komolyan gondoltam, amit az üzenetemben mondtam. Ez csak egy furcsa, részeg hiba volt. Egyikünknek sem tetszik a másik. És bocsánatot
kértem Jasontől is.

– Beszéltél Jasonnel?

– Igen, mi... mi mindenről beszéltünk. Azt hiszem, most rendben vagyunk.

Pip nem mondott semmit erre. Csak lefelé nézett a padlóra.

– Tényleg nem érdekel, ha nem akarsz visszajönni a Shakespeare Társulatba – mondtam. – Csak azt akarom, hogy megint barátok legyünk.

– Szükségem van némi időre, hogy átgondoljam. – Pip be akarta csukni az ajtót, de mielőtt megtette, azt mondta: – Köszi, hogy visszahoztátok a dzsekimet.

BETH

Rooney abbahagyta a sírást, mire visszaértem a szobánkba. Helyette átöltözött a bulizós ruháiba.

– Szórakozni mész? – kérdeztem, ahogy becsuktam az ajtót magam mögött és megnyomtam a villanykapcsolót. Még csak azzal sem törődött, hogy felkapcsolja a lámpát.

– Igen – mondta áthúzva az ujjatlan topját a fején.

– Miért?

– Mert ha itt maradok – csattant fel –, akkor egész éjjel ülnöm kell, és gondolkodnom mindenen, és nem tudom ezt csinálni. Nem tudok csak itt ülni, és a gondolataimmal lenni.

– Egyáltalán kivel mész szórakozni?

– Csak emberekkel az egyetemről. Vannak *más barátaim.*

Barátok, akik sosem néznek be teázni, vagy jönnek át filmestre és pizzára, vagy néznek be hozzád, ha rosszul érzed magad?

Ez volt, amit mondani akartam.

– Oké. – Ezt mondtam.

A szokásos baromsága, ezt mondtam magamnak. Valójában ezzel indokoltam az egészet. A kihagyott előadásokat. A délutánig alvást. A bulizást minden éjszaka.

Egyiket sem vettem komolyan, *igazán* komolyan, addig az éjszakáig, amikor hajnali ötkor egy üzenetre ébredtem:

Rooney Bach
be tudnák engedni a koellégium előtt vagyok
elfelejtettema kulcsomat

Hajnali három huszonnégykor küldte. A kollégium zárva volt hajnali kettő és hat között, kulccsal lehetett csak bejutni a főépületbe. Gyakran felébredtem a korai órákban, és ellenőriztem a telefonomat, mielőtt nagyon gyorsan visszaaludtam. De ettől annyira pánikba estem, hogy kiugrottam az ágyból, és azonnal felhívtam Rooney-t. Nem vette fel.

Felvettem a szemüvegemet, köntösömet és papucsomat, felmarkoltam a kulcsomat, és kirohantam az ajtón, az elmém hirtelen megtelt látomásokkal arról, hogy meghalt egy árokban, belefulladt a saját hányásába vagy a folyóba. Jól kell lennie. Állandóan butaságokat csinált, de mindig jól volt.

Az előcsarnok sötét volt, és üres, amikor keresztüldübörögtem rajta. Kinyitottam az ajtót, és kirohantam a sötétbe.

Az utca üres volt, eltekintve az alacsony téglafalon ülő alaktól egy kicsit előrébb, összekuporodva.

Rooney.

Él. Köszönöm, istenem! Köszönöm, istenem!

Odarohantam hozzá. Csak az ujjatlan felső és a szoknya volt rajta annak ellenére, hogy úgy öt foknak kellett lennie odakint.

– Mit… mit csinálsz? – kérdeztem érthetetlenül dühösen.

Felnézett rám.

– Ó! Istenem! Végre!

– Te… csak ültél itt egész éjjel?

Felállt, megkísérelt közönyös lenni, de láttam, ahogy a karját markolja, próbálja kontrollálni a heves reszketést.

– Csak egy pár órát.

Lerángattam a köntösömet, és neki adtam. Kérdés nélkül beleburkolózott.

– Nem tudtál felhívni valaki mást? A többi barátod egyikét? – kérdeztem. – Biztos ébren volt valaki.

Megrázta a fejét.

– Senki nem volt ébren. Nos, egypár ember elolvasta az üzenetemet, de… biztos figyelmen kívül hagyták. És aztán meghalt a telefonom. Annyira felzaklatott ezzel, hogy nem is tudtam semmi mást mondani. Csak beengedtem magunkat az épületbe, és csendben sétáltunk a szobánkhoz.

– Nem tudnál… Óvatosabbnak kell lenned – mondtam, amint beléptünk a szobába. – Nem biztonságos egyedül lenni odakint ebben az időben.

Elkezdett átöltözni pizsamába. Kimerültnek tűnt.

– Miért törődsz vele? – suttogta. Nem gonoszkodóan. Őszinte kérdés volt. Mintha tényleg nem tudná összerakni, hogy mi a válasz. – Miért törődsz velem?

– A barátom vagy – mondtam az ajtónál állva.

Nem mondott semmi mást. Csak bebújt az ágyba, és becsukta a szemét.

Felvettem a ledobott ruháit a padlóról, és betettem őket a szennyeskosárba, aztán rájöttem, hogy a telefonja a szoknyája zsebében van, szóval kihalásztam, és töltőre tettem. Még egy kis vizet is öntöttem Roderick cserepébe. Valóban egy kicsit élénkebben nézett ki.

Aztán lefeküdtem, és azon tűnődtem, miért törődöm Rooney Bachkal, az önsorsrontás királynőjével, a szerelmi szakértővel, aki valójában nem is szerelmi szakértő. Mert törődtem vele. Igazán, igazán törődtem, annak dacára, mennyire különbözőek voltunk, és valószínűleg még csak nem is beszéltünk volna, ha nem lennénk egy szobában, és mindig rossz dolgokat mondott, vagy elszúrta a helyzetet.

Törődtem vele, mert kedveltem őt. Kedveltem a szenvedélyét a Shakespeare Társulat iránt. Kedveltem azt, amilyen izgatott lett olyan dolgok miatt, amik nem igazán számítottak, mint a szőnyegek, a színdarabok vagy a college házasság. Tetszett, hogy mindig őszintén segíteni akart nekem, még ha sosem tudta igazán a helyes dolgokat mondani vagy csinálni, és sokkal rosszabb tanácsot adott, mint azt kezdetben sejtettem.

Úgy gondoltam, hogy jó ember, és szerettem, hogy az életem része.

És kezdtem rájönni, hogy megmagyarázhatatlan Rooney számára, hogy valaki így érezhet iránta.

Két órával később ismét felébredtem, Rooney telefonjának a csörgésére. Mindketten ignoráltuk. Amikor másodszor csörgött, felültem, és feltettem a szemüvegem.

– Csöng a telefonod – mondtam, a hangom rekedt volt az alvástól. Rooney nem mozdult. Csak morgó hangot hallatott.

Kigördültem az ágyból, átbotladoztam Rooney telefonjához az éjjeliszekrényén, és megnéztem a hívóazonosítót.

Ez állt rajta: *Beth*.

Rábámultam. Éreztem, hogy tudnom kéne, ki az, valahogy mintha láttam volna a nevet ezelőtt valahol.

Aztán rájöttem, hogy annak az embernek a neve volt, aki tőlem fél méterre az egyetlen fotón szerepelt, amit Rooney kitett a falra az ágya mellé. A fotó egy kicsit gyűrött volt attól, hogy állandóan leesett, és megtaposták.

A fotó a tizenhárom éves Rooney-ról és a legjobb barátjáról az iskolából. Hableányhajú Beth.

Fogadtam a hívást.

– Halló?

– *Szia...* – mondta egy hang. Beth. Beth volt az? A lány a fotón vörösre festett hajjal és szeplőkkel?

Ő és Rooney még mindig beszéltek egymással? Talán Rooney-nak tényleg voltak más barátai, akik megkérdezték, hogy van, csak én nem tudtam róluk.

És aztán Beth azt mondta:

– *Kaptam néhány nem fogadott hívást erről a számról múlt éjszaka, és csak ellenőrizni akartam, ki volt az, hátha vészhelyzet, vagy valami.*

Éreztem, ahogy leesik az állam.

Még csak el sem mentette Rooney számát.

– Öhm... – kaptam magam azon, hogy beszélek. – Sajnálom... ez igazából nem az én telefonom. Ez Rooney Bach telefonja.

Csend következett.

– *Rooney Bach?*

– Uh, igen. Én az egyetemi szobatársa vagyok. Ő... elég részeg volt múlt éjszaka, szóval... talán részegen felhívott téged...

– *Igen, azt hiszem... sajnálom, ez igazán furcsa. Nem láttam őt már... Istenem, körülbelül öt éve lehetett. Nem tudom, miért van még mindig elmentve neki a számom.*

A falon lévő fotóra bámultam.

– Már nem beszélsz vele? – kérdeztem.

– *Öhm, nem. Iskolát váltott, amikor kilencedikesek voltunk, és nem igazán tartottuk a kapcsolatot azután.*

Rooney hazudott. Vagy... azt tette? Azt mondta nekem, hogy Beth a barátja volt. Talán ez volt az igazság, amikor fiatalabb volt. De most nem.

Miért van Rooney-nak a falon fotója egy barátról, akivel öt éve nem beszélt?

– *Hogy van?* – kérdezte Beth.

– Hát... – pislogtam. – Rendben van. Jól van.

– *Az jó. Még mindig szereti a színházat?*

Nem tudom, miért, de úgy éreztem, sírni fogok.

– Igen – mondtam. – Igen, szereti. Szereti a színházat.

– *Hű! Ez cuki. Mindig azt mondta, rendező akar lenni, vagy ilyesmi.*

– Valamikor... valamikor írhatnál neki egy üzenetet – mondtam, próbáltam lenyelni a gombócot a torkomban. – Azt hiszem, szeretné, ha újra beszélnétek.

– *Igen* – mondta Beth. – *Igen, talán fogok. Jó lenne.*

Reméltem, hogy fog. Kétségbeesetten reméltem, hogy fog.

– *Nos... Akkor leteszem, mivel ez nem egy vészhelyzet, vagy ilyesmi. Örülök, hogy Rooney jól van.*

– Oké – mondtam, és Beth befejezte a hívást.

Letettem Rooney telefonját. Rooney maga nem mozdult. Csak a tarkóját láttam, a lófarka kikandikált, a többi részét pedig eltakarta a virágos paplanja.

VÉSZHELYZETI GYŰLÉS

Amit maszknak gondoltam, valójában fal volt. Szilárd téglafal vette körül Rooney egy részét, amit senki sem ismerhetett meg. Az egész évet azzal töltötte, hogy darabokra zúzta az én saját falamat. Megérdemeltem egy esélyt, hogy ugyanezt tegyem vele. Így összehívtam egy vészhelyzeti gyűlést a Shakespeare Társulat számára. Vissza fogjuk szerezni Pipet. És segíteni fogunk Rooney-nak, akár tetszik neki, akár nem.

Szombat volt, és megbeszéltük, hogy kimegyünk egy délelőtti kávéra. Jasonnek volt egy korai evezőedzése, Sunilnak egy zenekari próbája, Rooney pedig nem kelt fel az ágyból addig, míg tarkón nem csapkodtam a vízszín szőnyegével, de valahogyan mind odaértünk a Vennels Caféba tizenegy órára. És végre megtudtam, mi a Vennels.

– Ez... *sok* – mondta Sunil, amint elmagyaráztam a tervemet. – Bevonhatnám Jesst. Játszik brácsán.

– Én pedig megkérdezem az evezős kapitányomat, hogy kölcsönvehetünk-e néhány dolgot – mondta Jason az ujjaival a száját kocogtatva.

– Biztos vagyok benne, hogy igent mond.

– Én... nem akarok ezzel terhelni senkit – mondtam. A gondolat, hogy más embereknek kell segíteniük, valahogy zavarba ejtő volt.

– Nem, Jess igazából fel lenne háborodva, ha nem kérjük meg, hogy vegyen részt – mondta Sunil. – Megszállott az ilyen dolgokkal.

– Mi a helyzet, Rooney? – kérdezte Jason Rooney-tól. – Te mit gondolsz?

Rooney hátradőlt a székében, és nyilvánvalóan nem akart ébren lenni.

– Jó – mondta. Próbált lelkesnek tűnni, de gyászosan kudarcot vallott.

Amint Jason és Sunil elindult a saját dolgára – Jasonnek tanulócsoportja volt, Sunil pedig találkozott néhány barátjával ebédre –, Rooney és én egyedül maradtunk. Gondoltam, akár itt is maradhatnánk és ehetnénk valamit, mivel Rooney nem reggelizett, és nem volt semmi más dolgunk.

Palacsintákat rendeltünk, én sósat választottam, ő édeset, és beszélgettünk egy ideig olyan hétköznapi témákról, mint a házi dolgozatok és a közelgő kutatási hét.

Végül azonban rátért a lényegre.

– Tudom, miért csinálod ezt – mondta, a tekintete egy szintben volt az enyémmel.

– Mit csinálok?

– Kényszerítesz, hogy eljöjjek reggelizni, és segítesz a Pip-dologgal.

– Nos, miért?

– Sajnálsz engem.

Szépen letettem a késemet és a villámat az üres tányéromra.

– Valójában nem. Tévedsz. Teljesen tévedsz.

Láttam, hogy nem hisz nekem.

És aztán azt mondta:

– Beszéltél Bethszel telefonon.

Lefagytam.

– Ébren voltál?

– Miért vetted fel a telefont?

Miért vettem fel a telefont? Tudtam, hogy a legtöbb ember egyszerűen hagyta volna hangpostára kapcsolni.

– Azt hiszem… Reméltem, hogy azért hívott, hogy megtudja, minden oké-e – mondtam, és nem tudtam, mennyi értelme van ennek.

Csak azt akartam, hogy Rooney tudja, hogy valaki felhívta. Hogy valaki törődik vele. De Beth nem ilyen ember. Többé már nem érdekli.

– Így volt? – kérdezte Rooney halk hangon. – Hívott, hogy megtudja, minden oké-e?

Hazudhattam volna.

De nem hazudtam Rooney-nak.

– Nem – mondtam. – Nem mentette el a számodat.

Rooney arca elkomorult. Lenézett az egyik oldalra. Kortyolt egy nagyot az almaléből.

– Ki ő? – kérdeztem.

– Miért kell ezt csinálnod? – Rooney az egyik kezére támaszkodott, eltakarva a szemét. – Nem akarok erről beszélni.

– Rendben. Csak azt akartam, hogy tudd, megteheted.

Rendeltem egy másik italt. Csendben ült karba tett kézzel, látszólag megpróbálta még jobban bepasszírozni magát a szoba sarkába.

Két hétig tartott az intenzív tervezgetés.

Az első héten összehangoltuk az időt és a helyet, Jason pedig küldetésre ment, hogy kihízelegje az evezőcsapat kapitányától azt, amire szükségünk volt. Miután elküldtük egy négyes csomag sörrel cserealapnak, mosollyal az arcán és a csónakház pótkulcsával tért vissza, amit pizzával ünnepeltünk meg Jason hálószobájában.

A második héten Sunil elhozta Jesst egy próbára. Habár nem éreztem úgy, hogy nagyon jól ismerem őt, hiszen csak pár alkalommal beszéltem vele, azonnal tudni akarta, hol szereztem a pulóveremet – bézs volt, sokszínű Fair-sziget mintával –, és hosszasan elbeszélgettünk a mintás kötött pulóverek iránti közös szeretetünkről.

Jess teljes mértékben támogatta, hogy részt vegyen a tervünkben annak ellenére, hányszor elmondtam neki, hogy oké, ha túl elfoglalt. És amikor elővette a brácsáját, Sunil pedig a csellóját, rájöttem, miért volt olyan lelkes: nyilvánvalóan *imádtak* együtt zenélni. Elkezdték átvenni a darabot, beszélgettek róla, amint elértek a nehéz részekhez, és kis jegyzeteket készítettek a kottára.

Mindketten másnak tűntek itt, mint a Pride Egyesületben, ahol folyamatosan rohangáltak, mindent megszerveztek, *az elnök* és *az alelnök* voltak. Itt csak Sunil és Jess lehettek, két legjobb barát, akik szeretnek zenélni.

– Ne aggódj, tökéletesek leszünk még vasárnap előtt – ígérte Sunil nagy mosollyal az arcán.

– Köszönöm – mondtam, de nem igazán éreztem úgy, mintha ez elég köszönet lenne azért, amit csinálnak.

Rooney vonakodva beleegyezett, hogy átvegye az irányítást a csörgődob felett. Az első pár alkalommal, amikor együtt próbáltunk, csak állt ott, a kezéhez ütögetve, a talajt bámulva.

De amint közelebb kerültünk a vasárnaphoz, kezdett egy kicsit jobban belejönni. Elkezdett helyben ringatózni, ahogy végigfutottunk a darabon. Néha még énekelt is, csak egy kicsit, mintha biztos lenne benne, hogy senki sem hallja.

Végül majdnem azt gondoltam, hogy jól érzi magát.

Ahogy mindannyian, tényleg.

Mindannyian nagyon jól éreztük magunkat.

És *ez működni fog.*

AZ ELŐZŐ ESTE

Vasárnap előtti éjszaka Rooney nem ment bulizni.

Nem voltam biztos benne, miért. Talán csak nem volt kedve hozzá. De bármilyen okból is, felnézett a laptopja képernyőjéről, amint visszatértem a zuhanyzásból, és azt kérdezte:

– Akarsz YouTube-videókat nézni és kekszet enni?

Bebújtam az ágyába, ami mint múlt alkalommal, igazán kényelmetlen volt, szóval anélkül, hogy rendesen átgondoltam volna, azt mondtam:

– Mi lenne, ha összetolnánk az ágyainkat?

És Rooney azt felelte:

– Miért ne?

Szóval ezt tettük. Ketten a szoba közepére húztuk az ágyainkat, egymáshoz préselve őket, egy óriási kétszemélyes ágyat alkotva, és TikTokgyűjtéseket kezdtünk nézni, miközben megettünk egy csomag csokis kekszet.

– Elég ideges vagyok a holnap miatt – ismertem be a harmadik videó felénél.

– Én is – mondta Rooney egy kekszet ropogtatva.

– Gondolod, hogy tetszeni fog neki?

– Őszintén fogalmam sincs.

Nem mondtunk semmi mást egy kis ideig, és már a keksz is elfogyott. Amikor a negyedik videó véget ért, Rooney nem kezdett újat keresni, szóval csak ültünk ott csendben, a képernyő fényében.

Egy idő után – talán néhány perc, talán több múlva –, azt kérdezte:

– Gondolod, hogy furcsa, hogy még mindig van ez a fotóm Bethről?

Elfordítottam a fejem, hogy szembenézzek vele.

– Nem – mondtam. Ez volt az igazság.

– Szerintem igen – mondta. Annyira fáradtnak hangzott.

– Ha nem törődött vele, hogy tartsa a kapcsolatot, amikor iskolát váltottál, akkor nem érdemel meg téged – mondtam. Dühös voltam Bethre, őszintén. Dühös voltam, amiért Rooney annyira törődött valakivel, aki nem törődött vele.

Rooney egy aprócska nevetést hallatott.

– Nem ő volt. Én voltam.

– Hogy érted?

– Amikor kilencedikes voltam… akkor ismerkedtem meg az expasimmal.

– A… szörnyűvel?

– Hú, igen! Ő volt az egyetlen pasim. És szörnyű volt. Nem mintha akkoriban erre rájöttem volna.

Nem mondtam semmit. Vártam, és hagytam, hogy elmesélje a sztorit.

– A srác másik iskolába járt. Mindennap egész nap írogattunk egymásnak. Azonnal odáig lettem érte. És… nemsokára úgy döntöttem, az lenne a legjobb számomra, ha átmennék az ő iskolájába – horkantott fel. – Addig visítoztam a szüleimmel, míg nem hagyták, hogy iskolát váltsak. Hazugságokat találtam ki, hogy bántalmaznak, hogy nincsenek barátaim. Képzelheted, én voltam a világ legrosszabb gyereke.

– És Beth a régi iskoládból volt?

Szünet következett, mielőtt Rooney megszólalt:

– Beth volt az egyetlen igazi barátom.

– De… abbahagytad a beszélgetést vele…

– Tudom – mondta Rooney megdörzsölve az egyik szemét az öklével. – Én csak… Azt hittem, ha van egy pasim, az a *valaha volt legjobb dolog*. Azt hittem, szerelmes vagyok. Szóval azonnal feladtam mindent. Betht. Mindenki mást, akit az iskolában ismertem. Az egész életem abban az iskolában töltöttem. Voltak… hobbijaim. Én és Beth csináltunk minden iskolai műsort. A drámaklubba jártam. Mindig nyaggattam a drámacsoport vezetőjét, hogy hagyja, hogy Shakespeare-t játsszunk, és mindig megadta magát. Én... boldog voltam. Igazán boldog voltam. – A hangja elcsendesedett. – És feladtam mindezt, hogy a pasimmal legyek.

És Beth elfelejtette őt. Rooney emlékezett, Rooney soha nem szűnt meg azon gondolkozni, milyen lett volna az élete, ha nem a „szerelmet" választja minden más helyett. Sosem szűnt meg elképzelni, milyen lett volna olyasvalakivel felnőni, aki igazán, őszintén törődik vele.

– Az életem egyszerűen szörnyű volt a három év alatt, amíg jártunk. Nos, azt mondom, *jártunk,* ha nem számítjuk a tízmilliárd alkalmat, amikor szakított velem, aztán eldöntötte, hogy újra össze kellene jönnünk. És minden alkalmat, amikor megcsalt. – Rooney szeme könnyes volt. – Ő döntött el mindent. Ő döntötte el, mikor megyünk bulizni. Ő döntötte el, mikor kell elkezdenünk inni, dohányozni, és hamis személyit használva klubokba járni. Ő döntötte el, mikor szexelünk. Csak arra gondoltam... hogy amennyiben ő boldog, akkor bizonyára az álmomat élem. Elvégre ez itt a szerelem. Ő a lelkitársam. Ez az, amire mindenki vágyik.

És ez *három évig* tartott?

– *Mindenembe* került, hogy szakítsak vele. – Egy magányos könnycsepp gördült le az arcán a párnára. – Mert... szakítani vele azt jelentette, hogy elfogadom, nagyon-nagyon szörnyű hibát vétettem. Azt jelentette, hogy elfogadom, ez teljesen az én hibám volt, és én... elcsesztem a saját életemet. Elvesztettem a legjobb barátomat a semmiért. És olyan boldog lehettem volna, de a szerelem tönkretett.

Rooney összetört. Elsírta magát, és nem tudta abbahagyni, szóval átöleltem. Köré fontam a karomat, szorosan tartottam őt, és meg akartam ölni a srácot, aki ezt tette vele, aki valószínűleg odakint éli az életét, és egyetlen kibaszott gondolatot sem fordít erre. Vissza akartam forgatni az időt, és olyan életet adni Rooney-nak, amilyet megérdemel, mert szerettem őt, és jó ember volt. Tudtam, hogy jó ember.

– Ez nem a te hibád – suttogtam. – El kell hinned.

Kétségbeesetten törölte meg a szemét, ami nem sokat segített.

– Sajnálom – mondta rekedten. – Mindig ez történik, amikor beszélek... magamról.

– Nem bánom, hogy sírsz – mondtam.

– Én csak… Utálom a gondolatot, hogy az emberek megismernek engem, mert… akkor biztosan ugyanúgy fognak utálni, mint ahogyan én utálom magamat.

– De én nem… – mondtam. – Én nem utállak.

Nem válaszolt. Csukva tartotta a szemét. És nem tudom, mikor aludtunk el mindketten, de megtettük, összegabalyodva a rögtönzött franciaágyunkban, és tudtam, hogy ezt nem lehet könnyen helyrehozni, de reméltem, legalább biztonságban érzi magát. Talán sosem leszek képes pótolni Betht, és talán Rooney-nak sok időbe fog telni, mire megtalálja a kiutat ezekből az érzésekből, és talán egyáltalán nincs semmi, amit tehetnék, hogy segítsek. De reméltem, hogy biztonságban érzi magát velem.

YOUR SONG

Elérkezett a vasárnap, én pedig teljes öltönyt és nyakkendőt viseltem – Sunil és Jess egyik barátjától kértem kölcsön, mivel nekem nem volt semmi ilyen klassz cuccom –, és lebámultam egy evezős csónakra. Nem a versenyhajók közé tartozott. Ez széles volt, alkalmi kirándulásokhoz készült a folyón, így mind ténylegesen befértünk a hangszerekkel, és valószínűtlen volt, hogy valaki kiesne. De mégis kezdtem úgy érezni, hogy ez egy szörnyű ötlet volt.

– Ez egy szörnyű ötlet volt – mondtam Jasonnek, aki mellettem állt a folyóparton nagy, világossárga mentőmellényben a saját öltönye és nyakkendője fölött. Jól nézett ki.

– Ez nem egy szörnyű ötlet – mondta. – Ez egy nagyon jó ötlet.

– Meggondoltam magam. Meg akarok halni.

– A csónaktól riadtál meg, vagy attól, hogy mi történik, miután mindannyian beszálltunk a csónakba?

– A fentiek mindegyike. Megbántam, hogy a csónak valaha is a terv része volt.

Jason körém fonta az egyik karját, és megszorongatott. Nekidöntöttem a fejem.

– Meg tudod csinálni, oké? Úgy hiszem, abszolút kibaszottul bolond vagy, amiért megteszed, de ez szó szerint be fog vonulni a történelembe. Őszintén, nem lennék meglepve, ha futótűzként terjedne.

Pánikba esve néztem rá.

– *Nem* akarom, hogy elterjedjen. Meg akarom csinálni, és aztán soha többé nem gondolni rá újra. Senki nem töltheti fel a YouTube-ra.

– Oké. Nem fog elterjedni. Elfelejthetjük ezt a napot, mintha sosem történt volna meg.

– Köszönöm.

– Mentőmellény?

– Igen, kérlek.

Segített belebújni a mentőmellénybe. Világoslila.

Rooney közeledett hozzánk, ő is öltönyben, egy haditengerészeti mentőmellénnyel, a csörgődobját tartva.

– Készen állsz? – kérdezte.

– Nem – mondtam.

Sunil és Jess mögöttünk voltak hangszerekkel a kezükben. Sunil határozottan felmutatta nekem a hüvelykujját.

– Minden rendben lesz – mondta.

– És ha nem – tette hozzá Jess –, legalább jól fogunk szórakozni!

– Most befelé a kibaszott csónakba! – mondta Jason.

Sóhajtottam, és beszálltam a kibaszott csónakba.

Beszéltünk azon kevés ember egyikével, akiről tudtam, hogy barátok Pippel. Vagyis inkább Jason beszélt. Jason barátja volt a Facebookon, és írt egy üzenetet neki, amiben megkérdezte, rá tudná-e venni Pipet, hogy pontosan öt órakor megérkezzen az Elvet hídhoz, nagyjából akkor, amikor a nap elkezd lenyugodni. A srác beleegyezett.

Hét iskolai előadásban és hét ifjúsági színházi produkcióban vettem részt. Az otthonomtól négyszáznyolcvankét kilométerre mentem egyetemre, beleegyeztem, hogy megosztom a szobámat egy idegennel, első alkalommal elmentem klubozni annak ellenére, hogy gyűlöltem, és előbújtam négy egész embernek.

Valahogy egyik sem volt olyan ijesztő, mint ez.

De meg fogom csinálni. Pipért.

Hogy megmutassam neki, szeretem őt.

Jason, akiről hirtelen rájöttem, hogy rengeteg izomerőt épített fel, mióta csatlakozott az evezőklubhoz, leevezett ötünkkel a folyón. Nem volt túl messze az Elvet híd a St. John'stól, de nagy feltűnést kezdtünk kelteni, ahogy a belváros felé közeledtünk az öltönyeinkben és nyakkendőinkben evezve a lábunknál óvatosan tárolt hangszerekkel.

Egyáltalán nem volt szükség arra, hogy egy csónakból tegyük meg mindezt, legfeljebb a drámai hatás kedvéért. Én pedig megbántam egy kicsit. De mindenekfelett tudtam, hogy Pip szeretni fogja. Pip szeretett mindent, ami egy kicsit nevetséges és teátrális volt.

A többiek mind izgatottan nevettek és fecsegtek, ami boldoggá tett, mert én annyira ideges voltam, hogy még beszélni sem tudtam. Fagyos volt az idő is, de végül az adrenalin melegen tartott.

A híd lassan közeledett a távolból, Sunil folyamatosan az óráját figyelte, hogy megbizonyosodjon róla, időben vagyunk.

– Majdnem ott vagyunk – mormolta Jason a hátam mögül.

Felé fordultam, nyugtatónak érezve a jelenlétét.

– Elképesztő lesz – mondta.

– Igen?

– Igen.

Megpróbálkoztam egy kis mosollyal.

– Köszi a segítséget!

Jason vállat vont.

– Barátok vagyunk.

Vigyorogtam.

– Tudasd velem, ha segítségre van szükséged bármilyen bonyolult plátói gesztushoz.

– Így lesz.

És aztán visszafordultam, és felnéztem a hídra. Pip ott volt.

A szeme elkerekedett a szemüvege mögött. A téli szél sötét fürtök kuszaságává korbácsolta a haját. Be volt bugyolálva egy vastag télikabátba, és a barátja mellett állt, aki szerencsére időben idehozta őt.

Lenézett rám, a szája teljesen értetlenül elnyílt.

Csak vigyorogtam. Nem tehettem róla.

– Szia! – kiáltottam fel neki.

És aztán visszavigyorgott, és azt kiáltotta:

– Mi a franc?

Odafordultam a többiekhez a csónakban. Sunil, Jess és Rooney felvették a hangszereiket, készen a kezdésre. Rám vártak.

– Mehet? – kérdeztem.

Bólintottak. Beszámoltam nekik.

És aztán ott álltam a csónakban, és három kísérővel énekeltem a Wearfolyón a *Your Song*ot – direkt a *Moulin Rouge*-ból származó verziót – Pip Quintanának, aki még nem ismert engem olyan jól, ahogyan kívántam, hogy ismerjen, ennek ellenére az egyik kedvenc emberem volt, akit valaha ismertem.

A KÍVÁNCSI ELLENTÉTE

Valójában nem adtuk elő a *Your Song* teljes három perc harminckilenc másodpercét, helyette az egész dolog biztonságos kilencven másodpercig tartott, így nem vált túl kínossá és kellemetlenné egyik érintett számára sem. De valószínűleg egész hátralévő életemben kínos lesz, ha visszagondolok rá.

Mire a dal véget ért, elég nagy bámészkodó tömeget vonzottunk Durham belvárosából, és Pip mosolya olyan széles és ragyogó volt, hogy minden, amire gondolni tudtam, az volt, hogy úgy néz ki, mint a nap. Az előadásunk elvégezte a munkáját.

Jason oldalba bökött.

Ránéztem, égett közben az arcom.

– Mi az?

– Fel kell tenned a kérdést.

Ó, igen.

Felmarkoltam az evezőscsónak aljából a megafont, amit magunkkal hoztunk – óvatosan, így épp nem estem be a vízbe, ami ekkorra már egyre nagyobb veszélyt jelentett –, és feltartottam.

– *Pip Quintana* – mondtam. Olyan hangosan jött ki a megafonon keresztül, hogy még én is megugrottam.

Pip hihetetlenül izgatottnak látszott, és úgy tűnt, még mindig nem tudja, mi történik.

– Igen?

– Leszel a college feleségem?

Az arckifejezése elárulta, hogy nem számított erre a kérdésre. Aztán rácsapott a tenyerével a homlokára. *Felfogta.*

– IGEN! – visította nekem. – ÉS UTÁLLAK TÉGED!

És aztán az emberek egyszerűen elkezdtek tapsolni. Minden random ember, aki megállt a hídon és a folyónál figyelni – egy csomó diák, de Durham helyi lakosai is –, tapsolt, és néhányan éljeneztek. Hatalmas dolog volt. Mint egy filmben. Imádkoztam, hogy egyikük se filmezze le. És aztán Pip elkezdett sírni.

– Ó, basszus! – mondtam. – Jason?

– Igen?

– Sír.

– Valóban.

Elkezdtem ütögetni Jason karját.

– Ki kell jutnunk a partra.

Megragadta az evezőket.

– Rajta vagyok.

Amikor partot értünk, Pip már leszaladt a lépcsőn a hídról, elindult az ösvényen, a füves folyópartra, és mikor kijutottam a csónakból, belém rohant, és olyan hevesen ölelt át, hogy megbotlottam, hátraestem, és hirtelen mindketten a derékig érő Wear-folyóban ültünk.

Valahogy úgy tűnt, ez egyáltalán nem számít.

– Miért vagy *ilyen?* – Ez volt az első dolog, amit Pip mondott nekem, hevesen dörgölve a könnyeket a szeméből, csak hogy újak váltsák fel őket ugyanolyan gyorsan.

– Mármint… milyen? – kérdeztem őszintén összezavarodva.

Pip megrázta a fejét, egy kicsit hátrébb ült tőlem.

– *Ilyen* – nevetett. – Én sosem csináltam volna semmi ilyesmit. Túl nagy idióta vagyok.

– Nem vagy idióta.

– Ó, az vagyok. Nagy, nagy idióta.

– Olyannal beszélgetsz, aki derékig ül a folyóban februárban.

Vigyorgott.

– Máshol kellene folytatnunk ezt a beszélgetést?

– Az jó lenne.

Végül visszaszálltunk a csónakba, ezúttal Pippel, és egészen a St. John'sig eveztünk. Pip annyira izgatott volt ettől, hogy majdnem felborította a csónakot, Jasonnek és nekem nagyon sok erőfeszítésünkbe került meggyőzni őt, hogy üljön le és maradjon nyugton, de baleset nélkül eljutottunk a college-hoz.

Rooney közvetlenül hátul ült, próbált nem nézni Pipre. Észrevettem, hogy Pip hátrapillant néhányszor, majdnem mintha mondani akarna neki valamit, de nem tette.

Mielőtt mind szétszéledtünk a koli zöldjén, mindenkinek megköszöntem a segítséget.

– Mindent a szeretet szellemében – felelte Sunil, és átkarolta Jesst.

Felteszem, igaza volt.

Mindez a szeretetért volt, így vagy úgy.

Pip és Rooney végül tudomást vett egymás létezéséről, amikor Pip azt mondta:

– Jó voltál… a csörgődobbal.

Őszinte dicséretként értette, de valahogy sértésnek hangzott. Rooney csak annyit felelt:

– Köszönöm.

Aztán motyogott valamit arról, hogy találkozik valakivel a városban, letépte a mentőmellényét, és elment, mielőtt Pip bármi mást mondhatott volna.

Jason volt az utolsó ember, aki elköszönt. Szorosan megölelt, aztán elsétált, a nadrágja alja nedves volt, az ingujján vízcseppek.

És aztán már csak Pip és én voltunk.

Mondani sem kellett, hogy Pip maradjon és beszéljen velem azon a délutánon. Csak megtette.

Ez arra emlékeztetett, ahogyan először találkoztunk. Tizenegy évesen.

Ez volt az az év, amikor mindenhová egymással mentünk, megpróbáltuk kitalálni, hogy van-e valaki más, akit meghívhatnánk a belső körünkbe, de végül rájöttünk, hogy egyelőre csak mi vagyunk.

Felvittem a hálószobámba. Rooney nem volt ott, tényleg bement a városba, és volt egy olyan érzésem, hogy nem fog visszajönni egy ideig. Az ágyunk viszont még mindig össze volt tolva, a lepedő összetúrva, és minden, ami tegnap este történt, hirtelen visszatért. Rooney beismerése. A könnyek.

Azonnal rájöttem, hogy ez valószínűleg nem kelti a legjobb benyomást Pipben, aki mérges rám és Rooney-ra, mert úgy gondolja, egy pár vagyunk.

– Öhm... – mondtam. – Ez nem... mi nem...

– Tudom – mondta Pip. Rám mosolygott, és akkor tudtam, hogy hisz nekem. – Hé, Roderick összement?

Odasétáltam Roderickhez, és leguggoltam. A levelek mennyisége ellenére, amiket le kellett vágnom, valójában úgy tűnt, hogy növekedett, mióta utoljára meglocsoltam. Talán mégsem halt meg teljesen.

Pip hirtelen megborzongott, és ekkor eszembe jutott, hogy mindketten eléggé át vagyunk ázva deréktól lefelé.

Előkutattam egy joggingnadrágot neki, valami pizsamát magamnak, és amikor megfordultam, Pip gyakorlatilag letépte a farmerjét a lábáról a sietségben, hogy kiszabaduljon belőle.

A joggingnadrágom komikusan hosszú volt Pipen, de felhajtotta. Hamar összebújtunk a szőnyegen, a hátunkat az ágy oldalához támasztottuk, forró csokoládés bögrékkel és egy takaróval a lábunkon.

Tudtam, hogy nekem kell először mondanom valamit mindenről, ami történt, de még mindig annyira rossz voltam a mély beszélgetésekben vagy bármilyen módon az érzéseimről való beszédben, hogy néhány percbe telt, ami alatt Pip céltalanul csevegett valamelyik órájáról és bulikról a barátaival, mielőtt kimondtam, amit igazán ki akartam mondani.

Ami ez volt:

– Sajnálom. Tudom, hogy már mondtam ezt, de igen. Tényleg sajnálom.

Pip rám nézett.

– Ó! – mondta. – Igen.

– Tökéletesen megértem, hogy nem beszéltél velem az után az egész dolog után a Bailey-bálon – folytattam. Nem nagyon tudtam a szemébe nézni. – Sajnálom... tudod, ami történt. Szemét dolog volt ezt tenni. Nos... számos okból.

Pip nem mondott semmit egy pillanatig. Aztán elfordult, és bólintott.

– Köszönöm, hogy ezt mondtad – mondta félszegen lapítgatva a fürtjeit. – Én... Azt hiszem, azonnal tudtam, hogy ez csak egy hiba volt mindkettőtök részéről, de... igen. Ennek ellenére fájt.

– Igen.

– Én csak... – nézett fel rám, egyenesen a szemembe. – Oké. Őszinték vagyunk, igaz?

– Igen. Persze.

– Nos... Rooney tetszik. Igazán tetszik – döntötte hátra a fejét. – Tudom, hogy sosem mondtam ki nyíltan ezt, de... Nem akartam beismerni magamnak. De te tudtad, igaz? Úgy értem, azt mondtad, tudod.

Tudtam. Ez az, ami ezt a helyzetet olyan szörnyűvé tette.

– Igen – mondtam.

– Én... nem akartam beismerni, mert, mármint... – nevetett. – Kibaszottul elegem van abból, hogy heteró lányok tetszenek meg. Szó szerint az *egész* tinédzserkoromat azzal töltöttem, hogy heteró lányok után sóvárogtam, hátha kapok egy csókot egy kissé kíváncsi lánytól, aki aztán azonnal visszamegy a pasijához. És aztán egyetemre jöttem, reméltem, hogy végre találkozom egy egész sor más queer lánnyal... és csak ismét azonnal beleestem egy heteró lányba – csapott a homlokára az egyik kezével. – Miért én vagyok a leghülyébb meleg a világon?

Vigyorogtam. Nem tehettem róla.

– Fogd be! – mondta Pip szintén vigyorogva. – Tudom. *Tudom*. Annyira jól csináltam. Csatlakoztam a Pride Egyesülethez és a LatAm Egyesülethez, és elmentem még pár ilyen hülye Ultimate Frizbi játékra, de nos... még mindig ugyanazokat a hibákat követtem el. Akkor, amikor csókolóztatok, én csak... úgy éreztem, mintha a legnagyobb árulást követtétek volna el mindketten.

Megöleltem. Szorosan.

– Sajnálom. Annyira sajnálom.

– Tudom – ölelt vissza.

Hosszú ideig így maradtunk.

Aztán azt mondta:

– Csak nem értem, *miért* történt meg a csók. Mármint... Nem hiszem, hogy valaha voltam olyan őszintén megdöbbenve bármitől az életemben.

Éreztem, ahogy egy kicsit elvörösödöm.

– Rooney nem magyarázta meg?

– Őszintén szólva annyira ideges voltam, hogy alig hallottam, mit mondott – eresztett meg egy nevetést. – És mire lehiggadtam, valahogy túl késő volt.

– Ó!

Pip rám nézett.

– Georgia... Én nem akarlak... *kényszeríteni,* hogy bármiről beszélj, amiről nem akarsz beszélni. Mármint senkit sem lenne szabad az embereknek kényszeríteni, különösen nem a barátaikat, és különösen az olyan dolgokról, mint... mint a szexualitás. – A hangja ellágyult. – De... legalább azt akarom, hogy tudd, hogy *beszélhetsz* velem róla, ha *akarsz,* és ígérem, meg fogom érteni.

Megdermedtem.

Tudta, hogy van valami.

Valószínűleg ezer éve tudta.

– Nem tudom, vajon megértenéd-e – mondtam nagyon halk hangon.

Pip elhallgatott, majd rövid, elkeseredett kuncogást hallatott.

– Nem vagyok biztos benne, hogy tisztában vagy a ténnyel, Georgia Warr, de én egy kivételesen humánus leszbikus vagyok egy életre szóló tapasztalattal a melegtémák terén.

Nevettem.

– Tudom. Végig ott voltam a Keira Knightley-időszakodban.

– Öhm, a Keira Knightley-időszakom még mindig tart, nagyon szépen köszönöm. Még mindig megvan az a plakát otthon a szobámban.

– *Még mindig?*

– Nem dobhattam ki. Ez képviseli a meleg ráébredésemet.

– Úgy érted, nem dobhatod ki, mert dögös.

– Talán úgy.

Mindketten vigyorogtunk, de nem tudtam, merre tovább. Csak el kellene mondanom? Találnom kellene neki egy cikket, amit elolvashat? Egyszerűen ejtenem kéne ezt az egész témát, mert sosem fogja megérteni?

– Szóval... – mondta Pip elfordítva a testét, így szembenézett velem.

– Keira Knightley. Vélemény?

Felhorkantottam.

– Azt kérdezed tőlem, tetszik-e *nekem* Keira Knightley?

– Ja.

– Ó! – Szóval így csináltuk. – Nos, öhm, nem.

– Mi a helyzet... a lányokkal általában?

Pip a szája elé tartotta a bögréjét, kérdő óvatossággal bámulva rám.

– Nem – motyogtam.

Azt hiszem, ebben most már biztos voltam. De még mindig majdnem lehetetlennek éreztem beismerni. Legalábbis Pipnek valószínűleg könnyebb lett volna megérteni, ha a lányokat kedvelném.

– Szóval... a dolog Rooney-val... – Pip lefelé pillantott. – Ez csak... csak kíváncsiság volt, vagy...?

Kíváncsiság. Nevetni akartam. Én mindig is a kíváncsi ellentéte voltam.

– A *kétségbeesett* a szó, amit használnék – mondtam, mielőtt leállíthattam volna magam.

Pip zavarodottan összeráncolta a homlokát.

– Kétségbeesett miért?

– Kétségbeesetten akartam találni valakit, aki tetszik – néztem Pipre. – Bárkit.

– Miért? – suttogta.

– Mert... nincs ilyen. Nem tudom. Nem tetszik meg senki. Se fiúk, se lányok, se senki – futtattam át az egyik kezemet a hajamon. – Én csak... nem tudom. Sosem fog tetszeni senki.

Vártam a szavakat, amik szükségszerűen következnek. *Nem tudhatod. Egy nap majd találkozni fogsz valakivel. Csak nem találkoztál még a megfelelő emberrel.*

De minden, amit mondott, az volt:

– Ó!

Lassan bólintott azon a módon, mint amikor keményen gondolkozik valamin.

Egyszerűen ki kellett mondanom a szavakat.

– Aromantikus aszexualitásnak hívják – hadartam el egy levegővel.

– Ó! – felelt megint.

Vártam, hogy mondjon valami többet, de nem tette. Csak ült ott, és igazán keményen gondolkozott.

– Vélemény? – kérdeztem kiengedve egy kis, ideges nevetést. – Ki kell keresnem neked Wikipédián?

Pip kiszakadt a kis gondolatbuborékából, és rám nézett.

– Nem. Nem kell a Wikipédia.

– Megértem, hogy ez furcsán hangzik. – Éreztem, ahogy elvörösödöm. Vajon fel fogok hagyni valaha azzal, hogy kínosan érezzem magam, ha ezt meg kell magyaráznom az embereknek?

– Nem furcsa.

– De, furcsán hangzik.

– Nem, nem hangzik.

– De igen.

– *Georgia!* – Pip egy kicsit dühösen mosolygott. – Nem vagy furcsa.

Ő volt az első ember, aki ezt mondta nekem.

Gyűlöltem, hogy még mindig úgy éreztem néha a lelkem mélyén, hogy ez nem normális.

De talán időbe fog telni, míg túlteszem magam a dolgon.

Talán lépésről lépésre elkezdhetem hinni, hogy rendben vagyok.

– Habár egy kicsit terjengős, nem? – folytatta Pip hátradőlve az ágy oldalának. – Tizenegy teljes szótag. Kicsit túl hosszú.

– Néhány ember aro-ace-nek hívja rövidebben.

– Ó, ez sokkal jobb! Ez úgy hangzik, mint egy karakter a *Star Wars*ból – csinált drámai mozdulatot az egyik kezével. – *Aro Ace.* Az univerzum védelmezője.

– Oké, ezt gyűlölöm.

– Gyerünk már! Kedveled az űrt.

– Nem.

Csak viccelődtünk, de valahogy sikítani akartam. *Vegyél komolyan!* Rájött.

– Sajnálom – mondta. – Nem tudom, hogyan beszéljek komoly dolgokról úgy, hogy nem csinálok belőlük viccet.

Bólintottam.

– Igen. Semmi baj.

– Te… így éreztél az egész gimi alatt?

– Igen. Habár nem igazán voltam tisztában vele – vontam vállat.

– Csak azt gondoltam, szuperválogatós vagyok. És a hamis érzéseim Tommy iránt egy kissé félrevezetők voltak.

Pip nekidöntötte a fejét a lepedőmnek, várta, hogy többet halljon.

– Azt hiszem… mindig izé… kellemetlennek éreztem, amikor próbáltam érzelmeket táplálni bárki iránt. Mármint csak helytelennek és kínosnak éreztem. Mint ami Jasonnel történt. Tudtam, hogy nem tetszik nekem, mert amikor bármi romantikusat próbáltunk csinálni, egyszerűen… *helytelennek* éreztem. De azt hiszem, azt gondoltam, hogy mindenki érez így, és csak tovább kell próbálkoznom.

– Lehet egy hülye kérdésem? – szólt közbe Pip.

– Öhm, igen…

– Ez rosszul fog hangozni, de izé, honnan tudod, hogy nem találsz valakit egy nap?

Ez volt a kérdés, ami hónapok óta gyötört.

De amikor Pip feltette nekem, rájöttem, tudom a választ.

Végre!

– Mert ismerem magam. Tudom, mit érzek, és… mit van lehetőségem érzeni, úgy gondolom. – Gyengén rámosolyogtam. – Úgy értem, honnan tudod, hogy nem fogsz beleesni egy srácba egy nap?

Pip elfintorodott.

Nevettem.

– Igen, pontosan. Te egyszerűen *tudod* ezt magadról. És most már én is tudom magamról.

Csend következett, hallottam a saját szívverésemet a mellkasomban. Istenem, alig vártam, hogy az erről szóló beszélgetés ne okozzon számomra magas adrenalinszintet és ideges verejtékezést.

Hirtelen Pip lecsapta az üres bögréjét a szőnyegre, és felkiáltott:

– Nem tudom elhinni, hogy egyikünk sem jött rá korábban! Az isten szerelmére! Mi a kibaszásért vagyunk ilyenek?

Felkaptam a bögréjét, kissé rémülten, és biztonságosan eltettem az útból az éjjeliszekrényemre.

– Hogy érted?

Megrázta a fejét.

– Szó szerint ugyanazon a dolgon mentünk keresztül ugyanabban az időben, és *egyikünk sem jött rá.*

– Ugyanazon?

– Nos, úgy értem, néhány apró részlet megváltoztatásával.

– Mint a tény, hogy neked tetszenek a lányok?

– Igen, mint ez. De eltekintve ettől, mindketten próbáltuk magunkra kényszeríteni, hogy kedveljük a srácokat, mindketten kínlódtunk a ténnyel, hogy nem zúgtunk bele az emberekbe, akikbe kellett volna, mindketten úgy éreztük... nemtom... hogy *furcsák és mások* vagyunk! És *egyikünk sem kedveli a srácokat!* És... ó, istenem, én voltam az, aki úgy jött hozzád, hogy „*ó, ne, szomorú, de azt hiszem, meleg vagyok, és nem tudom, mit tegyek*", miközben te egész idő alatt az elfojtás olyan intenzív állapotában voltál, hogy tökre azt gondoltad, heteró vagy, a tény ellenére, hogy bármit is csináltál a srácokkal, *hányni* akartál.

– Ó! – mondtam. – Igen.

– Igen!

– Mindketten segghülyék vagyunk?

– Azt hiszem, igen, Georgia.

– Ó, ne!

– De. Ez a tanulsága ennek a beszélgetésnek.

– Nagyszerű!

És aztán Pip nevetni kezdett. És ez engem is megnevettetett. Aztán hisztérikusan nevettünk, a hang visszhangzott a szobában, és nem emlékeztem az utolsó alkalomra, amikor Pip és én így nevettünk együtt.

Kihagytuk az ebédet, ezért úgy döntöttünk, hogy csinálunk egy kis pikniket az összes nasiból, amit a szobámban tartok, ami bőséges volt. Ültünk a padlón, és ettük a saját márkás kekszeket, a félig üres, családi méretű zacskós karamellizált hagymachipset és bagelt, ami kétségkívül majdnem száraz volt, miközben a *Moulin Rouge*-t néztük, természetesen.

Ez hasonlított a múlt éjszakához, amikor YouTube-videókat néztünk Rooney-val. Ha életem minden éjszakáját azzal tölthetném, hogy nasit eszem, és valami bugyutaságot nézek egy hatalmas ágyban a legjobb barátaimmal, boldog lennék.

A jövő még mindig megijesztett. De minden egy kicsit derűsebbnek tűnt, amikor a barátaim körülöttem voltak.

Nem beszéltünk többet nemi identitásról, romantikáról és érzésekről, míg a film majdnem véget nem ért. Akkor átköltöztünk az ágyra, és egy órán keresztül csendben gubbasztottunk az ágyneműmben. Veszélyesen közel álltam hozzá, hogy elaludjak.

De aztán Pip megszólalt. A hangja lágy és csendes volt a szoba gyenge fényében.

– Miért kérted meg a college kezemet? – kérdezte.

Egy csomó oka volt. Nagy gesztust akartam csinálni, fel akartam vidítani, azt akartam, hogy újra a barátom legyen, a helyes dolgot akartam tenni. Biztos voltam benne, hogy Pip is tudja mindezeket a dolgokat.

De talán szüksége volt rá, hogy hangosan is kimondjam neki.

– Mert szeretlek – mondtam –, és megérdemled az olyan varázslatos pillanatokat, mint az.

Pip rám bámult.

Aztán a szeme megtelt könnyekkel.

Rátámaszkodott az egyik kezére, eltakarva a szemét.

– Te kibaszott seggfej! Nem vagyok elég részeg, hogy sírjak, miközben érzelmes beszélgetést folytatok a barátaimmal.

– Nem sajnálom.

– Kellene! Hol a fenében vannak a *te* könnyeid?

– Nem sírok mások előtt, csajszi! Tudod jól.

– Új életcélomnak tekintem, hogy megríkassalak.

– Sok szerencsét hozzá!

– Meg fog történni.

– Biztosan.

– Gyűlöllek.

Rávigyorogtam.

– Én is gyűlöllek.

KÁOSZ

Szédelegve ébredtem fel következő reggel a hálószobaajtó nyitódásának hangjára, és amikor felemeltem a fejem, nem voltam meglepve, hogy Rooney lopakodik be a múlt éjszakai ruháiban. A teljes öltönyben, amit a lánykérés részeként viselt.

Ez egy viszonylag normális esemény lett mostranra, ám ami *nem* volt normális, a mód, ahogyan Rooney megdermedt a vízszín szőnyege közepén, és a helyet bámulta mellettem a franciaágyon – a saját oldalán –, amit Pip Quintana foglalt el.

Pip és én olyan sokat csevegtünk múlt éjszaka, hogy mire rájött, talán vissza kéne mennie a saját kollégiumába, már éjfél körül volt. Szóval kölcsönöztem neki valami pizsamát, és itt töltötte az éjszakát. Mindketten teljesen elfeledkeztünk a tényről, hogy a dolgok meglehetősen kínosak tudnak lenni Pip és Rooney között, ha ugyanabban a szobában vannak.

Egy nagyon nyilvánvaló néhány másodpercnyi csend következett.

És aztán azt mondtam:

– Jó reggelt!

Rooney semmit sem mondott egy pillanatig, aztán elkezdte nagyon lassan levenni a cipőjét, és azt mondta:

– Jó reggelt!

Mozgolódást éreztem magam mellett, és felmarkolva a szemüvegemet az éjjeliszekrényről, megfordultam, hogy megnézzem. Pip ébren volt, már feltette a saját szemüvegét.

– Ó! – mondta, és láthattam az arcát elborító vörösséget. – Öhm, sajnálom. Nekem... Valószínűleg meg kellett volna kérdeznünk, hogy...

– Nem gond! – rikoltotta Rooney, és elfordult, hogy őrjöngve áttúrja a piperetáskáját egy csomag sminklemosó korongért. – Itt maradhatsz, ha akarsz!

– Igen, de... ez a te szobád is...

– Nem igazán érdekel!

– O...ké – ült fel Pip. Elkezdett kimászni az ágyból. – Öhm, mindenesetre valószínűleg mennem kéne, van egy előadásom ma reggel.

Összeráncoltam a homlokomat.

– Várj, olyan reggel hét lehet.

– Igen, nos, meg kell mosnom a hajamat és egyebek, szóval...

– Nem kell elmenned miattam! – mondta Rooney a szoba másik feléről. Elfordult tőlünk az arcát dörzsölve a sminklemosó koronggal.

– Nem miattad! – mondta Pip túl gyorsan.

Mindketten pánikoltak. Rooney elkezdett átöltözni pizsamába, csak hogy legyen mit csinálnia. Pip elkezdte összeszedni a saját ruháit tegnapról, miközben elszántan távol tartotta a tekintetét Rooney-tól, aki jelenleg csak egy rövid pizsamanadrágot viselt.

Én igazán, igazán nevetni akartam, de mindkettejük érdekében csukva tartottam a számat.

Pipnek sokkal több időbe telt összeszedni a holmijait, mint ami szükséges volt, szerencsére, mire meg mert fordulni, Rooney már felvette a pizsamafelsőjét, és az íróasztalán ült. Megkísérelt közömbösnek tűnni a telefonja görgetése közben.

– Nos... – nézett rám Pip csaknem zavarodottan. – Később... találkozunk?

– Igen – mondtam. Összeharaptam a számat, hogy ne röhögjek.

Pip elindult kifelé a szobából, de hirtelen lenézett a halom ruhára, amit a kezében tartott, és azt mondta:

– Ó, a szarba, öhm, azt hiszem... ez nem az enyém... – Előhúzott egy leggingset rajta a „St. John's College" felirattal. Rooney-ét.

Rooney tettetett közönyösséggel pillantott rá.

– Ó, igen, az az enyém – nyújtotta ki a kezét.

Pipnek nem volt más választása, mint a közelébe menni, és átadni neki.

Rooney tekintete Pipébe mélyedt, ahogy ő lassan közeledett. Pip kinyújtotta a leggingset, és a magasból Rooney nyitott tenyerébe ejtette, ami azt a látszatot keltette, hogy ideges a gondolatra, hogy a keze Rooney bőrének közelébe kerüljön.

– Köszi – mondta Rooney.

Egy esetlen mosoly.

– Szívesen. – Pip Rooney íróasztala mellett téblábolt. – Szóval... buliztál múlt este, vagy...?

Rooney nyilvánvalóan nem számított erre. Megszorította a nadrágot a kezében, és azt mondta:

– Ó, igen! Igen, én csak... néhány barátommal elmentünk szórakozni a Wiff Waffba, és aztán a szobájukban maradtam. – Rooney kimutatott az ablakon. – Egy másik épületben. Nem voltam képes visszasétálni ide.

Pip bólintott.

– Klassz. Wiff Waff... az az asztaliteniszbár, igaz?

– Igen.

– Szórakoztatónak hangzik.

– Igen, jó volt. Habár könnyen válok versengővé.

Pip elmosolyodott.

– Igen, tudom.

Az arckifejezéséből ítélve úgy tűnt, ez a kijelentés alapjaiban rázta meg Rooney-t.

– Igen – mondta feszülten egy hosszú szünet után. – Szóval... Te és Georgia pizsamapartit tartottatok?

– Ó, igen, öhm... – sápadt el hirtelen Pip. – Úgy értem... csak plátói alapon. Nyilvánvalóan. Mi nem... Georgia nem...

– Tudom – mondta gyorsan Rooney. – Georgia nem szereti a szexet.

Pip szája megrándult. Úgy tűnt, az, hogy Rooney használta a *szex* szót, Pipet a pánik egy másik szintjére emelte.

– Georgia éppen itt van – mondtam. Szó szerint képtelen voltam letörölni a vigyort az arcomról ezen a ponton.

Pip hátralépett, az arca elvörösödött.

– Öhm... mindegy is, jobb, ha megyek.

Rooney kábultnak tűnt.

– Oké.

– Én... nos, örülök, hogy... öhm... igen.

– Igen.

Pip kinyitotta a száját, hogy mondjon még valamit, majd vetett egy pánikkal teli pillantást felém, és aztán már kint is volt a szobából egyetlen szó nélkül.

Vártunk néhány másodpercet, míg meghallottuk becsukódni az ajtót a folyosó végén.

És aztán Rooney felrobbant.

– Te KIBASZOTTUL SZÓRAKOZOL VELEM, GEORGIA? Nem tudtad volna megtenni azt az aprócska szívességet, hogy FIGYELMEZTETSZ, hogy a lány, aki tetszik, ITT LESZ, amikor visszajövök? – Felalá járkált. – Azt gondolod, betáncoltam volna ide a kibaszott MÚLT ÉJSZAKAI RUHÁMAT viselve, a tegnap esti elkenődött sminkemmel az egész KIBASZOTT arcomon, ha tudom, hogy Pip Quintana itt lesz a LEGKIBASZOTTABBUL imádni való reggeli fejjel, amit valaha csak a KIBASZOTT életemben láttam?

– Fel fogod ébreszteni az egész folyosót – mondtam, de úgy tűnt, még csak meg sem hallott.

Rooney arccal előrerogyott az ágya saját oldalára.

– Milyen benyomást kelthettem azzal, hogy reggel hétkor érek vissza a saját kollégiumi szobámba, mintha épp most keféltem volna valakivel, akivel soha többé nem akarok újra beszélni?

– Azt tetted? – kérdeztem.

Felemelte a fejét, és vetett rám egy szúrós pillantást.

– NEM! Az isten szerelmére! A Bailey-bál előtt csináltam utoljára ilyet.

– Gondoltam, rákérdezek – vontam vállat.

A hátára fordult, széttárva a végtagjait, mintha bele akarna olvadni a lepedőbe.

– Kész káosz vagyok.

– Szóval, Pip... – mondtam. – Lényegében egymásnak vagytok teremtve.

Rooney halk morgó hangot hallatott.

– Ne adj nekem hamis reményt! Sosem fog kedvelni engem azok után, amit tettem.

– Kíváncsi vagy a véleményemre?

– Nem.

– Oké.

– Várj, igen! Igen, az vagyok.

– Te is tetszel Pipnek, és azt hiszem, tényleg meg kéne próbálnod beszélni vele újra normálisan.

A hasára gördült.

– Abszolút lehetetlen. Ha ötleteket akarsz adni, kérlek, adj reálist.

– Ez miért lehetetlen?

– Mert szar vagyok, és ő jobbat érdemel. Különben sem tudok szerelembe esni. Túl leszek ezen. Pipnek egy *kedves* emberrel kellene lennie.

Amiatt, ahogyan ezt mondta, könnyeden és közömbösen, könnyen azt hihettem volna, hogy viccel. De mivel ekkorra már egy kicsit mélyebb szinten megértettem Rooney-t, tudtam, hogy egyáltalán nem viccelt.

– Csajszi – mondtam –, én vagyok az, aki nem *tud* szerelembe esni. Úgy gondolom, te csak nem akarsz.

Panaszos hangot hallatott.

– Nos? – kérdeztem. – Aromantikus vagy?

– Nem – morogta.

– Na tessék. Szóval ne tedd tönkre az identitásomat! És mondd meg Pipnek, hogy bejön neked!

– Ne használd az identitásodat arra, hogy rákényszeríts, hogy bevalljam az érzéseimet.

– Képes vagyok rá, és fogom is.

– Láttad a haját? – motyogta Rooney a párnájába.

– Öhm, igen…

– Olyan puhának tűnt.

– Valószínűleg meggyilkolna téged, ha puhának hívnád.

– Fogadok, hogy az illata is igazán finom.

– Az.

– Baszd meg!

Félbeszakított minket az értesítési hang mindkettőnk telefonjáról. Egy üzenet a Shakespeare társulatos csoportchatünkben. Abban, amelyiket újév előtt használtunk utoljára: „Egy Szentivánéji Csapás".

Felipa Quintana
Elfelejtettem mondani...
Szeretnék újra csatlakozni a ShT-hoz
Ha megengeditek
Két héten belül meg tudom tanulni a szövegemet!!!

Ott feküdtünk az ágyon, egyszerre olvastuk el az üzenetet.

– Megcsináljuk a színdarabot – mondta Rooney lélegzet-visszafojtva. Nem tudtam, vajon izgatott vagy rémült.

– Neked oké így? – kérdeztem. Úgy gondoltam, ezt akarta. Feldúlt volt, amikor Pip és Jason kilépett, és a társulat felbomlott. Ez hetekre egy toxikus spirálba taszította.

Rooney nagyon jó volt abban, hogy azt színlelje, jól van. Néha még most sem sikerült kiszúrnom, amikor megindult a lejtőn. És a múltkori összeomlása, ez a helyzet Pippel és az összes érzés után, amikkel küzdött, és amikkel én is még mindig foglalkoztam...

Rendben leszünk?

– Nem tudom – mondta. – Nem tudom.

ÖSSZETOLVA TARTOTTUK
AZ ÁGYAKAT

– *Kedvem ellenére* – mondta Pip a szemét forgatva, miközben nekidőlt az oszlopnak, amit egy egész délelőttömbe telt összekézműveskedni kartonpapírból és papírmaséból – *ide küldtek, hogy vacsorázni hívjalak, signor.*[12] Rooney egy székben henyélt a színpad közepén.

– *Szép Beatrice* – mondta, és kacér arckifejezéssel felállt –, *köszönöm fáradozásodat.*

Tíz napunk volt az előadásig. Ez határozottan nem volt elég idő befejezni az összes jelenetet, megtanulni az összes szöveget, elkészíteni a jelmezeket és a díszletet. Mindennek ellenére megpróbáltuk.

Pip arckifejezése nemtörődöm maradt.

– *Nem fáradtam többet ezért a köszönetért, mint te azzal, hogy kimondtad. Ha fáradságomba kerül, ide se jövök.*

Rooney közelebb lépett, zsebre tette a kezét, és önelégülten levigyorgott Pipre.

– *Tehát* örömöd *telt a küldetésben.*

---

[12] William Shakespeare: *Sok hűhó semmiért,* Mészöly Dezső fordítása.

A mai próba előtt Rooney kemény húsz percet töltött azzal, hogy átöltözzön és megcsinálja a haját, úgyhogy egyenesen rákérdeztem:

– Ezt Pip miatt csinálod?

Hangosan és hosszan tagadta, mielőtt azt mondta:

– Igen. Jó. Mit tegyek?

Beletelt egy pillanatba, hogy felfogjam, a segítségemet kéri. Romantikával kapcsolatban.

Pontosan úgy, ahogy annyi hónappal ezelőtt a Gólyahéten én is tettem.

– *Egy késhegynyi, amennyivel megfújthatsz egy csókát* – gúnyolódott Pip összefonva a karját. – *Látom, signor, nincs étvágyad. Áldjon ég!* – Aztán megfordult, és lesuhant a színpadról.

Én, Jason és Sunil tapsoltunk.

– Ez jó volt! – mondta Pip egy mosollyal az arcán. – Ez jó volt, igaz? És nem felejtettem el a *megfújthatsz egy csókát* részt.

– Oké voltál – mondta Rooney felvonva a szemöldökét.

Minden tanácsot megadtam Rooney-nak, ami csak az eszembe jutott. *Légy önmagad! Beszélj hozzá! Talán néha próbálj kedves dolgokat mondani.*

Nos, legalább próbálkozott.

– Sokat jelent, hogy te mondod – mondta Pip, Rooney pedig elfordult, szóval nem láthattuk az arckifejezését.

Öt nappal az előadás előtt összpróbát tartottunk. Elrontottunk számos végszót, Jason beverte a fejét a papírmasé oszlop tetejébe, én pedig teljesen kikapcsoltam a végső szónoklatomnál a *Szentivánéji álom*ból, de végül végigcsináltuk, és nem volt teljes katasztrófa.

– Tulajdonképpen megcsináltuk – mondta Pip. A szeme elkerekedett, amint mind abbahagytuk a tapsolást egymásnak. – Mármint lehet, hogy talán sikerre visszük.

– Ne légy olyan meglepett! – gúnyolódott Rooney. – Igazán jó rendező vagyok.

– Elnézést, *társ*rendezők vagyunk. Az elismerés egy része az enyém.

– Nem. Tévedsz. Elbocsátottalak a rendezői tisztségből, amikor úgy döntöttél, cserben hagysz minket két hónapra.

Pipnek tátva maradt a szája, felém kapta a fejét, hogy lássa a reakciómat.

– Szabad már ezzel viccelődnie? Biztosan nem vagyunk még azon a ponton, ahol már viccelődhetünk a viszálykodásunkkal.

– Azzal viccelődöm, amivel akarok – mondta Rooney.

A székek halmokba rakásával voltam elfoglalva.

– Nem fogok ebbe belekeveredni – mondtam.

– Nem – fordult vissza Pip Rooney-hoz. – Megfellebbezem! Vissza akarom kapni a társrendezői tisztségemet!

– Nem fogod visszakapni! – mondta Rooney, és elkezdte áttolni az oszlopot a helyiség egyik oldalára.

Pip egyenesen Rooney-hoz sétált, és megbökdöste a karját.

– Nagy kár! Visszaveszem!

Megint meg akarta bökni, de Rooney megkerülte az oszlopot, és azt mondta:

– Akkor meg kell harcolnod érte!

Pip követte őt, növelve a bökései sebességét, vagyis alapvetően csiklandozva Rooney-t.

– Talán meg is fogok!

Rooney megpróbálta elhessegetni, de Pip túl gyors volt, és hamarosan gyakorlatilag körbe-körbekergette Rooney-t a helyiségben, mindketten visítoztak, és egymást csapkodták.

Mosolyogtak, és annyira nevettek, hogy az *engem* is mosolygásra késztetett.

Annak ellenére, hogy még mindig nem voltam biztos benne, Rooney vajon tényleg jól van-e.

Nem beszéltünk újra arról, amit elmondott nekem azon az éjszakán, amikor összetoltuk az ágyainkat. Bethről, az expasijáról és a tinédzserkoráról.

De összetolva tartottuk az ágyainkat.

Próbáltuk a színdarabunkat, ettünk a menzán, és Rooney abbahagyta a bulizást. Együtt ültünk az előadásokon, sétáltunk a könyvtárba és onnan vissza a hidegben, és néztük a *Brooklyn 99 – Nemszázas körzetet* egy szombat reggel délig a takarókba temetkezve. Vártam, hogy újra összeomoljon. Hogy elmeneküljön tőlem.

De nem tette, és még mindig összetolva tartottuk az ágyainkat. Levette a fotót Bethről. Nem dobta ki, csak betette az egyik jegyzetfüzetébe, ahol biztonságban lehet. *Több fényképet kéne csinálnunk,* gondoltam. *Akkor lenne valami más, amit kitehetne a falra.*

Éreztem, hogy van még valami, amit nem mondott el. Valami, amivel nem foglalkozunk. Kitaláltam, ki vagyok, ő pedig elmondta nekem, ki volt, de éreztem, hogy van még valami több, és nem tudtam, vajon ő tartja-e magában a dolgokat, vagy én. Talán mindketten. Még azt sem tudtam, vajon olyasvalamiről van-e szó, amiről beszélnünk kell.

Néha felébredtem az éjszaka közepén, és nem tudtam visszaaludni, mert rémülten gondolkozni kezdtem a jövőn. Jelenleg ötletem sem volt, hogy fog kinézni számomra. Néha Rooney is felébredt, de nem mondott semmit. Csak feküdt ott, egy kicsit mozgolódva a paplan alatt.

Mégis megnyugtató volt, amikor felébredt. Amikor csak ott volt, ébren velem.

Az egész a színdarab előtti este csúcsosodott ki.

Én, Pip és Rooney összegyűltünk egy végső próbára Pip hálószobájába. Sunil, aki a szónoklatok szakértője volt, hetekkel ezelőtt mindent memorizált, Jason pedig mindig gyorsan megtanulta a szövegét, de mi hárman úgy éreztük, akarunk még egy utolsó esélyt mindent összemondani.

Pip hálószobája semmivel sem volt rendezettebb, mint múlt alkalommal, amikor itt voltam. Valójában igazából sokkal rosszabb volt. De sikerült megtisztítania egy kis foltot a szőnyegen magának és Rooney-nak a játékhoz, és a padlón, az ágya mellett kialakított egy kényelmes, párnákkal és nasikkal felhalmozott területet lazítani. Elterültem a párnákon, amíg ők átvették a jeleneteiket.

– Rosszul mondod ezt a sort – mondta Rooney Pipnek, és ez olyan volt, mintha visszatértünk volna az első hétre, amikor találkoztunk. – Én azt mondom: „*Te nem szeretsz?*", te pedig azt mondod: „*Nem jobban, mint tanácsos*". Mintha… mintha megpróbálnád eltitkolni az érzéseidet.

Pip felvonta a szemöldökét.

– Én pontosan így mondtam.

– Nem, úgy mondod, hogy „*Nem jobban, mint tanácsos?*", mintha ez egy kérdés lenne.

– Határozottan nem.

Rooney intett egyet a *Sok hűhó semmiért*-példányával.

– De igen. Nézd, csak bízz bennem, ismerem ezt a darabot…

– Elnézést, én is ismerem ezt a darabot, és szabad a saját értelmezésemet…

– Tudom, és ez rendben is van, de mint…

Pip felvonta a szemöldökét.

– Azt hiszem, félsz, hogy lejátszalak a színpadon.

Szünet következett, míg Rooney rájött, hogy Pip viccelt.

– *Miért* félnék ettől, amikor *nyilvánvalóan* én vagyok a jobb színész? – vágott vissza, becsapva a könyvet.

– Hűha! Öntelt, nem kicsit.

– Csak megállapítom a tényeket, pipszkálódó.

– Roo… – mondta Pip –, ne már! *Tudod,* hogy én vagyok a jobb színész.

Rooney kinyitotta a száját, hogy visszavágjon, de úgy tűnt, hogy a hirtelen becenévhasználat annyira váratlanul érte, hogy még csak válasz sem jutott az eszébe. Nem gondoltam, hogy valaha látni fogom őt ilyen őszintén izgatottnak, addig a pillanatig.

– Mi lenne, ha tartanánk egy kis szünetet? – kérdeztem. – Nézhetnénk filmet.

– Öhm, jó – mondta Rooney. Nem nézett Pipre, ahogy csatlakozott hozzám a párnarakáson. – Oké.

Betettük a *Könnyű nőcskét*, mert Rooney még sosem látta, és bár nem teljesen volt a *Moulin Rouge* szintjén, ez volt Pippel az egyik kedvenc ottalvós filmünk.

Nem láttam már egy ideje. Azóta nem, hogy Durhambe jöttem.

– Elfelejtettem, hogy ez a film egy lányról szól, aki a szociális kapcsolatokért azt hazudja, hogy nem szűz – mondtam, amikor körülbelül fél óránál tartottunk. Pip és Rooney között ültem.

– Ami a tinifilmek legalább nyolcvan százalékának a bonyodalma – mondta Rooney. – Annyira irreális.

Pip felhorkant.

– Úgy érted, te *nem* hazudtál arról, hogy együtt aludtál egy sráccal, majd sétáltál körbe a fűződre hímzett skarlát betűvel, amikor tizenhét voltál?

– Nem kellett hazudnom – mondta Rooney –, és nem tudok varrni.

– Nem értem, miért van annyi tinifilm tinédzserekről, akik megszállottak a szüzességük elvesztésével kapcsolatban – mondtam. – Mármint… kit érdekel voltaképpen?

Pip és Rooney nem mondott semmit egy pillanatig.

– Nos, úgy gondolom, elég sok tinédzsert érdekel – közölte Rooney. – Vegyük például Pipet.

– Már elnézést! – kiáltott fel Pip. – Én nem… Én nem vagyok megszállottja a szüzességem elvesztésének!

– *Persze* nem vagy.

– Csak úgy gondolom, a szex *szórakoztató* lesz, ez minden. – Pip ismét a képernyő felé fordult, és kissé elpirult. – Nem érdekel, hogy szűz vagyok, én csak… a szex szórakoztatónak tűnik, úgyhogy szeretném inkább előbb, mint utóbb elkezdeni.

Rooney átnézett rá.

– Hát, én csak vicceltem, de jó ezt is tudni.

Pip még vörösebb lett, és dadogott.

– Fogd be!

– De miért fókuszál a legtöbb tinifilm arra, hogy a tinédzserek úgy érzik, meg fognak halni, ha nem veszik el a szüzességüket? – kérdeztem, aztán majdnem azonnal kitaláltam, mi a válasz. – Ó! Ez egy aszexuális dolog – nevettem magamon. – Elfelejtettem, hogy más emberek a szex megszállottjai. Hűha! Ez igazán vicces.

Hirtelen rájöttem, hogy Pip és Rooney mindketten engem bámulnak egy kis mosollyal az arcukon. Nem szánakozóan és leereszkedően. Egyszerűen mintha örültek volna nekem.

Azt hiszem, fejlődés volt, hogy nevetni tudtam a szexualitásomon. Ennek haladásnak kellett lenni, igaz?

– Ez egy jó film, de azt hiszem, jobb lenne, ha a fő románc meleg lenne – mondta Pip.

– Egyetértek – mondta Rooney, mi pedig ránéztünk.

– Azt gondoltam, te az olyan imádni való poszt-John Hughes heteró románcokért vagy oda – mondta Pip. – A heterók zabálják azt a szart.

– Ők azt teszik – értett egyet Rooney –, de szerencsére én nem vagyok heteró, szóval...

Hosszú, hosszú csend következett.

– Ó...óó! – fuldoklott Pip. – Nos... Nos akkor jó.

– Igen.

– Igen.

A film hátralévő részét extrém kínos csendben fejeztük be. És amikor vége volt, tudtam, itt az idő, hogy elmenjek. Lelépek, és hagyom megtörténni.

Próbáltak rávenni, hogy maradjak, de kitartottam. Alvásra van szükségem, mondtam nekik. Az utolsó jelenetüket egyedül is át tudják nézni.

Azt hiszem, egy kicsit magányosnak éreztem magam, ahogy kiléptem a Kastélyból. Lesétáltam a folyosókon, ki Pip tömbjéből, át a zöldön, és vissza a St. John's felé. Sötét volt, és hideg közel éjjel egy órakor, egyedül voltam.

Most egyedül voltam.

Amikor visszaértem a szobámhoz, bekapcsoltam a Universe Cityt YouTube-on, amíg átöltöztem a pizsamámba, kivettem a kontaktlencsémet, megmostam a fogamat, és ránéztem Roderickra, aki igazán úgy tűnt, hogy jobban van mostanában. És aztán befészkelődtem az ágyfelembe, a takarót magam köré tekerve.

Fél órára elaludtam, de izzadságban fürödve ébredtem. Az elmém megtelt rémálmok villanásaival egy apokaliptikus jövőről és az összes barátom haláláról. Automatikusan oldalra fordítottam a fejem, hogy ellenőrizzem Rooney-t, de nem volt itt.

Nehezebb volt visszaaludni, amikor nem volt itt.

Úgy ébredtem, mintha a fejemben a tévé statikusan zúgna, és a gyomrom tele lenne méhekkel, ami természetes volt a bemutató napján. De mindez nem hasonlítható a rettegés érzéséhez, ami elöntött, amikor ellenőriztem a telefonomat, és rájöttem, hogy hatalmas üzenetáradatot kaptam Piptől.

Az elsők így hangzottak:

Felipa Quintana
GEORGIA
VÉSZHELYZET
ELBASZTAM
ROONEY ELMENT

FELIZGULVA ÉS
ÖSSZEZAVARODVA

Felipa Quintana
Oké tudom hogy reggel 7 van és kétségkívül alszol de ó istenem
meg fogsz gyilkolni engem amikor elmagyarázom mi történt épp

Ó ISTENEM sflkgjsdfhlgkj oké

HŰHA

Sajnálom tökre nem tudom feldolgozni

Oké. rendben. szóval
Minden rendben volt múlt éjszaka, mármint, amint elmentél
mi csak átvettük az utolsó jelenetünket

(Úgy értem a mi mércénk szerint rendben, mármint
nyilvánvalóan a vele való beszélgetés egyszerűen minden
alkalommal tele van feszültséggel)

De mire befejeztük szuuuper késő volt, olyan hajnali 3 szóval
felajánlottam hogy aludhat a szobámban, mármint az
ágyamban velem, és IGENT mondott

Ez határozottan nem volt jó ötlet mert nem tudtam aludni egyetlen percet sem csajszi

Megint felkelt olyan hajnali 5 körül és elment némi vízért, és amikor visszajött tudtam hogy tudja hogy ébren vagyok szóval csak elkezdtünk beszélgetni miközben az ágyon feküdtünk

És nemtom hogy azért volt mert egyszerűen fáradtak voltunk vagy miért de izé... ez más volt, nem kötekedtünk, csak beszélgettünk dolgokról. Mármint először a színdarabról aztán az életünkről az iskolában és mindenféle mély szarságról.

Elmondta nekem... ember egy csomó igazán személyes dologról beszélgettünk legalább... egy órán át, talán több

Elmondta nekem hogy úgy gondolja pánszexuális!!!!!
Azt mondta egyszerűen nem hiszi hogy tényleg van nemi preferenciája és hogy ezt érzi a helyes szónak önmagára!!!!
Azt mondta hogy te már nagyjából tudtál erről

Ezer évig beszélgettünk és aztán csak csendben voltunk egy ideig és aztán azt mondta, és IDÉZEM, szó szerint azt mondta: „Tudom, úgy tűnik, mintha gyűlölnélek téged de valójában az ellentéte"

Georgia meghaltam

Én pedig azt mondtam: „igen... dettó" miközben próbáltam nem ténylegesen sikítani

És aztán egyszerűen felém hajolt és MEGCSÓKOLT

ADKLGJSHDFKLGJSLDFGSLFJGSLDF

Azonnal elhúzódott, olyan arckifejezéssel, mintha attól félne, hogy hibát követett el

De nyilvánvalóan NEM követett el hibát és láthatta ezt a kibaszott arcomon

És aztán újra előredőlt, és tényleg CSÓKOLÓZNI kezdtünk

Mármint rendes csókolózásról beszélek

Szóval én csak úgy voltam vele szent isten hogy történhet ez meg, szó szerint elhaláloztam, és mi csak csókolóztunk az ágyamban olyan húsz percig

ÖHM ez a sztori egy kicsit felnőtt-tartalom lesz innentől kezdve elnézést érte de ha nem mondhatom el valakinek mi történt akkor meghalok

Szóval egy idő után feltérdelt, és egyszerűen... levette a pólóját. És tetszett. Ó istenem

És aztán azt gondoltam OKÉ tovább akar menni az egyszerű csókolózásnál??

És ez rendben lenne nekem??? Én is akarom ezt???

Ő... visszafeküdt, és azt kérdezte: „Ez így rendben van?" mire én, a pokolba igen kérlek folytasd
(Voltaképpen nem a „kérlek folytasd" kifejezést használtam az első szexuális együttlétem során. Azt hiszem, csak nagyon lelkesen bólogattam.)

Szóval nyilvánvaló, hogy még soha nem csináltam semmi szexuálisat senkivel és ő... épp azon van, hogy betegye a kezét a pizsamanadrágomba én pedig pokolian ideges vagyok de rendkívül készen állok rá lol

De aztán visszahúzódik és azt mondja: „Ó, istenem!" és leugrik rólam és egyszerűen elkezd kiborulni felhúzza a ruháit összepakolja minden holmiját és azt mondja: „Annyira sajnálom, annyira sajnálom!" és én csak fekszem ott felizgulva és összezavarodva hogy: „Hm"

És aztán ő azt mondja: „baszki mindent elrontok" és aztán csak KIROHAN a szobámból

ELMENT

Hívtam őt és írtam neki üzenetet de ötletem sincs hol van visszament hozzátok???

Annyira aggódom össze vagyok zavarodva és ma van a színdarab és én egyszerűen kiborultam egy kicsit, azt hiszem talán felzaklattam őt és mindent elrontottam

De azt is gondolom hogy most szükségem van pár óra alvásra mert máskülönben el fogok ájulni a színpadon ma délután

Szóval öhm

Ja

Üzenj nekem amikor felébredsz

Georgia Warr
ébren vagyok
ó istenem

MEG FOGOM TALÁLNI ŐT

Georgia Warr
nincs itt
ne pánikolj
meg fogom találni őt

Elsőként felhívtam. Ültem az ágyunkban, hallgattam, ahogy a telefon kicsöng, és vártam.

Átkapcsolt hangpostára.

– Hol vagy? – mondtam azonnal, de nem tudtam, mi mást mondhatnék, szóval csak megszakítottam a hívást, kiugrottam az ágyból, felvettem a legközelebbi ruhákat, amik a kezembe kerültek, és futottam.

Ez nem történhet meg...

Nem hagy minket cserben az előadás napján...

Nem hagy cserben engem...

Egészen a lépcső aljáig futottam, mielőtt rájöttem, hogy szó szerint fogalmam sincs, hol keressem. *Akárhol* lehet. Egy könyvtárban. Egy kávézóban. Valahol az egyetemen. Valaki lakásán. Durham kicsi, de lehetetlen átkutatni az egész várost egy nap alatt.

Mégis meg kellett próbálnom.

Először egészen a színházig futottam. Talán csak úgy döntött, itt találkozik velünk, talán elment egy Starbucks kávéért először. Megegyeztünk, hogy itt találkozunk tízkor, az előadásunk délután kettőkor lesz, és most kilenc harminc volt, szóval valószínűleg csak egy kicsit korán jött.

Nekicsattantam az ajtónak, amikor megpróbáltam kinyitni. Zárva volt.

És ekkor kezdtem el megrémülni.

Otthagyta Pipet az éjszaka közepén. Hová ment ezek után? Felébredtem volna, ha visszajön a szobánkba. Elment volna meglátogatni a sok barátja egyikét, aki nem úgy tűnt, hogy törődik vele? Elment egy klubba? A klubok nem maradnak nyitva ilyen későig, igaz? Leguggoltam a járdán, és próbáltam lélegezni. Szarba. Mi van, ha valami rossz történt? Mi van, ha valami pasi megállt egy autóval, és elrabolta? Mi van, ha a hídon sétálva lezuhant?

Előhúztam a telefonomat a zsebemből, és megint felhívtam.

Nem vette fel. Talán még csak nála sincs a telefonja.

Helyette Pipet hívtam.

– Megtaláltad? – Ez volt az első dolog, amit mondott, amikor felvette.

– Nem. Ő… – Még csak nem is tudtam mit mondani. – Eltűnt.

– Eltűnt? Hogy… hogy érted, hogy *eltűnt?*

Felálltam, körbenéztem, mintha egyszer csak megláthatnám őt az utcán, felém futva, a sportos leggingsében, a mögötte repkedő lófarkával. De nem láttam. Persze hogy nem.

A hangom elcsuklott.

– Csak eltűnt.

– Ez az én hibám – mondta Pip azonnal, én pedig hallottam, mennyire zaklatott, és mennyire őszintén hiszi, amit mondott. – Ez… Nekem nem kellett volna… Valószínűleg ő még csak nem is… Túl korai volt még nekünk…

– Nem, ez az én hibám – mondtam. Nekem kellett volna vigyáznom rá. Nekem kellett volna látnom, hogy ez következik.

Mindenkinél jobban ismertem őt.

Bárkinél egész életében.

– Meg fogom találni – mondtam. – Esküszöm, meg fogom találni.

Ezzel tartoztam neki.

A klubhoz rohantam, amibe a Gólyahéten mentünk, amikor azt mondta nekem, keressek valakit, aki tetszik, ő meg lelépett egy sráccal. Úgy éreztem, évekkel ezelőtt történt.

Zárva volt. Persze hogy zárva; szombat reggel volt.

Elmentem a Tescóba, mintha csak megláthatnám, ahogy a gabonapehely-választékot böngészi, és körbejártam a teret, mintha csak ott ülhetne a kőpadon a telefonját görgetve. Átkeltem az Elvet hídon, és beviharzottam az Elvet Riverside előadóterem épületébe, még abban sem voltam biztos, hogy kinyitottak-e a hétvégén, de nem érdekelt. Ötletem sem volt, miért lenne Rooney itt szombat reggel, de reméltem, reméltem. *Imádkoztam.* Felmentem a Diákszövetséghez, és zárva találtam, aztán nem tudtam már futni, mert fájt a mellkasom. Szóval elsétáltam a Bill Bryson Könyvtárhoz, bementem, megálltam a lépcsőn, és egyszerűen azt kiáltottam egyszer: „ROONEY!" Mindenki megfordult, hogy rám nézzen, de nem érdekelt.

Rooney nem volt itt. Nem volt sehol.

Végül nem bizonyultunk elégnek számára?

Én nem voltam elég?

Vagy csak azért ismertük meg, hogy valami szörnyűség történjen vele?

Ismét felhívtam. És hangpostára ment.

– Történt valami? – kérdeztem.

Megint megszakítottam a hívást. Nem volt ötletem, mi mást mondjak.

Kifelé a könyvtárból a telefonom megcsörrent, de csak Jason volt az.

– Mi folyik itt? – kérdezte. – A színháznál vagyok, és Sunilon kívül senki más nincs itt.

– Rooney eltűnt.

– Hogy érted, hogy eltűnt?

– Ne aggódj, meg fogom találni őt.

– Georgia…

Megszakítottam a hívást, és megpróbáltam Rooney-t harmadszorra is.

– Talán a Gólyahéten otthagytál volna minket. De most már nem. Mindezek után nem – éreztem a feszülést a torkomban. – Nem hagynál el engem.

Amikor ezúttal letettem, rájöttem, hogy csak öt százalékon van a telefonaksim, mert elmulasztottam töltőre tenni múlt éjjel.

A szél kavargott körülöttem az utcán.

Hívnom kellene a rendőrséget?

Elindultam vissza, a városközpont felé, miközben az összes „mi van, ha" gondolat a fejemben kavargott. Mi van, ha hazament? Mi van, ha a folyóba esett, és meghalt?

Megálltam a járda közepén, hirtelen olyan erőteljesen villant fel az elmémben egy emlék, hogy úgy éreztem, mintha ostorcsapás ért volna.

Azon az első éjszakán a városban Rooney feltette magát a telefonomon a Find My Friendsre. Végül egyáltalán nem használtam, de... most működne?

Majdnem leejtettem a készüléket sietségemben, amikor elővettem és ellenőriztem. És bizony, a térképen ott volt egy kis kör Rooney arcával.

Kétségtelenül a mezőn volt, a folyó mellett, talán egy kilométerrel arrébb.

Azt sem engedtem meg magamnak, hogy arra gondoljak, miért. Csak megint futni kezdtem.

Nem gondoltam arra, hogy milyen lehet Durham a városközponton kívül. Az elmúlt hat hónapban csak az egyetemi épületeket, a macskaköves utcákat és az apró kávézókat ismertem meg.

De csak tíz percbe telt, hogy a nagy, végtelen zöldben találjam magam. Hosszú mezők terültek el előttem, amint követtem a kis, kitaposott gyalogösvényt, és a telefonomon lévő kis Rooney-pont nyomában jártam, míg a telefonom kijelzője el nem sötétült, és már nem tudtam.

Ezen a ponton nem volt szükségem rá. A pont a folyónál volt, egy híd mellett. Csak el kellett jutnom a hídhoz.

Ez újabb tizenöt percbe telt. Egyszer megijedtem, hogy tényleg eltévedtem a Google Maps segítsége nélkül, de csak továbbmentem, követve a folyót, míg megláttam. A híd.

A híd üres volt.

A környező gyalogösvények és mezők is.

Csak álltam és bámultam ott egy pillanatig. Aztán átsétáltam a hídon, és vissza, mintha Rooney lent aludna a folyóparton, vagy mintha megláthatnám a tarkóját a vízben ringatózni. De nem láttam. Ehelyett, amikor újra elértem a gyalogösvényt, megláttam, hogy valami csillog a fűben.

Rooney telefonja volt.

Felkaptam, és bekapcsoltam a kijelzőt. Az összes nem fogadott hívásom ott volt. Egy csomó Piptől is, és még egy pár Jasontől.

Leültem a fűbe.

És csak sírtam. A kimerültségtől, a zavartságtól, a félelemtől. Csak ültem egy mezőn Rooney telefonjával, és sírtam.

Még mindezek után sem tudtam segíteni neki.

Nem tudtam jó barátja lenni.

Nem tudtam elérni, hogy úgy érezze, fontos része az életemnek.

– GEORGIA!

Egy hang. Felnéztem.

Egy pillanatig azt gondoltam, talán álmodom. Vajon az elmém kivetülése volt, valami, amiről azt kívántam, hogy épp most megtörténjen?

De valódi volt.

Rooney átfutott a hídon hozzám egy Starbucks kávéval az egyik, egy csokor virággal a másik kezében.

HATALMAS GESZTUS

– Ó, *istenem,* Georgia, miért vagy... mi a baj?
Rooney térdre rogyott előttem, és a szememből patakzó könnyekre bámult.

Pip több tucatszor sírt előttem. Nem kellett sok, hogy elkezdje. Gyakran indokolt volt, de néha csak azért sírt, mert fáradt volt. Egyszer például azért sírt, mert lasagnét csinált, és leejtette a földre. Jason néhányszor sírt előttem. Csak amikor igazán rossz dolog történt, mint amikor rájött, milyen rettenetesen bánt Aimee vele. Vagy igazán szomorú filmeket néztünk idős emberekről, mint a *Szerelmünk lapjai* vagy a Pixartól a *Fel.* Rooney is sírt előttem néhány alkalommal. Amikor először mesélt nekem az exéről. Pip ajtaja előtt. És amikor összetoltuk az ágyainkat.

Én még sosem sírtam előtte.

Még sosem sírtam senki előtt.

– Miért... vagy... itt...? – sikerült eldadognom két ziháló lélegzetvétel között. Nem akartam, hogy így lásson engem. Istenem, nem akartam, hogy bárki lásson engem.

– Én ugyanezt kérdezhetném tőled! – dobta a földre a virágokat, a Starbucks poharat pedig óvatosan a gyalogösvényre helyezte, aztán leült mellém a fűbe. Rájöttem, hogy más ruhákat visel, mint tegnap este, most másik sztreccsnadrágban és pulóverben volt. Mikor ment vissza a szobánkba átöltözni? Átaludtam, amikor visszajött?

Körém fonta az egyik karját.

– Azt hittem… a folyóban… vagy… – mondtam.

– Azt gondoltad, hogy a folyóba estem, és *meghaltam?*

– Én n…nem tudom… megijedtem…

– Nem vagyok *hülye,* nem ugrálok csak úgy folyókba.

Ránéztem.

– Gyakran maradsz idegenek házában.

Rooney összeszorította a száját.

– Oké.

– *Kizártad magad a kollégiumból hajnali ötkor.*

– Oké. Talán egy kicsit hülye vagyok.

Megtöröltem az arcomat, egy kicsit nyugodtabbnak érezve magam.

– Miért volt itt a telefonod?

Szünetet tartott.

– Én… kisétáltam ide néhányszor. Bulik után. Nos… általában az azt követő reggeleken. Egyszerűen szeretek kijönni ide, és… úgy érezni, minden nyugodt.

– Sosem mesélted nekem.

Megvonta a vállát.

– Nem gondoltam, hogy bárkit igazán érdekelne. Egyszerűen ez volt az, amivel kitisztítottam a fejem. Szóval kijöttem ide ma reggel, valamikor elejtettem a telefonomat, és nem jöttem rá, míg vissza nem mentem a kollégiumba – addigra már biztosan elmentél –, szóval egyszerűen átöltöztem, és visszaszaladtam ide, és… most mindketten itt vagyunk.

A karja még mindig körülöttem volt. Kibámultunk a folyóra.

– Pip elmondta neked, mi történt? – kérdezte.

– Igen. – A lábamat az övéhez kocogtattam. – Miért futottál el?

Kifújta a levegőt.

– Én… nagyon félek… közel kerülni az emberekhez. És… múlt éjszaka, Pippel… amit csináltunk… nos, amit csinálni készültünk, é… én csak elkezdtem gondolkozni, hogy azt csinálom, amit általában. Szexelek, csak azért… hogy lekapcsoljam magam minden valódi érzésről – rázta meg a fejét. – De nem ezt tettem. Szinte azonnal rájöttem, amint otthagytam. Rájöttem, hogy ez… hogy ez lett volna az első alkalom valakivel, akivel tényleg… törődöm. Valakivel, aki törődik velem is.

– Igazán aggódott miattad – mondtam. – Talán vissza kellene mennünk.

Rooney felém fordult.

– Te is igazán aggódtál miattam, nem igaz? – kérdezte. – Sosem láttalak ezelőtt sírni.

Összeszorítottam a fogam, éreztem, hogy a könnyek újra kicsordulnak. Ez volt, amiért nem sírtam emberek előtt, ha elkezdtem, sok időbe telt, míg abbahagytam.

– Mi történt? – kérdezte. – Mondd el!

– Én... – sütöttem le a szememet. *Nem akartam, hogy lásson.* De Rooney rám nézett, összevonta a szemöldökét, olyan sok gondolat kavargott a tekintetében, és ez volt az a nézés, amitől elkezdett ömleni belőlem a szó. – Én csak annyira törődöm veled... de mindig is bennem volt ez a félelem, hogy... egy nap el fogsz hagyni. Vagy Pip és Jason hagy el, vagy... nem tudom. – Újabb könnyek potyogtak le az arcomról. – Sosem leszek szerelmes, szóval... a barátság minden, amim van, szóval... én csak... nem tudom elviselni a gondolatot, hogy elveszítem bármelyik barátomat. Mert soha nem lesz meg az a különleges személy.

– Megengeded, hogy én legyek az a személy? – kérdezte Rooney csendesen.

Hangosan szipogtam.

– Hogy érted?

– Úgy értem, én akarok lenni a te különleges személyed.

– D...de... a világ nem így működik, az emberek mindig a barátságok fölé helyezik a szerelmet...

– Ki mondja? – hadarta Rooney, a kezével a földre csapott előttünk.

– A heteronormatív szabálykönyv? *Basszák meg,* Georgia! Basszák meg!

Felállt, a karjával hadonászott, és ide-oda járkált, ahogy beszélt.

– Tudom, hogy segíteni próbáltál nekem Pippel – kezdte –, és nagyra becsülöm ezt, Georgia, igazán. Tetszik nekem, és úgy gondolom, én is tetszem neki, és szeretünk egymás mellett lenni, és ja, én kimondom... azt hiszem, nagyon-nagyon szexelni akarunk egymással.

Csak bámultam rá, az arcom könnyfoltos, fogalmam sem volt, hova fog kilyukadni.

– De tudod, mire jöttem rá a sétámon? – kérdezte. – Rájöttem, hogy *szeretlek téged*, Georgia.

A szám tátva maradt.

– Nyilvánvalóan nem romantikus értelemben szeretlek. De rájöttem, hogy bármi is legyen ez az érzés irántad, én… – Vadul elvigyorodott. – Ugyanolyan, mint amikor *szerelmes* vagyok. Te és én… *ez egy kibaszott szerelmi történet!* Úgy érzem, mintha találtam volna valamit, amit a legtöbb ember egyszerűen nem ért. Otthon érzem magam melletted olyan módon, ahogyan sosem éreztem a *kibaszott életemben!* És talán a legtöbb ember ránk nézne, és azt gondolná, hogy *csak barátok* vagyunk, vagy ilyesmi, de én tudom, hogy ez egyszerűen… sokkal TÖBB annál. – Drámaian felém intett. – Te megváltoztattál engem. Te… te kibaszottul megmentettél engem, istenre esküszöm! Tudom, hogy még mindig egy csomó hülye dolgot csinálok, és rossz dolgokat mondok, és még mindig vannak napok, amikor egyszerűen *szarul* érzem magam, de… boldogabbnak éreztem magam az elmúlt hetekben, mint az elmúlt *években.*

Nem tudtam megszólalni. Lefagytam.

Rooney térdre rogyott.

– Georgia, én sosem szűnök meg a barátodnak lenni. És ezt *nem* a „barát" unalmas, átlagos értelmében értem, amikor huszonöt éves korunkra abbahagyjuk a rendszeres beszélgetést, mert mindketten találkozunk egy *kedves fiatalemberrel,* és lelépünk gyerekeket szülni, és csak évente kétszer találkozunk. Úgy értem, nyaggatni foglak téged, hogy vegyél egy házat a szomszédomban, amikor negyvenöt évesek leszünk, és végre elég pénzt gyűjtöttünk a bankszámlánkra. Úgy értem, minden este nálad fogok vacsorázni, mert *tudod,* hogy kibaszottul nem tudok főzni, hogy megmentsem az életem. És ha gyerekeim lesznek, és házastársam, ők is valószínűleg velem fognak tartani, mert máskülönben csirkefalatokon és sült krumplin fognak élni. Úgy értem, én leszek az, aki levest visz neked, amikor írsz, hogy beteg vagy, és nem tudsz felkelni az ágyból. És elszállít téged az orvoshoz még akkor is, ha nem akarsz menni, mert bűnösnek érzed magad, hogy a társadalombiztosítást használod, amikor csak gyomorrontásod van. Úgy értem, le fogjuk bontani a kerítést a kertjeink között, így lesz egy nagy kertünk, és egy kutyája lehet kettőnknek, és felváltva vigyázunk rá. – Úgy értem, itt leszek, idegesítelek téged, míg idősek nem leszünk, ugyanabban az öregek otthonában ülünk, egy Shakespeare-darab bemutatásáról beszélgetünk, mert mind öregek vagyunk, és unatkozunk, mint a szar.

Felmarkolta a virágcsokrot, és gyakorlatilag hozzám vágta.

– És ezeket neked vettem, mert őszintén nem tudtam, hogy másképp mutassam ki ezt neked.

Sírtam. Egyszerűen újra elkezdtem sírni.

Rooney letörölgette a könnyeket az arcomról.

– Mi az? Nem hiszel nekem? Mert kibaszottul nem viccelek. Ne ülj itt, és mondd nekem, hogy hazudok, mert nem hazudok! Volt ennek bármi értelme? – vigyorgott. – *Rendkívül* kialvatlan vagyok éppen.

Nem tudtam beszélni. Egy roncs voltam.

A virágcsokor felé intett, ami eléggé összetört az ölemben.

– Komolyan csinálni akartam valami hatalmas gesztust, ahogyan te csináltál Pipnek és Jasonnek, de nem tudtam semmit kitalálni, mert te vagy az agy ebben a barátságban.

Ez megnevettetett. Körém fonta a karját, és aztán csak félig nevettem, félig sírtam, boldog voltam, és szomorú egyszerre.

– Nem hiszel nekem? – kérdezte megint, és még mindig szorosan tartott.

– Hiszek neked – mondtam, az orrom teljesen eldugult, a hangom berekedt. – Esküszöm!

ÖTÖDIK RÉSZ

MÓKÁS VOLT

Egyikünk sem volt olyan edzettségi szinten, hogy a városközpontba való visszafutás jó ötlet legyen, mégis ezt tettük. A színdarabnak kevesebb mint két óra múlva el kellett volna kezdődnie. Nem volt választásunk. Végigrohantunk a folyó mentén, én kezemben a virágokkal, és minden alkalommal, amikor leejtettem egyet, megálltam felvenni. Rooneynál csak egy telefon és egy Starbucks pohár volt, meg egy vigyor az arcán. Többször meg kellett állnunk, és le kellett ülnünk, hogy levegőhöz jussunk, és mire elértük a város főterét, őszintén azt gondoltam, hogy a mellkasom szét fog robbanni. De rohannunk kellett. A színdarabért. A barátainkért.

Amikor odaértünk a színházhoz, mindketten verejtékben úsztunk. Berobbantunk az ajtón, és ott találtuk Pipet az előcsarnokban egy asztalnál, a fejét a tenyerébe hajtva.

Felnézett ránk, miközben szó szerint összeestem, és olyan hangot adtam ki, mint egy asztronauta, akinek kifogy a levegője, Rooney pedig mindent megtett, hogy megigazítsa az összekócolódott lófarkát.

– Hol... – kezdte Pip nagyon nyugodtan – a fenében... voltatok?

– Mi... – kezdtem mondani, de aztán csak ziháltam.

Szóval Rooney beszélt kettőnk helyett.

– Pánikba estem a múlt éjszaka után, és Georgia nyomon követte a telefonomat, de elvesztettem a telefonom egy mezőn, és ő egészen odáig futott, és aztán én is visszamentem, mert tudtam, hogy leejtettem valahol a mező közelében a telefont, és odaszaladtam hozzá, és voltak ezek a virágaim, mert el akartam mondani neki, mennyire nagyra értékelem őt, és mindent, amit értem tett ebben az évben, és aztán mindenről beszélgettünk, és elmondtam neki, mennyire fontos, hogy van nekem, és azt is… – Rooney előrelépett Pip felé, aki tágra nyílt szemmel bámult. – Én arra is rájöttem, hogy igazán, őszintén kedvellek téged, és nem éreztem így senki iránt hosszú ideje, és ez igazán ijesztő számomra, és ezért rohantam el.

– Öhm… o…oké – dadogta Pip.

Rooney egy újabb lépést tett előre, és a kezét az asztalra tette Pip elé.

– Te hogy érzel irántam? – kérdezte teljesen rezzenéstelen arccal.

– Öhm… én… – Pip arca vörössé vált. – Én… én is… igazán kedvellek téged…

Rooney nyomatékosan bólintott, de tudtam, hogy kezd egy kicsit ideges lenni.

– Jó. Csak gondoltam, tisztáznunk kellene ezt.

Pip felállt, tekintete nem hagyta el Rooney-t.

– Helyes. Öhm. Igen. Jó.

Ekkor sikerült lábra állnom, és már nem éreztem úgy, mintha a tüdőm felrobbanni készülne.

– Meg kéne keresnünk Jasont és Sunilt.

– Igen – mondta Rooney és Pip egyszerre, és mindhárman elindultunk a színház kulisszái mögé, Rooney és Pip egy kissé mögöttem.

Ahogy befordultam egy sarkon, azt mondtam:

– Az öltözőben vannak vagy…?

És amikor nem kaptam választ, hátrapillantottam, csak hogy Rooney-t és Pipet élénken csókolózva találjam. Rooney nekinyomta Pipet egy öltözőajtónak, látszólag egyikőjüket sem zavarta, hogy konkrétan én is ott voltam.

– Hé! – mondtam, de egyikük sem hallott meg, vagy úgy döntöttek, figyelmen kívül hagynak.

Hangosan köhögtem.

– HÉ! – ismételtem meg, ezúttal hangosabban, ők pedig vonakodva szétváltak, Rooney egy kicsit bosszúsnak látszott, Pip pedig a szemüvegét igazgatta, úgy nézett ki, mint akit épp megütöttek. – Előadunk egy darabot?

Jason és Sunil a színpad szélén ült, és egy csomag sós pattogatott kukoricán osztoztak. Amint megláttak minket, Jason diadalmasan felemelte mindkét karját, míg Sunil azt mondta:

– Hála istennek!

Jason ekkor idefutott, felkapott, és egészen a színpadig vitt engem, miközben én hisztérikusan nevettem, és próbáltam kiszabadulni.

– Megcsináljuk! – mondta megperdülve. – Megcsináljuk a színdarabot!

– Úgy érzem, sírni fogok – mondta Sunil, és aztán még három darab pattogatott kukoricát tömött a szájába.

Rooney hangosan összecsapta a kezét.

– Nincs több idő az örömködésre! Át kell öltöznünk, mielőtt az emberek elkezdenek megérkezni!

És aztán így tettünk. Jason és Sunil már elrendezte az összes jelmezünket, kellékünket és díszletünket a színfalak mögött, szóval mind átöltöztünk az első jelmezekbe, aztán tíz perc a díszlet megigazításával telt, amit a korlátozott erőforrásainkkal sikerült elkészítenünk. Volt egy papírmasé oszlopunk, amit balközépre helyeztünk, és egy csillagokkal borított füzér, amit hosszas megfontolás után valahogyan Jason és Rooney között sikerült odaerősítenünk az egyik háttérfüggöny sínéhez. Amikor felhúztuk, úgy nézett ki, mintha kis csillagok hullnának le a plafonról.

Sok jelenetünkben volt egy szék is, de a legjobb dolog, amit találni tudtunk, egy piros műanyag izé volt a kulisszákban.

– Van egy ötletem – mondta Rooney, és leugrott a színpad elején, hogy felkapja a virágokat, amiket az első sor ülésén hagytam. Felhozta őket a színpadra, és elkezdte a székhez celluxozni őket.

Mire végzett, a szék átalakult virágtrónná. Tíz perc volt hátra az előadásig, amikor elkezdtem azon tűnődni, hogy ki fog egyáltalán részt venni ezen a bemutatón.

Sadie-t nyilvánvalóan meghívtuk, mivel ő fogja elbírálni. És sejtettem, hogy Sunil meghívta Jesst. De ennyi lenne? Két néző?

Kikukucskáltam a függöny mögül, vártam, és hamar bebizonyosodott, hogy nagyon nagyot tévedtem.

Először néhány ember bukkant fel, akiket felismertem a Pride Egyesületből. Sunil azonnal kiment üdvözölni őket, végül intett nekünk, hogy jöjjünk köszönni. Pillanatokkal később egy másik kis embercsoport érkezett, Sunil pedig a zenekarbeli barátaiként mutatta be őket. Mindannyian arról kezdtek hablatyolni, hogy mennyire várták már ezt. Nem tudtam, vajon ez megijeszt vagy izgatottá tesz.

Következőnek Sadie érkezett egypár barátjával. Odajött, hogy gyorsan köszönjön, mielőtt leült az első sorba. A lehető legmegfélemlítőbb helyválasztás.

Nem sokkal ezután megérkezett Jess, és miután köszönt a Pride Egyesület csapatának, elment találkozni Sadie-vel. Megölelték egymást, együtt leültek, úgy tűnt, jó barátok. Az egyetem kis világ.

Termetes srácok falkája tűnt fel, és ötletem sem volt, kik ők, míg Jason oda nem ment üdvözölni őket, néhány evezős csapattársa volt. És aztán két másik ember is megjelent, ismét teljesen idegenek számomra, de Pip odaszaladt hozzájuk, megölelte mindkettőt, és aztán bemutatta őket mint Lizzie és Leo, két barátja, akiket a LatAm Egyesületben szerzett.

Nekem nem volt senki, aki direkt azért jött volna, hogy engem lásson. Ahogy Rooney-nak sem.

Nem érdekes, gondoltam. Aki itt volt, ez a négy ember, elég volt.

És annak ellenére, hogy én nem tettem ezért semmit, volt közönségünk. Elég, hogy feltöltsenek három teljes üléssort.

Talán ez nem volt sok. De nekem soknak tűnt. Úgy tűnt, mintha *fontos* lenne, amit csináltunk.

Három perccel kettő előtt mi öten összegyűltünk a jobb oldalon a takarásban, és összezsúfolódtunk.

— Más is úgy érzi, hogy szarnia kell? — kérdezte Pip.

– Igen – vágta rá Rooney azonnal. Míg Sunil azt mondta:

– Nos, én nem pontosan így fogalmaznék.

– *Rendben* leszünk – mondta Jason. – Mindenki nyugi.

– Ha azt mondod nekem, nyugi, még kevésbé vagyok nyugodt – mondta Pip.

– Bármi történik – mondtam –, mókás volt, igaz? Az egész mókás volt idáig.

Mindenki bólintott. Mindannyian tudtuk, hogy az volt.

Bármi történt a színdarabbal, a társulattal, a különös kis baráti csoportunkkal…

Ez az egész annyira mókás volt.

– Gyerünk, csináljuk meg! – mondta Jason, és mindannyian egymásra tettük a kezünket.

JÓ'TSZAKÁT

Jason volt az első a színpadon. Egy mikrofonnal és Rómeónak öltözve, élénk színű, kontrasztos mintákban.

– Ez csak egy kis előadás előtti közlemény – mondta. – Először is… köszönjük mindenkinek, hogy eljött. Nagyon örülünk, hogy ilyen nagy és lenyűgöző a részvétel, ami kétségkívül a hihetetlenül széles körű reklámkampányunknak köszönhető.

A közönség soraiban volt némi kuncogás.

– Másodszor, csak informálni akartalak titeket, hogy volt néhány… kisebb problémánk, miközben megpróbáltuk elkészíteni ezt a színdarabot. Volt néhány… szereposztási vita. És elég rohanós volt a végső jelenetek elkészítése. Most már minden rendben van, reméljük, de… elég hosszú út vezetett idáig. Volt egy csomó könny és indulatos WhatsApp-üzenet.

A tömegben még több kuncogás hallatszott.

– Azoknak, akik nem tudják – folytatta Jason –, mi, a Shakespeare Társulatnál úgy döntöttünk, hogy az első előadásunkra nemcsak egy darabot, hanem egy több jelenetből álló válogatást készítünk. Az összes jelenet így vagy úgy a szerelemről szól, de rátok hagyjuk az értelmezését, miféle szerelmet ábrázolnak ezek a jelenetek. Szűzies, toxikus, romantikus, plátói, mindenfélét fel akartunk fedezni. Mindenesetre egy kicsit rövidebb lesz, mint egy hagyományos színdarab, szóval mindannyian időben kijutunk egy késői kocsmai ebédre.

Néhány kurjantás a tömegből.

– Végül – mondta Jason –, négyen el akartuk mondani, hogy ezt az előadást annak az embernek ajánljuk, akinek sikerült összehozni minket, miután minden a darabjaira hullt.

Megfordult, rám nézett a takarásban, és a szeme megtalálta az enyémet.

– Georgia Warr az oka, hogy ez a színdarab mégis létrejött – mondta. – És ez talán csak egy kis színdarab, de számunkra fontos. Eléggé. És Georgia megérdemli, hogy valami csak neki készüljön. Szóval ez neked szól, Georgia! Egy színdarab a szerelemről.

Kicsit zavaros, de csodálatos volt. Egy komédiával kezdtük, Rooney és Pip Benedetto és Beatrice szerepében, és hamarosan a közönség a hasát fogta a nevetéstől. Valahogy azon kaptam magam, hogy úgy hallgatom a *Sok hűhó semmiért* szövegét, mintha sosem hallottam volna korábban. Megelevenedett előttem. Gyönyörű volt.

A *Szentivánéji álom* volt a következő. Ami azt jelentette, hogy közeledett az idő számomra, hogy színre lépjek.

És ekkor rájöttem, hogy jól vagyok.

Nincs émelygés. Nincs a mosdóba futkosás, mint a végzős évben a *Rómeó és Júliá*nál.

Ideges voltam, persze. De az idegesség normális szintje keveredett az izgalommal, hogy felléphetek, *játszhatok,* azt csinálhatom, amit nagyon-nagyon szeretek.

És amikor kimentem, és belekezdtem a „Jöszte hát halál" monológba, tényleg jól szórakoztam. Jason és Sunil jöttek utánam mint Orsino és Viola, és oldalról néztem, mosolyogva, megkönnyebbülten, *boldogan.* Megcsináltam. *Megcsináltuk.*

Jason és Rooney egy kis *Rómeó és Júliá*t játszottak, olyan szenvedélyesnek tűntek, mintha a valóságban is randiznának. Aztán mind előadtunk a *Lear király*ból, ahol Lear próbálta kitalálni, melyik lánya szereti őt a legjobban. Aztán Prospero voltam Sunillal mint Ariellel *A vihar*ból, mindkettőnknek szükségünk volt a másikra, de meg akartunk szabadulni a mágikus köteléktől.

Rooney és Pip visszajött, és még több *Sok hűhót* játszott, ahol Benedetto és Beatrice végre bevallják, hogy szeretik egymást, és amikor csókolóztak, a közönség tapsolva ordított.

És végül a *Szentivánéji álom*mal fejeztük be. Vagyis én fejeztem be. A virágtrónomon ültem, és felolvastam az utolsó sorokat a darab befejezéseként.

– *Most uraim, jó'tszakát* – mosolyogtam szelíden a közönség arcába, remélve, imádkozva, hogy ez mind elég volt. Hogy ez nem az utolsó alkalom lesz, amikor a legjobb barátaimmal játszhatok. – *Fel, tapsra hát, ki jó barát, S Robin megjavítja magát.*[13]

Sunil eltompította a színpadi fényeket, és a közönség máris talpra ugrott.

Meghajoltunk, miközben a nézők éljeneztek. Ez nem fog bevonulni az egyetem történelmébe. Senki más számára nem lesz különleges. Az emberek el fognak felejtkezni róla, vagy csak úgy emlékeznek, mint egy furcsa, de érdekes diákszíndarabra, amit láttak egyszer.

Senki más az univerzumban nem fogja látni ezt a színdarabot.

De azt hiszem, így lett a miénk.

– Ez *kész káosz* volt – mondta Sadie felhúzott szemöldökkel és összefont karral. – A jelenetátmeneteitek a legjobb esetben is megkérdőjelezhetőek, és a rendezések... nagyon szokatlan.

Mi öten, akik a színpad szélén ültünk sorban, kollektívan lehervadtunk.

– *De* – folytatta feltartva az egyik ujját – nem utáltam. Valójában úgy gondolom, nagyon kreatív volt, és határozottan érdekesebb, mintha jöttetek volna, és a *Rómeó és Júlia* egy nagyon átlagos, rövidített változatát adtátok volna elő.

– Szóval... – szólalt fel Rooney. – Ez... Mi...

---

[13] Arany János fordítása.

– Igen – mondta Sadie –, megtarthatjátok a Shakespeare Társulato-
tokat.

Pip és Rooney sikítani kezdett, és átölelték egymást. Sunil a mellkasá-
ra tette a kezét, és azt suttogta, „*Istennek hála!*", míg Jason körém fonta
a karját, és vigyorgott. Rájöttem, hogy én is vigyorgok. Boldog voltam.
Annyira, annyira boldog voltam!

Miután Sadie elment, Rooney volt az első, aki megölelt. Átmászott a
többieken, és egyszerűen rám esett, lenyomott a színpadra, körém fonta
a karját, és nevettem, és nevetett, és mi mind csak nevettünk és nevet-
tünk. Pip csatlakozott hozzánk következőként azt rikoltva:
– Én is benne akarok lenni! – És ránk ugrott. Sunil nekidöntötte a
fejét Rooney hátának, és aztán Jason beborított a testével négyünket,
és egyszerűen mind így maradtunk egy pillanatig, nevetve, csacsogva és
egymást tartva. A kupac alján lényegében összenyomtak, de furcsa mó-
don megnyugtató volt. Mindegyikük súlya rajtam. Körülöttem. Velem.

Nem kellett kimondanunk, de mind tudtuk. Mind tudtuk, mire lel-
tünk itt. Vagy legalábbis én. Én tudtam. Megleltem.

És ezúttal nem volt nagy bejelentés. Semmi hatalmas gesztus.

Csak mi voltunk, egymást tartva.

A HÁZ

A ház egy utcasarkon volt. Egy viktoriánus sorházi épület, de esztétikailag nem tetszetős fajta, és aggasztóan kis ablakai voltak. Mi, öten odakint álltunk, felbámultunk rá, senki nem szólalt meg. Senki nem akarta kimondani, amit mind gondoltunk: elég szarul nézett ki.

Egy hónappal a színdarabunk előadása után én, Rooney, Pip és Jason rájöttünk, hogy nincs hol laknunk következő évben. A Durham Egyetem college épületei elsősorban az elsőéves diákok számára voltak, meg néhány harmad- és negyedéves diáknak. A másodévesektől általában azt várták, hogy saját lakást találjanak maguknak. Szóval a legtöbb gólya kis csoportokat alkotott december és január környékén, elmentek házra vadászni, és bérleti szerződést írtak alá.

Az év közbeni drámának köszönhetően teljesen lemaradtunk a memóról. És április végére az egyetem által szervezett albérletek többsége Durhamben már foglalt volt a következő tanévre, ami miatt át kellett fésülnünk a magánfőbérlői honlapokon található megbízhatatlan hirdetéseket.

– Biztos vagyok benne, hogy odabent szebb – mondta Rooney, előrelépett, és bekopogott az ajtón.

– Ezt mondtad az előző háromról is – mondta Pip a karját összefonva.

– És végül igazam lesz.

– Csak mondom – mondta Sunil –, talán ismételten meg kéne fontolnunk, mennyire érdekel minket, hogy van-e nappalink.

Habár Sunil harmadéves volt, az utolsó percben úgy döntött, hogy visszatér következő évben megcsinálni a mesterképzést zenéből. Még mindig nem volt ötlete, mit akar kezdeni az életével, ami úgy gondoltam, nagyon szimpatikus és érthető. És azt mondta, szeret Durhamben lenni, és maradni akar még egy kicsit. De Jess elment az év végén. Valójában Sunil legtöbb harmadéves barátja elment. Amint felfedeztük ezt, megkértük, hogy lakjon velünk, és igent mondott.

Az ajtó kinyílt, és egy fáradt diák engedett be minket, elmagyarázva, hogy őt leszámítva mindenki elment előadásokra, szóval körbesétálhatunk, és benézhetünk bármelyik szobába, amelyikbe akarunk. Mind a konyhába indultunk elsőként, ami egyben a nappali is volt, az egyik oldalon egy kanapéval, a másik oldalon pedig a konyhapultokkal. Minden nagyon régi volt, és jól elhasznált, de úgy tűnt, működik és tiszta, és csak erre volt szükségünk. Diákok voltunk. Nem lehettünk válogatósak.

– Ez igazából nem rossz – mondta Sunil.

– Látjátok? – kérdezte Rooney körbemutatva. – Mondtam nektek, hogy ez lesz az.

Jason összefonta a karját.

– Elég… alacsony. – A fejbúbja elég közel volt a plafonhoz.

– De nincs fekete penész – mutatott rá Pip.

– És van elég hely a csapatnak – mondtam. A csapat alatt ötünket értettem, plusz azokat, akik eljönnek a próbáinkra. Nos ezek már nem igazán voltak próbák. Idén nem kellett egy másik darabra is felkészülnünk, és mindannyian elfoglaltak voltunk a vizsgáinkkal és a házi dolgozatainkkal. Szóval általában csak találkoztunk, beszélgettünk, filmet néztünk, és gyorskaját ettünk. Minden péntek este Rooney és az én szobámban.

Néha Sunil magával hozta Jesst, vagy Pip a barátait, Lizzie-t és Leót. Néha a Kastély evezős férficsapatának a fele felbukkant, lármás fiúk, akik először megrémisztettek engem, de igazából egész kedvesek, amikor megismered őket. Néha csak az eredeti ötös volt, vagy kevesebben, ha valaki nem ért rá.

Ez rituálévá vált. A kedvenc egyetemi rituálém.

– És ez a *tökéletes* hely Rodericknek! – mondta Rooney élénken, egy üres sarokra mutatva a kanapékarfa mellett.

Elindultunk a két földszinti hálószobába, mindkettő nagyon hétköznapi volt. Jason és én bekémleltünk a másodikba. Majdnem annyira rendetlen volt, mint Pip jelenlegi hálószobája.

– Mindig egy földszinti hálószobát akartam – mondta Jason. – Nem tudom, miért. Csak klassznak tűnt.

– Közvetlenül az út mellett lennél.

– Azt hiszem, kedvelném. Környezeti zaj. És nézd! – mutatott egy foltra az üres falon az ágy fölött, elég hely egy bekeretezett fényképnek.

– A tökéletes hely a *Rejtélyek nyomában*nak.

Előző héten volt Jason születésnapja. Az egyik ajándéka tőlem: egy bekeretezett fénykép az egész Scooby Doo-bandáról. Mind az öten.

– Egy földszinti szobát szeretnék – mondta Sunil, aki feltűnt mögöttünk. – Tetszene közel lenni a konyhához. Könnyű nasihozzáférés.

Jason óvatosan pillantott rá.

– Mindaddig, míg nem gyakorolsz a csellón késő éjjel.

– Úgy érted, *nem* akarod hallgatni a gyönyörű muzsikámat hajnalok hajnalán?

Jason nevetett, és elindult az emeletre, hagyta, hogy Sunil és én besétáljunk az első hálószobába, óvatosan, hogy ne érjünk hozzá a jelenlegi lakó cuccaihoz. És aztán Sunil azt mondta:

– Szeretnék felvetni neked egy ötletet, Georgia.

– Igen?

– Nos, már csak pár hónapig leszek a Pride Egyesület elnöke, és mielőtt vissza kell lépnem… létre akartam hozni egy új csoportot a Pride Egyesületen belül. Egy egyletet az aromantikus és aszexuális diákoknak. És azt hiszem, azon tűnődtem… vajon benne akarsz-e lenni. Nem szükségszerűen az elnökeként, de… nos, nem tudom. Én csak meg akartam kérdezni. De semmi nyomás.

– Ó! Öhm… – Azonnal ideges lettem az ötlet miatt. Még voltak napok, amikor nem voltam tele önbizalommal a szexualitásom miatt, az összes olyan nap ellenére, amikor büszkének és hálásnak éreztem magam, hogy tudom, ki vagyok, és mit akarok. Talán a rossz napok egyre ritkábbak lesznek, de… Nem tudtam. Nem *tudhattam*.

Talán egy csomó ember érez így a saját identitása miatt. Talán csak időbe fog telni.

– Nem tudom – mondtam. – Még a szüleimnek sem bújtam elő.

Sunil megértően bólintott.

– Rendben van. Csak tudasd velem, miután átgondoltad.

– Rendben – bólintottam vissza.

Bepillantott a hálószobába, ahogy az esti fény a padlóra esett.

– Ez egy jó év volt, de alig várom, hogy visszalépjek. Azt hiszem, pihentetőbb évet érdemlek jövőre – mosolyodott el magában. – Szép lenne. Pihenni.

Még három hálószoba volt az emeleten, Pip és Rooney azonnal a nyilvánvalóan legnagyobb felé vette az irányt.

– Ez az enyém – mondta Pip és Rooney egyszerre, aztán egymásra bámultak.

– Nekem több hely kell – mondta Rooney. – Vagy harminc centivel magasabb vagyok nálad.

– Öhm, először is, ez hazugság, csak néhány centivel vagy magasabb...

– Legalább tizenöt centi.

– És másodszor, több helyre van szükségem, mert sokkal több ruhám van, mint neked.

– Úgyis mindketten ugyanabban a szobában fogtok aludni – mormogta Jason a szemét forgatva. Pip egy zavart, riadalommal vegyes pillantást lőtt felé, míg Rooney azonnal elvörösödött, kinyitotta a száját, és tiltakozni kezdett.

Rooney továbbra sem töltötte a szobánkban az összes éjszakát. Első alkalommal, amikor a színdarab után megtörtént, féltem, hogy visszatért a kemény iváshoz és az idegenekkel bulizáshoz, de amikor végül szembesítettem ezzel, félénken bevallotta, hogy az összes éjszakát Pip szobájában töltötte. És a ruhák, amiket folyton otthagyott, egy kicsit árulkodóak voltak.

Azért a mi szobánkban is töltött éjszakákat. Rengeteg éjszakát. Nem olyan volt, mintha lecseréltek volna, vagy kevésbé lennék fontos. Ő volt az egyik legjobb barátom. Én pedig az övé. És mindketten felfogtuk, hogy ez most mit jelent.

Amikor Rooney abbahagyta Jason lehordását, amiért felhozta a szexuális életét, és Jason taktikusan visszavonult a fürdőszobába, néztem, ahogy Rooney és Pip az ajtóban áll. Rooney finoman megérintette Pip kezét, felé hajolt, suttogott valamit, amit nem hallottam, és amitől Pip szélesen vigyorgott.

Arrébb léptem, és bekukucskáltam a másik hálószobába. Ennek volt egy nagy tolóablaka, egy mosdókagyló a sarokban, és bárki élt itt, polaroidfotókat ragasztott az egyik falra. A szőnyeg valahogy furcsa volt, merész piros mintájú, ami nagyi függönyeire emlékeztetett, de nem utáltam. Egyetlen részét sem utáltam. Nem volt különleges, vagy ilyesmi. De tényleg el tudtam képzelni magamat, ahogy itt élek. El tudtam képzelni mindannyiunkat itt, megkezdve az új tanévet, hazatérve, a kanapéra roskadva egymás mellett, beszélgetve reggelenként a konyhában a gabonapelyhes táljaink fölött, összezsúfolódva a legnagyobb hálószobában a moziesteken, elaludva egymás ágyában, amikor túl fáradtak vagyunk megmozdulni.

Az egészet el tudtam képzelni. Egy jövő. Egy kis jövő, és nem az örök jövő, de mégis egy jövő.

– Mit gondolsz? – kérdezte Rooney, aki mellém állt az ajtóban.

– Ez… oké – mondtam. – Nem tökéletes.

– De?

Elmosolyodtam.

– De azt hiszem, jól fogunk itt szórakozni.

Visszamosolygott.

– Egyetértek.

Rooney visszatért, hogy folytassa a vitatkozást Pippel a nagyobb hálószobáról, de én csak álltam itt egy pillanatig, nézve, mi lehet a jövőbeli életterem. Miután hónapokig aludtam az egyik legjobb barátom mellett, egy kicsit ideges voltam, hogy visszatérek a szóló hálószobához. Aludni egy csendes szobában, csak a gondolataimmal.

De volt időm, hogy megszokjam a gondolatot.

Addig összetolva fogjuk tartani az ágyakat.

KÖSZÖNETNYILVÁNÍTÁS

Ez a könyv volt a legnehezebb, legfrusztrálóbb, legijesztőbb és legfelszabadítóbb dolog, amit valaha csináltam. Olyan sok csodálatos ember segített engem keresztül ezen az utazáson:

Claire Wilson, a hihetetlen ügynököm, aki a kelleténél több érzelmes e-mailt kapott. A szerkesztőm, Harriet Wilson; a könyveim tervezője, Ryan Hammond; és mindenki más a HarperCollinsnál, aki ezen a könyvön dolgozott – köszönöm nektek a fáradhatatlan erőfeszítést és a történeteim támogatását annak ellenére, hogy szinte minden egyes határidőt meg kellett hosszabbítanom, amit megadtam. Emily Sharrattnak, Sam Stewartnak, Ant Belle-nek és Keziah Reinának a szerkesztésükért, éleslátásukért és bétaolvasásukért, gyakran nagyon szűk időkorlátok mellett. Az író lélektársamnak, Lauren Jamesnek, aki elviselte az ezzel a könyvvel kapcsolatos nyűgjeim nehezét, és annyit segített nekem a szerkezettel és ritmussal. A barátaimnak és a családomnak, a való életben és online. És az olvasóimnak, akik végig biztattak engem. Nagyonnagyon köszönöm nektek, mindenkinek.

És köszönöm mindenkinek, aki kézbe vette ezt a könyvet. Igazán remélem, hogy élveztétek ezt a sztorit.

TOVÁBBI FORRÁSOK
AZ ASZEXUALITÁSRÓL ÉS
AROMANTIKUSSÁGRÓL

Magyar Aszexuális Közösség:
https://aszex.hu és https://facebook.com/aszexhun

Aszexualitás – láthatatlan és félreértett szexuális irányultság:
https://aszex.hu/wp-content/uploads/2023/03/Aszexualitas-
lathatatlan-es-felreertett-szexualis-iranyultsag.pdf

Magyar Aromantikus Közösség:
https://www.facebook.com/groups/518431522342342

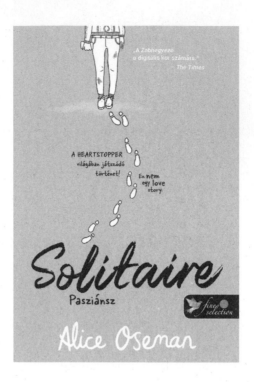

A nevem Tori Spring. Szeretek aludni, és szeretek blogolni. Tavaly még voltak barátaim. A dolgok nagyon mások voltak, azt hiszem, de most már mindennek vége.

Most itt van a Pasziánsz. És Michael Holden.

Nem tudom, mit akar a Pasziánsz. És nem érdekel Michael Holden. Tényleg nem.

„A *Zabhegyező* a digitális kor számára."
– *The Times*

ISMERD MEG
NICK ÉS CHARLIE TÖRTÉNETÉT!

 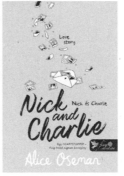

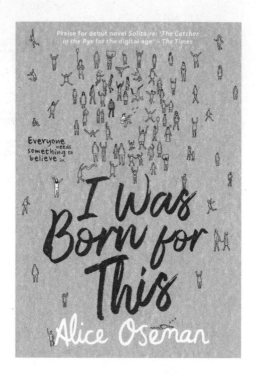

Angel számára az élet egyetlen dologról szól: a The Arkról, egy tinédzserfiúkból álló pop-rock trióról, akik rohamléptekkel hódítják meg a világot. Mindent, amit szeret, a The Ark-fandomnak köszönhet: a barátját, Julietet, az álmait, a helyét a világban.

Jimmy mindent a The Arknak köszönhet. Ő a frontemberük – és egy bandában játszani a haverjaival minden, amiről valaha álmodott.

De az álmok nem mindig úgy alakulnak, ahogyan azt gondoljuk, és amikor Jimmy és Angel váratlanul összetalálkoznak, rájönnek, milyen furcsa és meglepő lehet szembenézni a valósággal.

MÉLTATÁSOK

„Hűha, csak hűha… Teljesen lenyűgözött Alice Oseman gyönyörű és szórakoztató írása. Ez az első könyv, amit valaha olvastam ettől az írótól, és pontosan tudom, hogy nem ez lesz az utolsó, mert Georgia szívfacsaró élményei és a küzdelmei az aszexuális/aromantikus szexualitásával többször fakasztottak könnyekre, mint amit hajlandó lennék beismerni."

— *The Lesbian Review*

„Azt hiszem, ez a könyv annak ellenére rezonált velem, hogy nem azonosulok azzal az identitással, amelyet feltérképezett és bemutatott. Azonban az egyetemi környezet, az itt történő, világrengető felfedezések önmagunkkal kapcsolatban mind olyan dolgok, amelyek relevánsak a számomra. Számtalanszor könnyeztem a történet során, mert átéreztem a leírtakat. És mivel állítása szerint ez Oseman legszemélyesebb élményekből építkező regénye, ez végig érződött is rajta. A szavak szívből jöttek, nem érződött mögöttük a tapogatódzás, a megfelelő kifejezések után való kutatás.

Imádtam. És akarok még többet és többet belőle."

— *szkrn, Moly.hu*

„Egyszerűen zseniális volt az egész kötet, a szereplők, a történet, a végkifejlet, és úgy általánosságban minden. Én nem tudom, honnan szerzi Alice az ihletet ilyen történetekhez, de nagyon bízom abban, hogy sosem apad ki ez a forrás. :)"

— *K_Szilvia03, Moly.hu*

„Az összes Alice Oseman-könyv közül erre mondanám leginkább, hogy Alice Oseman. Nagyon cuki, és eszméletlenül diverz, néha vicces, néha siratós (komolyan volt egy része a vége felé, ahol sírás közben nevettem, pedig nem gondoltam volna, hogy ilyen tényleg létezik), nagyon komoly dolgokról beszél, nagyon egyszerűen, mert ilyen a való élet. Azt hiszem, minden szereplőhöz és élethelyzethez tudtam egy kicsit kapcsolódni valahogy, és szerintem ettől lesz jó igazán egy YA-regény. Legszívesebben mindenkivel elolvastatnám a korosztályomban, mert tényleg nagyon »gen-z« és nagyon »relatable« történet arról, hogy mi is igazából a szeretet."

– Bruja, Moly.hu

„Életem egyik legjobb döntése volt, hogy ezt a könyvet elolvastam. […] Leginkább azért áll hozzám közel a könyv, mert én is egy elsőéves hallgató vagyok, illetve rajta vagyok mindkét szálról az a-spektrumon, így nagy százalékban tudtam azonosulni a főhőssel, Georgiával.
Szerintem Alice Oseman egyik legjobb műve, teljes szívből ajánlom mindenkinek."

– moony_lupin, Moly.hu

„Iszonyat hálás vagyok Alice Osemannek, amiért megírta ezt a könyvet, csak az a »baj« vele, hogy nem olvashattam öt vagy tíz évvel ezelőtt, talán egész máshogy látnám a világot most. Csodálatos történet az önfelfedezésről, és arról, hogy lehetünk sikeresek és kiegyensúlyozottak romantikus/testi kapcsolat nélkül is."

– KatieWR, Moly.hu